La ley del más hombre

Erika Katz

LA LEY DEL MÁS HOMBRE

Traducido del inglés por Julia Osuna Aguilar

AdN Alianza de Novelas

Título original: *The Boys' Club*

Diseño de colección: Estudio de Pep Carrió

Madrid, 2022
Calle Juan Ignacio Luca de Tena, 15
28027 Madrid
www.AdNovelas.com

ISBN: 978-84-1362-640-6
Depósito legal: M. 27.774-2021
Printed in Spain

A mis padres, por haberme dado una vida increíble y,
cada día sin falta, todo vuestro apoyo incondicional.
(Os lo suplico: saltaos las escenas de sexo cuando leáis el libro.)

Anatomía de una fusión fallida

1. La lista de objetivos. Lista de vendedores y compradores potenciales de empresas en el mercado de referencia.
2. El contrato de confidencialidad (NDA). Contrato por escrito entre dos o más partes firmantes con objeto de proteger la información delicada de la que ambas partes tendrán conocimiento en el momento de establecerse las negociaciones.
3. La manifestación de interés. Expresión de interés, supeditado a condiciones y no vinculante, en participar en la compra o la venta de una empresa.
4. El intento de cierre. Intento de concluir el proceso de fusión y transferir legalmente la propiedad tras la firma y el registro de todos los documentos.
5. La ruptura. Finalización de una operación antes de llegar a su cierre efectivo; por lo general, la parte que no se atiene a las condiciones de cierre acordadas ha de pagar una sanción.
6. Cuestiones posruptura. El «saneamiento» y los ajustes que se hacen tras una operación o una ruptura para garantizar que todas las partes de la transacción puedan operar satisfactoriamente.

Prólogo

TRIBUNAL SUPREMO DEL ESTADO DE NUEVA YORK,
CONDADO DE NUEVA YORK, SISTEMA
DE ASIGNACIÓN INDIVIDUAL, PARTE 29

SHEILA PLATT,
n.º 1476/46
demandante,
contra
GARY KAPLAN,
demandado

PRESENTES:
ALEXANDRA VOGEL, testigo de la acusación
MICHAEL ABRAMOWITZ, abogado de la srta. Vogel
TESTIMONIO PRELIMINAR PARA LA VISTA DEL JUICIO CONTRA GARY KAPLAN, anotado por y en presencia de MARA HARVEY, taquígrafa de actas y notaria pública del estado de Nueva York, celebrado en la sede del despacho de abogados Meyers & Cowler, Kenmare Street, 41, Nueva York (Nueva York), el lunes 6 de junio de 2019, con hora de inicio a las 11:30 de la mañana.

PRIMER INTERROGATORIO, CONDUCIDO POR EL SEÑOR ZEIGLER

P: Buenos días, señorita Vogel.

R: Buenos días.

P: Me llamo Avery Zeigler y trabajo en el bufete de Zeigler & Babchick. Represento a la parte demandada, el señor Kaplan, en la demanda interpuesta contra él por la señorita Sheila Platt.

Voy a plantearle preguntas sobre su carrera profesional y, en concreto, sobre su relación con el señor Kaplan. Si no entiende alguna de mis preguntas, por favor, no dude en hacérmelo saber y no tendré problema en reformularla.

Empecemos con las cuestiones personales. ¿Dónde estudió usted Derecho?

R: Fui a la Facultad de Derecho de Harvard.

P: ¿Y dónde trabajó después de licenciarse?

R: Mi primer trabajo al acabar la licenciatura fue como asociada en el bufete Klasko & Fitch.

P: ¿Y a qué departamento pertenecía cuando entró en las filas de Klasko & Fitch?

R: En Klasko nunca se asigna una especialidad a los asociados en el momento de su contratación. Tú manifiestas tu interés por una especialidad en concreto, y en abril se te asigna a un departamento u otro.

P: ¿Cómo se hacen esas asignaciones? ¿Cuál es el proceso?

R: Los asociados dan a conocer sus áreas de interés y trabajan en esos ámbitos. Y, en el caso de que el asociado se congracie con el departamento en cuestión, se le permite unirse a sus filas.

P: ¿Hay un número limitado de puestos por departamento?

R: Bueno, es necesario que haya trabajo suficiente para los asociados que se unen a esa área. Un departamento no puede asumir un número ilimitado de asociados.

P: ¿Es un proceso muy competitivo?

R: Yo diría que, entre los asociados, hay departamentos más codiciados que otros.

(El abogado de la defensa parlamenta con su compañero.)

P: ¿En alguna ocasión sintió la necesidad de ir más allá de su deber? ¿De involucrarse personalmente más allá de lo profesional con compañeros o clientes?

Sentí un ligero escalofrío cuando mi armadura de tacones altos y traje a medida de corte impecable empezó a resquebrajarse. Ya no estaba en la sala de juntas de mi elegante despacho de Manhattan con su aire acondicionado al máximo; allí no había rayos de sol colándose por la ventana en lazos dorados que se me acurrucaban en el regazo. La locura de los primeros meses en Klasko & Fitch me volvió entonces de golpe y me caló hasta el último poro con la competitividad, las sensaciones tonificantes de éxito, los nervios a flor de piel, el miedo y el asco y la intensidad devoradora de ser una asociada sin un puesto asignado que intenta desesperadamente asegurarse un hueco en un departamento prestigioso. Me enjugué el sudor de la frente, cerré los ojos y tardé unos segundos de más en abrirlos.

Primera parte

La lista de objetivos

Lista de vendedores y compradores potenciales de empresas en el mercado de referencia.

1

—¿Se me ve bien? ¿Sam? ¡Sam!

Mi novio estaba con la boca entreabierta y los ojos clavados en el televisor, donde atronaba a toda voz el matinal *Morning Joe*. Estampé un tacón de mis zapatos de salón nuevos, color *nude,* contra la tarima de madera maciza.

—¿Qué? —Sam se volvió para mirarme con los ojos morenos bien abiertos e inquisitivos por encima de los surcos que le había dejado un sueño apacible en la mejilla derecha.

—Que si se me ve bien. ¿Dice «soy abogada»? —Me remetí bien la blusa por la falda y cogí aire—. Madre mía, estoy de los nervios.

Sam fue bajando la barbilla sin afeitar conforme me daba el repaso de pies a cabeza.

—Se te ve supersexy.

—¡Puf! —protesté antes de dar media vuelta y volver al cuarto.

Sam me siguió, todavía adormilado, rascándose la barriga bajo la camiseta interior blanca y por encima del pantalón de pijama de franela.

—¿Qué pasa? ¿Qué tiene eso de malo? ¿Cómo se supone que debes ir? Sea como sea, vas bien.

Me saque la blusa por la cabeza y corrí al vestidor.

—¡Profesional! En mi primer día de abogada se supone que tengo que ir profesional… ¿cómo voy a ir? —dije enfurruñada mientras buscaba otra parte de arriba que ponerme.

—¡Pero es que pareces profesional! Bueno, parecías…

Estaba plantada ante él con los tacones, la falda y el sujetador, y se me acercó entonces despacio y me rodeó la cintura con los brazos.

—¿De verdad?

Asintió, recogió la blusa de seda blanca del suelo y me la tendió justo cuando una vibración resonaba en la habitación, desde lo alto de la cómoda. Me zafé y fui a por el móvil.

Me quedé unos instantes mirando la palabra «Casa», con el índice sobrevolando indeciso el botón de rechazar, pero me lo pensé mejor y le di al verde mientras Sam aprovechaba para escapar de vuelta al sofá.

—¡Mamá, hola! ¡Estoy aquí arreglándome con las prisas! ¿Qué tal?

—¡Estamos aquí los dos! —chilló mi madre.

Puse el teléfono en altavoz mientras volvía a meterme la blusa por la cabeza.

—¡Te llamábamos solo para desearte suerte! —intervino mi padre.

Me los imaginé a los dos en la cocina, inclinados con la cabeza pegada sobre el teléfono fijo y chillándole al auricular, antaño blanco y ahora amarilleado, con aquel cable larguísimo y siempre sin falta enredado reptando por el suelo.

—Ay, muchas gracias, papis. Luego os llamo y os…

—¿Alex? —preguntó mi padre.

—¿Hola? ¿Me oís? —Miré la pantalla del móvil y vi que tenía cuatro rayas de cobertura.

—¡Ya le has colgado! —protestó mi madre.

—¡Me habéis puesto en silencio! —grité, y al instante maldije lo inútil de mi exclamación.

«Les doy cinco segundos y, como eso, cuelgo…»

—¿Bichito?

—¿Mamá?

—¡Hola! ¡Ya creíamos que te habíamos perdido! ¿Estás nerviosa?

—No mucho —mentí ladeando la cabeza para tener un mejor ángulo al morderme la uña del pulgar—. Hoy es solo el cursillo de orientación.

—Qué orgullosos estamos de ti —exclamó emocionada.

Se me hizo un nudo en la barriga y miré de reojo el traje de Ann Taylor, todavía con la etiqueta puesta, que colgaba en una punta del vestidor. Ojalá hubiera hecho unas prácticas en Klasko en algún verano de la carrera o la especialidad. Habría sabido qué ponerme… y a qué atenerme.

—Me he puesto una falda y una blusa… No sé… ¿Me pongo mejor un traje? —Al otro lado de la línea se hizo el silencio.

«¿Cómo se me ocurre pedirle consejo sobre etiqueta laboral a un hombre que va todos los días a trabajar con la misma bata de hospital y a un ama de casa?»

—¡Seguro que estarás guapa con lo que decidas ponerte! —llegó por fin la voz de mi madre.

Puse cara de hastío. «Qué inutilidad.»

—Gracias, mamá, y gracias a los dos por llamar, pero tengo que ir saliendo.

—¡A por ellos! ¡Déjalos muertos! —gritó mi padre.

Sentí de pronto que no estaba para nada a la altura.

—Tranquilidad, papá, que no es que vaya a curar el cáncer ni nada de eso. —Sonreí.

—Por eso te he dicho que los dejes «muertos» —contestó mi padre en tono cantarín, muy orgulloso de su broma.

No pude evitar sonreírme ante aquel chiste malo de padre.

El mío era oncólogo, y aunque yo sabía que estaba orgulloso de mí, sospechaba para mis adentros que él habría preferido que me hubiera quedado en la ONG Sanctuary for Families, por mucho que no me lo hubiera dicho con esas palabras. De pequeña, mis padres siempre me decían: «De mayor puedes ser lo que quieras: médico, abogada...». Y ahí dejaban siempre la frase en suspenso. No recordaba cuándo había decidido yo aceptar que esas eran mis únicas dos opciones. Se me perló de sudor el labio superior. «Pero ¿cómo me he metido en este follón? Ni siquiera sé si quiero ser abogada. Quizá no debería haber aceptado un puesto en un bufete de Big Law, la élite de la abogacía. Podríamos haber sobrevivido con mi sueldo en Sanctuary for Families hasta que la empresa de Sam empezara a dar dinero..., en caso de que llegue a darlo algún día.» Miré la larga fila de blusas y faldas del vestidor, la mayoría con la etiqueta puesta, y supe que no era cierto. Yo quería esa vida, mi piso de calidades de lujo, un armario lleno de ropa nueva. La había elegido yo.

—Nosotros nos vamos al mercadillo ecológico. ¡Un besito! ¡Que vaya bien!

El teléfono me vibró entonces con una llamada entrante, y vi el nombre de Carmen Greyson en la pantalla.

—Gracias, papis, ¡tengo que salir pitando! ¡Un besito!

Acepté la llamada entrante sin esperar a que se despidieran.

—¡Ey! —Suspiré, aliviada por tener noticias de mi compañera de la carrera—. Cómo me alegro de...

—¿Qué te has puesto tú? —me preguntó Carmen a bocajarro.

—Hum... Tacones de salón *nude,* falda de tubo azul marino ¿y blusa de seda blanca?

—Sí. Perfecto, sí, lo has clavado. Sencilla y profesional —me tranquilizó Carmen, y sentí que al punto se me ralentizaba el pulso.

Aunque no habíamos llegado a intimar en la facultad, el que las dos fuéramos a trabajar en el mismo bufete nos unía como a camaradas de guerra. Además, ella había estado ese verano de becaria en el despacho de abogados, de modo que pensaba pegarme a ella como una lapa para que me presentara a gente y me aconsejara sobre cómo moverme por las entretelas políticas de la firma. Carmen era una chica lista y con chispa, y también rigurosa... Desprendía una energía a la que yo, que había vivido en mi burbuja de Connecticut, no estaba acostumbrada.

Exhalé despacio, dejando que se me desinflaran las mejillas, tal era mi alivio.

—Yo también voy con falda y blusa. Lo que no tengo tan claro es... —Carmen parloteó sobre las distintas opciones de conjuntos que tenía mientras yo asomaba la cabeza por el salón.

Sam seguía en el sofá modular de capitoné gris que me había comprado con lo que me quedaba de la asignación por mudanza del bufete. Todavía no me había ido y ya estaba echándolo de menos. Deseé que el verano hubiera durado un par de meses más. Después de pasar los exámenes del Colegio de Abogados de Nueva York, nos habíamos tirado tres semanas dando vueltas por el Sudeste Asiático con la tarjeta de crédito de mi padre —un regalo más que generoso por terminar la carrera—, con una sensación constante de embriaguez. Todavía no me sentía preparada para el mundo real.

—Vale, ¡ahora nos vemos! —se me coló de repente en la cabeza la voz de Carmen, y logré despedirme antes de que colgara.

Me acerqué entonces a Sam, que despegó la mirada del boletín matinal, me miró y me tiró ligeramente del cuello de la blusa para acercarme y pegar los labios a los míos.

—¿Qué? —me preguntó con la mirada entornada mientras estudiaba mi expresión.

Me dejé caer a su lado en el sofá.

—Que no sé por qué estoy tan nerviosa. Hoy es solo la orientación, tampoco es que vaya a trabajar de verdad ni nada.

—Bah, te va a ir genial. —Me pellizcó suavemente el muslo, como desdeñando mi preocupación, y volvió a la tele.

Me quedé mirándolo unos segundos, esperando que me diera algo más de ánimos, pero nada. Luego fui hasta el espejo de la entrada y me alisé la melena larga color caramelo mientras pensaba que se me veían cansados los ojos castaños, que les faltaba chispa. «Relájate —me dije—, todo va a salir bien.» Retrocedí un poco, me di un último repaso y arranqué la etiqueta del maxibolso de cuero marrón chocolate que me había comprado mi madre, un modelo de líneas sencillas y con espacio de sobra para el portátil. Lo que no tenía claro era cómo se las había arreglado para escoger un regalo tan perfecto: desde que yo tenía uso de razón, mi madre había ido siempre con pantalones de cuadros y zapatos planos y funcionales a su trabajo de voluntaria en la biblioteca. Me supuse que le habría pedido consejo a alguna dependienta del Bloomingdale's de la zona sobre qué solían llevar las mujeres «profesionales» para ir al trabajo. Respiré lentamente, dejando entrar el aire en los pulmones con cautela para luego soltarlo por entre los labios fruncidos. Acto seguido me volví hacia la puerta del piso.

—¡Me vooy! —anuncié.

Sam se despegó del sofá entre efectos sonoros de motor ahogado que creía, equivocadamente, que le ayudaban a combatir el entumecimiento matutino de los músculos mientras venía a la entrada como un zombi.

—Que vaya bien. —Me sonrió cuando se inclinó para darme un beso en la mejilla.

—¿Qué vas a hacer hoy? —le pregunté.

—Pues trabajar, como todos los días —respondió a la defensiva, volviéndose ya de lado hacia el televisor, y no pude ignorar el abatimiento en su voz—. Tengo un montón de cosas que hacer, Alex. Las reuniones con los inversores están yendo bien. Y todavía nos queda comprar las existencias en sí...

—No quería decir eso —lo corté mientras miraba de reojo la hora—. Yo ya sé que trabajas mucho. Es por los nervios, hablaba por hablar. Y me tengo que ir ya.

—¡Vete, vete! ¡Que vaya muy bien! —Sam esbozó una sonrisa tranquilizadora.

—Todo el mundo me dice que este trabajo me va a dejar sin vida. Nosotros lo llevaremos bien, ¿verdad?

Sam me cogió la cara entre las manos.

—Tú misma dijiste que es manejable siempre que no te metas en el Departamento de Fusiones y Adquisiciones, eso de F&A. Solo tienes que no pedir trabajar con ellos, que no te alisten y no te asignen a esa área. ¡Es pan comido! —me dijo guiñándome el ojo.

Le sonreí y le di un beso sentido antes de atravesar el pasillo, con los nervios de vuelta a la boca del estómago mientras pulsaba sin parar el botón de llamada del ascensor hasta que emitió un pitido y se abrió en mi planta.

Llegué veinte minutos antes de la cuenta a uno de los cientos de edificios de oficinas descomunales que flanqueaban la Quinta Avenida y que a mí, a ras de suelo, me parecían todos iguales. Me había dejado un margen de cuarenta y cinco minutos para llegar al trabajo, con un buen colchón de tiempo respecto a los veintitrés que había tardado en el metro de Chelsea al centro en los dos ensayos que había hecho la semana anterior. El edificio que tenía ante mí en aquellos momentos albergaba la sede en Estados Unidos de un banco japonés, dos consultorías y Klasko & Fitch, el bufete más grande del mundo y uno de los más prestigiosos. Empujé la puerta giratoria, con el repiqueteo de los tacones resonando dentro de la cuña de cristal, hasta que me catapultó a un vestíbulo de mármol infinito.

Aquel atrio aséptico era una cacofonía de conversaciones telefónicas unilaterales y saludos mecánicos. Todos los que me pasaban de largo parecían tener un objetivo en mente. Nadie se entretenía con nada, nadie charlaba por charlar. Aquellos hombres y mujeres que se abrían paso hasta sus respectivas filas de ascensores y pasaban sus tarjetas de acceso con un barrido rápido iban por la vida con aspecto depurado y derrochando confianza. En mi intento por emularlos, solo me permití mirar de reojo la relajante cortina de agua que caía en cascada por unas piedras blancas y el precinto de seguridad que rodeaba unas obras en una fila de ascensores de la otra punta, donde los de mantenimiento habían colgado un cartel que pedía amablemente: PERDONEN LAS MOLESTIAS. Así lo hice, cuidándome de seguir con el paso ligero cuando me dirigí hacia un gran cartel azul que anunciaba BIENVENIDOS, ASOCIADOS NUEVOS DE KLASKO & FITCH en el otro extremo del vestíbulo.

Tras el mostrador de seguridad, un hombre con su nombre en una chapita, Lincoln, me sonrió amablemente cuando pasé por delante. Lo supuse curtido en el arte de identificar asociados novatos con los nervios a flor de piel.

—¡Hola! ¡Bienvenida a Klasko & Fitch! Nos alegramos mucho de poder contar contigo. Alexandra Vogel, ¿verdad? Ay, perdona, es Alex. Prefieres que te llamemos Alex, ¿no es eso? —Una mujer morena con cara de querubín y cuarenta y pico años me sonreía con calidez desde la mesa de bienvenida—. Yo me llamo Maura, soy jefa de contratación. No sé si me recordarás de…

—¡Por supuesto! Nos conocimos en la entrevista en el campus. Y sí, Alex, gracias. —No me tembló la voz al hablar, nunca me pasaba, ni en los momentos más tensos: un vestigio de mi carrera adolescente como nadadora de grandes competiciones que me permitía disimular los nervios cuando llegaba la hora de la verdad.

Mientras la mujer rebuscaba entre una montaña de carpetas tras un pequeño letrero donde ponía «R-Z», miré la hora de reojo.

—Vas bien de tiempo, tranquila —me aseguró sin levantar la vista de las carpetas—. No has llegado ni la primera ni la última, justo en medio de la manada. No te preocupes por... ¡Ah! Aquí está. —Sacó de la montañita una carpeta roja con el logo de Klasko—. Aquí tienes tu pase con la foto y la tarjeta de acceso. No los guardes, que los vas a necesitar para el ascensor. Tienes que ir hasta allí y subir a la planta cuarenta y cinco. Si se te olvida, lo tienes escrito en la primera página de esa carpeta. Si necesitas cualquier...

—Hola, mi nombre es Nancy Duval.

Maura y yo nos volvimos a la vez para ver a una rubia de ojos saltones que estaba tirándose de un hilacho del dobladillo de la chaqueta del traje. Por un momento se me cayó el alma a los pies al ver que iba vestida más formal que yo, pero luego me tranquilicé diciéndome que mi falda y mi blusa de buena confección eran igual de apropiadas que su traje raído. Me pregunté si los modales con que nos había interrumpido eran producto de los nervios del primer día o indicio de una torpeza social más genérica y muy común en las facultades de Derecho.

—¡Buenas! —Una rubia alta y delgada apareció al lado de Maura—. Yo soy Robin, la otra encargada de personal. Puedo atenderte por aquí.

—Gracias —le dije a Maura mientras guardaba la carpeta en mi maxibolso.

—Me encanta tu bolso. —Maura me guiñó un ojo.

Le sonreí a mi vez y me dirigí hacia los ascensores que subían de la planta 35 a la 45, donde esperaban tres mujeres en traje. Recé para que no fueran a la misma que yo.

«Debería haberme puesto traje. Voy a ser la única sin traje. Todos los hombres llevarán traje. Y, por cierto, ¿dónde se habrá metido Carmen? Tengo que ponerme a su lado para no dar el cante.»

—¡Alex! —exclamó con voz cantarina la más alta de las tres.

Me quedé mirándola.

—¡Carmen! ¡Hola! —la saludé al reconocerla.

Sentí que se me subían los colores mientras contemplaba de hito en hito el traje Theory azul marino que le quedaba como un guante… y que yo me había probado, pero no me había comprado porque era muy caro. Tiró de mí para darme un abrazo mientras yo me quedaba con las manos pegadas a los costados, en un gesto torpe.

—Al final te has decidido por el traje —dije intentando insuflar calma en mi acusación.

—¡Te he escrito! ¡Pero estás guapísima! —dijo Carmen radiante mientras me daba un repaso con sus ojos azules muy claros, casi cristalinos.

Miré el móvil y vi su mensaje de hacía cuatro minutos. Supuse que me lo había mandado estando yo en el metro, cuando ya era demasiado tarde. «No sé para qué le hago caso a mi madre —pensé—. No tiene ni idea…»

Antes de que pudiera contestar, Carmen me presentó a sus amigas:

—Estas son Jennifer y Roxanne. Estudiamos juntas.

—Hola —me saludó calurosamente la primera, que parecía traicionar cierta angustia en sus ojos grandes y castaños bajo un poblado flequillo rubio.

—Buenas. —Roxanne me saludó con la mano—. ¡Ay, qué nervios tengo, no sé por qué! —Rio y se apartó el pelo cobrizo de los ojos; era menuda y entrañable: como la repollo pelirroja de los Cabagge Patch Kids con la que dormía yo de pequeña.

—¡Igual que yo! —Se me destensaron los hombros, agradecida por que alguien hubiera reconocido los nervios en voz alta.

Dos hombres trajeados que lucían también los pases de Klasko llegaron a nuestra altura, riendo juntos, y acto seguido intercambiaron calurosos abrazos con las tres mientras yo me quedaba a un lado, observando a los compuestos jóvenes profesionales mientras se ponían al día.

—¡Buenas! Yo soy Kevin —me dijo uno volviéndose con la mano extendida.

Me obligué a no apartar la vista a pesar de su pelo de punta engominado. «¿Todavía quedan hombres que se ponen el pelo de punta?»

—Alex.

Sonreí, pero tuve celos del verano que habían pasado juntos conociéndose y conociendo cómo funcionaban las cosas en Klasko, ganando seis veces lo que yo en mis prácticas en la ONG.

A pesar de que habían pasado doce años desde séptimo curso y de que ahora tenía una vida social saludable, un título de Derecho y unos brazos pasablemente tonificados, me sentí igual que cuando me veía obligada a comerme a mediodía los bocadillos de pavo cocido sentada en un váter de los aseos del colegio porque la reina madre de séptimo, Sandy Cranswell, había decidido que me odiaba porque tenía «espaldas de hombre» de tanto nadar, así que nadie se sentaba conmigo en el comedor. Aquello no duró mucho porque me hice amiga de Zach Schaeffer en el autobús mixto que nos llevaba a las finales estatales, y, de paso, de su pandilla de octavo, lo que me granjeó de nuevo el favor de Sandy, aunque la herida seguía escociéndome.

Subimos los seis en el ascensor apiñados con unos cuantos más, y, mientras los demás parloteaban emocionados, yo me quedé al fondo y me permití cerrar los ojos por un momento, rogándole desesperada al reguero de sudor que me corría columna abajo que se evaporara antes de que me calara la blusa.

En cuanto el ascensor se vació en la planta 45, vimos unos suelos de tablones anchos de roble bajo una recepción de mármol de estilo moderno que estaba rodeada de suntuosos sofás y sillones de cuero marrón. Recordaba muy vagamente el espacio de cuando había ido a hacer la segunda entrevista hacía ya casi un año, pero aquel día estaba demasiado nerviosa para fijarme en lo bonitas que eran las instalaciones. Atendían el mostrador dos mujeres y un hombre, los tres con pinta de tener veintitantos años y con auriculares de oficina puestos. Nos dedicaron una sonrisa al vernos sin detener sus coros de «¿Con quién desea que le pase?» y «Un momento, por favor». Un cartel donde ponía ORIENTACIÓN PARA ASOCIADOS DE PRIMER AÑO nos dirigió por un pasillo flanqueado de salas de reuniones con paredes de cristal.

Las puertas que daban al salón de actos estaban abiertas de par en par para recibirnos, y habían descorrido las cortinas para revelar las vistas al sur, que parecían abarcar toda Manhattan al sur de la calle Cincuenta y Cinco. El rascacielos de MetLife, delante en medio, concentraba todo el protagonismo; a lo lejos se elevaba, reflexiva y resuelta, la Torre de la Libertad; el edificio del Empire State parecía volar hacia los cielos con una confianza desmedida, como desafiando al Chrysler en un pulso de egos; al fondo y a la izquierda, el puente de Brooklyn, en cambio, bostezaba soñoliento sobre las aguas plateadas del río Este.

Una mujer con un traje pantalón gris nos observaba desde el estrado con una sonrisita burlona mientras íbamos haciéndonos al espacio.

—Impresionan las vistas, ¿eh? —comentó, hablando para el micrófono.

Algunos de mis compañeros de primer año fueron tomando asiento, muchos charlando entre ellos, y comprendí que nadie más parecía maravillarse con las vistas. Debían de estar acostumbrados después de pasar el verano haciendo allí las prácticas. Me relajé un poco, sin embargo, cuando vi que entre mis cincuenta y dos compañeros nuevos había más mujeres con falda y blusa. Me aparté disimuladamente de Carmen, Roxanne y Jennifer, para no dar el cante como la peor vestida, y me colé en un asiento entre Kevin y un afroamericano que llevaba un traje azul marino y una pajarita roja con florecitas amarillas.

Este último se inclinó sobre mí para señalar la corbata de Kevin, que era naranja con un estampado de perritos y un nudo Windsor doble que le hacía el cuello aún más delgado.

—¿Ferragamo?

—Pues... hum... —Kevin le dio la vuelta a la corbata para mirar la etiqueta—. ¡Bingo! ¡Supongo que voy de uniforme! —Rio y le tendió la mano—. Me llamo Kevin.

El otro le guiñó un ojo, le estrechó la mano y le dijo:

—Me encanta tu pelo de punta, tío.

El comentario me hizo estremecer, aunque no me pareció que estuviera riéndose de Kevin.

—Yo me llamo Derrick. Este verano he hecho las prácticas en la sede de Los Ángeles, así que por aquí soy el nuevo —explicó el de la pajarita, que se recostó en el asiento y se llevó la mano al corazón antes de tendérmela a mí.

Era guapo, con unos pómulos marcados y la mandíbula cuadrada, pero además tenía estilo, y una sonrisa franca que relajó el nudo que se me había estado haciendo entre las clavículas.

—Alex —me presenté dándole la mano—. Yo este verano he estado en Sanctuary for Families. —Hizo un leve gesto de asentimiento, reconociendo que teníamos terreno en común como recién llegados.

—Buenos días a todos. —La mujer del traje pantalón gris que estaba en la cabecera de la sala habló por el micrófono y todos nos callamos obedientemente—. Me llamo Eileen Kasten y soy socia del Departamento de Procesal y jefa del programa de formación de los de primer año. Durante los primeros ocho meses en el bufete, tendréis un cursillo todos los lunes por la mañana sobre prácticas generales del bufete. Esperamos que paséis esos primeros meses aprendiendo todo lo posible en cuantas más especialidades mejor para que podáis decidir con fundamento en qué os gustaría trabajar durante el resto de vuestra carrera profesional. Pasados esos ocho meses, se os asignará a un departamento, donde se encargarán de instruiros en las especificidades de esa área. Vosotros los seleccionáis, y si ellos os seleccionan a vosotros, ya tenéis departamento y todos contentos.

Derrick resopló, puso cara de incredulidad y me susurró:

—Al menos a la mitad nos darán calabazas. No hay sitio para todos en los mejores departamentos.

Yo no era consciente de que hubiera especialidades que se considerasen mejores que otras; solo sabía que el área de F&A, de Fusiones y Adquisiciones, pasaba por ser la más intensa.

—Hoy solamente quiero que se fijen los unos en los otros —prosiguió la mujer—. Mirad a vuestra derecha. —Yo miré la nuca reluciente y engominada de Kevin—. Esa persona estaba entre los quince mejores de las quince mejores facultades de Derecho del país. Mirad a vuestra izquierda. —Al volverme me encontré con Derrick bizqueando los ojos y sacando la lengua a solo unos centímetros de mi nariz, y me tuve que tapar la boca para no reírme—. Esa persona estaba entre los diez mejores de una de las diez mejores facultades de Derecho del país. —La mujer hizo una pausa dramática—. ¿Y cómo puedo afirmar eso sin equivocarme?

—Porque estamos todos entre los diez mejores de las diez mejores facultades de Derecho del país —gritó Derrick hacia el estrado.

—¿Cómo se llama usted? —preguntó la mujer.

—Derrick Stockton —contestó con una confianza envidiable.

—Tiene usted toda la razón, Derrick Stockton. Con esto no pretendo intimidarlos. Muy al contrario, la idea es que se relajen, que sepan que están aquí por algo. Aunque también es una forma de advertirles de que aquí no van a destacar solo por su inteligencia, o al menos no fácilmente.

Tragué saliva y me hurgué una cutícula con el pulgar.

—Vaya patraña, menudo cliché —masculló Derrick entre dientes antes de sacarse una pastillita de menta del bolsillo y metérsela en la boca—. ¿Quieres?

—Ay, Dios. —Me puse una mano por delante de los labios—. ¿La necesito?

Derrick se me quedó mirando, perplejo por unos instantes, para luego entornar los ojos con cara de pillo.

—Tú estás un poco chalada, ¿no? Me gusta —susurró—. No te huele la boca, tranquila, te la he ofrecido solo por ser educado.

—Es que estoy nerviosa —reconocí cogiendo la pastillita.

—¿Y quién no? —Me dedicó una sonrisa franca que me calmó al instante.

—... lo que queremos es que demuestren ustedes ética laboral. Empuje. —La mujer del estrado movía la cabeza como un robot de un lado a otro de la sala—. Tenacidad. Queremos que sean esponjas. Están aquí porque son lo mejor que puede ofrecer la educación en leyes de este país. Y otro tanto podemos decir, por cierto, de la educación de Reino Unido, Alemania, Francia, Japón, Hong Kong, Brasil y Australia, por los compañeros de las oficinas internacionales. Y, por cierto, tendrán la oportunidad de conocer a todos sus compañeros de promoción en el seminario de primer año que se celebrará en Los Ángeles a principios de febrero. Como sabrán, no somos solo el bufete más grande del mundo, sino también, y con razón, el mejor del mundo. Tenemos dos mil quinientos abogados en treinta y siete oficinas repartidas por todo el mundo. Nuestro director de Procesal presidió la división de cumplimiento de la Comisión de Bolsa y Valores. Sacamos Facebook a bolsa. Somos el bufete que defendió la discriminación positiva en la Universidad de Michigan. Somos…

—Joder, les encanta contarle a todo el mundo que defendieron la discriminación positiva. Como si eso los convirtiera en antirracistas o algo así —me susurró Derrick inclinándose hacia mí.

Mientras Eileen seguía con su perorata, me quedé mirando la sala y sentí la energía nerviosa que emanaban mis nuevos compañeros a pesar de sus caras plácidas; me maravillaron sus corbatas nuevas, sus trajes de buena confección, los tacones relucientes y los cuellos almidonados, el equivalente adulto de las zapatillas blancas nuevecitas de primer día de guardería. Miré hacia las chicas de Columbia a ambos lados de Carmen, con sus trajes sutilmente diferentes, y, como por instinto, me alisé la blusa en respuesta. Pillé a Derrick mirándome con cara elocuente.

—Tienes suerte —me dijo en voz baja.

—¿Y eso?

—En realidad nadie sabe qué significa *business casual* para las chicas. Puedes ponerte lo que quieras. Para mí, es una declaración de estilo. —Hizo una pausa breve—. Pero, para que conste, tienes razón: los trajes son *business*, y tú vas de *business casual*.

—¡Pero si tú vas de traje!

—Es que yo soy profesional hasta a la hora de dormir, nena.

Me guiñó el ojo y se me escapó otra risilla por los labios cerrados. No escuché el final del discurso, intimidatorio e inspirador a partes iguales, pero de pronto me mandaron con los demás a la planta 40 para el cursillo de tecnología. Mientras recorríamos tranquilamente el pasillo hasta el ascensor, pasamos por delante de una sala de reuniones con paredes de cristal donde seis hombres blancos con trajes oscuros rodeaban una mesa inmensa de madera reluciente.

—Esos seguramente sean de F&A —me informó Derrick señalando con la cabeza.

—¿Cómo lo sabes? —le pregunté sin apartar la vista de la sala acristalada.

—Por cómo se comportan, por la ropa que llevan, por el aspecto… —Lo miré con una ceja arqueada—. De capullos integrales. —Sonrió y yo le devolví el gesto—. Eso sí, los capullos mejor pagados y más respetados del bufete. Es el departamento donde más cuesta entrar. En la sede de Los Ángeles era igual. Y creo que en todas partes. ¿Qué áreas de interés marcaste en el cuestionario que nos mandaron?

—Puse «Inmobiliario» —farfullé, esperando que no se me oyera mucho.

Volví la vista para mirar de nuevo a los seis hombres y los destellos que disparaban desde las muñecas, entre los relojes y los gemelos. Iban todos impecablemente vestidos y aseados. Tenían mirada concentrada y parecían estar interpretando cada uno su papel en la escena que cualquiera se imaginaría si le pidieran que visualizase mentalmente una reunión en el

Estados Unidos de las grandes corporaciones. Seguramente por eso me sentí como encandilada.

Uno, que parecía más joven que el resto, tenía aun así un traje de un corte impecable, el pelo reluciente y una piel con un bronceado perfecto. Me di cuenta de que Derrick tenía razón. No era solo la vestimenta o solo la intensidad de la mirada o cómo separaban las rodillas con confianza bajo la mesa. Era la combinación de todo eso. Parecían, en suma, más importantes que todos nosotros..., que yo. Me costó despegar la mirada mientras seguíamos por el pasillo y yo iba rotando el cuello para que no salieran de mi campo de visión. Cuando por fin volví la cabeza al frente, me recordé las horas astronómicas que se rumoreaba que facturaban y los clientes tan exigentes con los que lidiaban. Mientras seguía hacia nuestra siguiente sesión, su esplendor se atenuó en el recuerdo.

2

La sala del cursillo de tecnología a la que nos condujeron era un espacio interior con poca luz y al menos cien ordenadores y otros tantos teléfonos dispuestos en filas bien delineadas. Un aire gélido salía a todo trapo por las rejillas del techo para que los ordenadores no se recalentaran y, de paso, a nosotros se nos congelara el cuerpo. Derrick separó la silla de al lado de su puesto y me dejé caer, agradecida.

Una mujer con una trenza muy larga y crespa que le llegaba a la cintura iba de una punta a otra de la cabecera de la sala, hasta que se aclaró la garganta para hablar.

—Los ordenadores y los teléfonos de vuestros puestos están diseñados para que parezcan iguales que los de vuestras oficinas. Vamos a empezar por el teléfono…

—Diez pavos a que en esta década no ha entrado otro ser vivo en su piso —susurró Derrick.

—¡Te has pasado! —susurré a mi vez, reprimiendo una risa—. Los veo.

—… y, lo creáis o no, el error más común que comete la gente con el teléfono es no colgar. Estáis avisados. —Sonrió afable—. Empecemos con cómo hacer una llamada. Es lo más fácil que vamos a ver hoy, pero acostumbraos a practicarlo todo sin falta. He apagado mi móvil y os he escrito el número en la pizarra. Hay que marcar un 9 y un 1 para llamar a una línea externa, así que para el mío sería 9-1-9-1-7-6-1-2-3-1-4-2. Venga, todo el mundo a practicar para llamar, pero hacedme el favor de no dejarme mensajes en el contestador.

Nos reímos por compromiso mientras cogíamos el auricular y marcábamos. Esperé a que me saltara el mensaje del buzón de voz.

—Nueve uno uno, centralita de emergencias, ¿cuál es su emergencia? —me preguntó la voz al otro lado de la línea, y me quedé mirando con horror el auricular antes de estamparlo de vuelta a la base.

—¿Qué ha pasado? —Derrick se inclinó hacia mi mesa, mirando mi teléfono, pero me daba mucha vergüenza responder.

—Muy bien, vale. Ahora vamos a pasar a transferir llamadas. —Todos volvimos la atención al frente de la sala—. Os habréis dado cuenta de que hay un botón de espera...

De pronto sonó el teléfono de mi puesto, que interrumpió a nuestra instructora.

La clase entera se volvió en redondo para mirarme; Derrick incluso se giró en la silla. La instructora arqueó las cejas extrañada y me hizo señas para que respondiera, de modo que cogí el auricular.

—Hola, no pasa nada..., no me pasa nada..., me he equivocado al marcar —tartamudeé al teléfono, y luego colgué antes de que mi interlocutor pudiera decir nada.

Sentí que las mejillas me echaban humo, prueba irrefutable de que se me había teñido la cara de un humillante tono carmín.

—¿Quién era? —me preguntó la instructora, aunque con una voz más de curiosidad que de acusación.

Me quedé mirándola, pero me vi incapaz de inventarme una mentira tan de sopetón.

—Creo que he marcado un 1 de más después del 91 —dije en voz baja.

—¿Has llamado al 911? —preguntó Derrick, muerto de la risa.

Se hizo un breve silencio en la sala seguido de cerca de un estallido de risa general. Levanté los ojos de los nudillos blancos de mis puños cerrados sobre los muslos y me sorprendió ver la sala llena de caras de solidaridad. Derrick me echó un brazo por los hombros y yo me fundí contra su costado haciendo un puchero teatral.

—Eso no es nada, yo acabo de llamar al socio director del bufete sin querer —dijo alguien en voz alta desde el fondo de la sala.

Busqué la voz con la mirada y fui a dar con los ojos de Carmen.

—¡¿Has llamado a Mike Baccard?! —preguntó la instructora ahogando un grito.

—¡A ti por lo menos no te puede despedir el 911! —dijo Carmen, y la clase volvió a estallar en risas y yo le agradecí el gesto con una inclinación de cabeza.

La instructora sonrió.

—Vaya, vaya, veo que sois una promoción muy especial. Pero avancemos... Como sigamos así, no salimos de aquí hasta las tantas, ¡y tengo tres gatitos recién nacidos en casa que no van a echarse de comer solos!

Derrick y yo intercambiamos una mirada.

—Yo diría que las mascotas cuentan como seres vivos... —dije.

—Ahí me has pillado, Vogel. —Sonrió—. Te debo una copa.

A cada uno nos dieron oficinas con amplias vistas de Manhattan, cuentas de correo del bufete, móviles del bufete, portátiles del bufete, tarjeta de crédito del bufete, formularios 401(k) para los planes de pensiones del bufete, seguro médico del bufete, una inscripción del gimnasio Equinox y bolsas de deporte del bufete para animarnos a utilizarla. Conocí a mi secretaria, Anna, que me enseñó la fotografía de sus nietos que llevaba en el camafeo del collar y me contó con orgullo que su hijo mayor acababa de ordenarse cura. Me cayó bien en el acto. Me preguntó cómo prefería yo que me cogiera los recados, se ofreció a pasarles los cambios a mis documentos e insistió en que me mantendría bien alimentada aunque yo pensara que estaba demasiado ocupada para comer. No supe a qué se refería con lo de «pasar cambios», y no me imaginaba un mundo en que el trabajo pudiera imponerse a las exigencias de mi barriga rugiente, pero se lo agradecí vivamente y juré para mis adentros que jamás le pediría nada que pudiera hacer yo por mi cuenta.

—Por las mañanas llego a las nueve para poner en orden sus cosas y su agenda —prosiguió—. La mayoría de los abogados llega entre las nueve y media y las diez y media, pero para usted no hay reglas. Luego me voy a las cinco y media, y la secretaria del turno de noche me cubre hasta que vuelvo por la mañana. ¿Le parece bien?

Asentí y la mujer regresó a su cubículo al otro lado de mi oficina para dejar que me instalara tranquilamente.

—¡Si necesita cualquier cosa, dígamelo, cuando sea! —me gritó—. Me encargo de usted y de los dos abogados de las oficinas contiguas, pero nunca estoy demasiado ocupada, aunque lo parezca.

Le sonreí agradecida y me acomodé tras el escritorio para ojear los correos de la coordinadora de instrucción con la agenda de la semana siguiente. Para matar el tiempo hasta el cursillo de ética laboral a la hora de comer, llamé a la extensión de Carmen para practicar cómo unirme a una multiconferencia. El resto del día pasó volando y, cuando el seminario sobre las prestaciones de la empresa terminó a las cuatro y media, volví a la oficina con la sensación de que era demasiado temprano para irme. Poco después de las cinco levanté la vista e intercambié una mirada con Anna, que estaba justo delante de mi puerta recogiendo sus cosas para irse a casa. Asintió con elocuencia, se me acercó y apoyó un hombro contra el marco de la puerta.

—Debería irse a casa, bonita. Dentro de poco tendrá tanto trabajo que ni se acordará de cómo es su piso. Mañana nos vemos. —Desapareció por el umbral antes de que pudiera despedirme de ella.

De pronto sonó el teléfono, que me infundió un miedo repentino, como si fuera ya hora de que trabajara de verdad, hasta que vi el nombre de Carmen en el identificador de llamadas.

—Buenas.

Oí su risa.

—¿No se te hace raro que tengamos oficinas?

—¿Verdad? ¡Tengo la sensación de ser una abogada de la tele!

—Vamos a ir todos al bar que hay en la acera de enfrente para celebrar el primer día. ¡Vente!

—Es que le prometí a mi novio que estaría en casa para cenar.

—No digas tonterías —se mofó.

Miré la hora de reojo: la orientación había terminado antes de lo previsto y Sam no me esperaba hasta al menos una hora después. Pensé por un momento en todas las *happy hours* postrabajo que había visto en las series y las películas. Nunca antes había tenido compañeros dispuestos a gastarse dinero en las prohibitivas copas de los bares del centro.

—Vale, me apunto. —Me supo bien ceder con tanta facilidad, y eso me permitió sentirme como una profesional por primera vez en la vida.

—¡Yo invito a la primera! —insistió Derrick al tiempo que le tendía al camarero la tarjeta de crédito con nuestro corrillo de cinco a sus espaldas en la barra.

—¡No! —protestamos a coro.

—Es que quiero invitaros. Me lo descontaré de la asignación para mudanza —dijo con una sonrisa—. ¿Qué vais a querer?

Después de que todos le gritásemos por turnos nuestras bebidas al camarero, di un repaso por el bar, que no estaba muy poblado en esos momentos.

Kevin se inclinó para decirme:

—Estamos solo nosotros y la gente de publicidad y de comercio. Los abogados y los de la banca de inversión no llegan hasta las seis y media como pronto.

Derrick me pasó el vodka con soda por encima de la cabeza de Roxanne y le di las gracias gesticulando con la boca.

—¿Cómo sabes que son de publicidad? —le pregunté a Kevin.

—Por la ropa. Podría ser solo una cuestión de mal gusto, pero es más probable que sea la falta de fondos —respondió antes de irse a requisar una mesa alta cuyos ocupantes estaban pagando ya.

Me fijé en el predominio de pantalones cargo y vestidos poco favorecedores de la estancia, y luego volví la vista hacia los trajes a medida, las faldas elegantes y las blusas vaporosas de nuestro pequeño clan. «Y eso que todavía no nos han pagado la primera nómina.»

Kevin nos hizo señas para que lo siguiéramos a la mesa mientras el camarero terminaba de despejarla de vasos y de pasar la bayeta por los restos pegajosos de licor oscuro que seguramente habían quedado en la madera barnizada y rebarnizada.

—Por cierto, Derrick, ¿cómo es que te ha quedado dinero de la asignación? —preguntó Carmen—. A mí apenas me dio para la mudanza, y eso que soy de Boston. ¿Tú no te has mudado desde la otra punta del país?

Derrick se encogió de hombros antes de contestar:

—Mis padres tenían un piso amueblado aquí en Manhattan, así que me he ido allí a vivir y en realidad no he tenido nada que mudar. Pero en Klasko me preguntaron si me mudaba a Nueva York desde otra parte y les dije que sí, porque era verdad. Y ahora tengo diez de los grandes para gastarme en vosotros, queridos.

Entrechocamos nuestros vasos para brindar por él.

—¿Te han dado diez de los grandes para mudarte? —preguntó Roxanne—. A los de Columbia no nos han ofrecido nada. —Miró de reojo a Jennifer, que asintió para confirmarlo.

—Pues a mí me ha venido de perlas —intervine—. Si no hubiera sido por eso, mi novio y yo no habríamos podido permitirnos poner la fianza para el piso. Después de firmar el contrato, solo me quedó dinero para el sofá.

Carmen se me quedó mirando.

—¿Te has ido a vivir con tu novio? Se llamaba Sam, ¿no?

Asentí, impresionada de que lo recordara porque solo se habían visto alguna vez de pasada en Cambridge.

—¿Cuánto tiempo lleváis? —me preguntó Jennifer.

—Casi cuatro años.

—¿Y qué hace él? —quiso saber Roxanne.

Me encogí de hombros.

—Nos conocimos en la facultad... Yo estaba en Harvard, y él, en el MIT, y luego montó una empresa en Boston. Fue en parte por eso por lo que después me quedé en Harvard para hacer la especialidad.

Todos alrededor de la mesa asintieron, y fue un alivio saber que no pensaban que estaba dándomelas de nada.

—Seis meses en Klasko y estás soltera, ¡ya verás! —bromeó Derrick.

Todos le rieron la gracia y yo tuve que forzar una sonrisa, aunque con el corazón encogido.

—Derrick, no seas así —dijo Carmen, que quiso tranquilizarme con un gesto.

—Era broma —dijo Derrick, que me dio un toquecito con el hombro al ver que me mordía el labio inferior.

La puerta del bar se abrió de par en par y todos nos volvimos para mirar a tres trajeados que entraron con mucha decisión, al parecer ajenos tanto a la noción de rechazo como a la fuerza de la gravedad. Reconocí a uno: al joven y atractivo abogado que había visto antes en la sala de reuniones. El barman les tenía preparadas las copas antes incluso de llegar a la barra.

—Esos son asociados de F&A —dijo Carmen en voz baja.

—Seguro que después de la copa se vuelven a trabajar —comentó Kevin mirando la hora.

Los otros tres se acodaron en la barra y se tomaron los chupitos a la vez, con tan solo unas leves muecas antes de seguir con un sorbo del líquido ámbar de sus vasos bajos y recios. ¿Cómo podía alguien trabajar después de un chupito y una copa? Vi que el moreno guapo sacaba un billete de un fajo que llevaba doblado con una pinza y lo deslizaba por la barra hasta el barman.

—Estoy yo pensando... ¡que necesitamos una ronda de chupitos! —propuso Derrick, recobrando nuestra atención perdida.

—Yo tendría que ir yéndome —dije en tono de disculpa.

Carmen abrió la boca como para protestar, pero acabo asintiendo.

—Te acompaño fuera.

Al salir del bar, dos hombres elegantes que entraban nos sujetaron la puerta. Muy acicalados. Muy educados. Muy bien vestidos. Me imaginé que era la hora en que empezaban a llegar los banqueros y los abogados. Bajé a la acera y miré hacia el este por la Cincuenta y Uno en busca de un taxi. Me dio la sensación de que Carmen estaba mirándome.

—¡Creo que podemos decir que hemos superado con éxito nuestro primer día! —dijo alegremente—. Siento que Derrick se haya puesto un poco capullo. Es solo porque le pareces mona.

—¿En serio? —La miré y asintió.

Entre su corte de pelo moderno, su colorida pajarita y sus maneras ampulosas, no me había parecido que a Derrick pudieran atraerle las mujeres.

—Se lo he preguntado. Ya te darás cuenta de lo cotilla que soy —admitió toqueteándose las uñas—. Y competitiva... supercompetitiva.

Nunca había conocido a nadie con tanta seguridad en sí misma. Ni tan directa.

—Yo también soy competitiva. Pero más que nada conmigo misma, creo yo.

No mentía del todo; me había pasado la adolescencia compitiendo en pruebas de natación, donde había conseguido el récord del mundo júnior en competiciones femeninas tanto de 50 metros como de 400 metros en estilo libre y lo había conservado durante diez años. (El título me lo había arrebatado hacía un tiempo una adolescente rusa.) El entrenador de natación de Harvard me había reclutado para la facultad, pero, a mitad de mi segundo curso, un feo desgarro en el manguito rotador me obligó a borrar el «deportista» de mi título de «alumna deportista».

—Por lo que a mí respecta, tú y yo estamos en el mismo equipo —me dijo Carmen—. ¡No sabes lo que me alegro de tener aquí a alguien de mi facultad!

En realidad la natación no me había dado la oportunidad de pertenecer a un equipo —ni siquiera había corrido relevos—, y recibí con agrado la idea de pertenecer a uno, a pesar de que una parte de mí se preguntaba si sabría hacerlo.

—Pues claro que estamos en el mismo equipo —corroboré.

Carmen estiró la espalda y echó la cabeza atrás para mirar al cielo con los brazos en jarras antes de enderezarse de nuevo y mirarme a los ojos.

—Yo creo que solo estudié para abogada porque mi padre y mis tres hermanos lo son. Quiero demostrarles que puedo ser tan buena como ellos... o mejor. —Esbozó una sonrisa pícara—. Te lo he dicho, competitiva que es una.

—Ya es mejor razón que la mía. Yo creo que soy abogada solo porque mis padres me lo sugirieron o algo parecido.

—¿Hija única? —preguntó Carmen, y yo asentí—. Un clásico. Pero supongo que podrían haberte dado peores consejos. En cualquier caso, me alegro de que estemos juntas en este lío. —Vio un taxi con la luz encendida que venía hacia nosotros y agitó una mano.

Envidié la manera que tenía de que crear hechos con tan solo decirlos en voz alta. Éramos amigas —aliadas— solo porque ella lo había dicho, cuando el día anterior no éramos más que antiguas compañeras de clase. Sonreí y me despedí con la mano mientras me metía en el taxi que ella me había parado.

Cuando llegué al piso, Sam estaba tirado en el sofá viendo *Anderson Cooper 360°*. Por fin se había quitado el pijama.

Intenté imaginarme qué habría hecho todo el día en casa sin mí. Antes de irnos a Asia se había entrevistado con varios inversores potenciales para su *startup,* y, que yo supiera, estaba esperando sentado a que le contestaran. Me abrió los brazos y fui a acurrucarme en ellos.

—¿Qué tal? —preguntó.

Hice un mohín dramático.

—Pues... he conseguido que me busque la poli en el trabajo. —Abrió la boca para preguntarme algo, pero levanté la mano para impedirlo—. Delante de todo el mundo.

—Necesitas una copa. —Se rio y me dio un piquito en los labios antes de levantarse.

Sam volvió de la cocina con dos copas de vino tinto y me puso una en la mano extendida.

—Por mi mujer trabajadora. —Entrechocó su copa con la mía—. Bueno, ¿y los demás abogados? ¿Algún amigo? ¿Qué tal con la Carmen esa que conocías de Harvard?

—He conocido a una gente bastante maja. Son todos tan... seguros de sí mismos. Carmen es la caña, en realidad. Es una pena que no nos juntáramos más en la facultad.

—Para eso me tenías a mí.

—Ya. —Le di un beso suave y me hice un hueco entre su costado y su brazo.

Tenía razón, desde luego. Aunque también había hecho amistades en el grado, la mayoría se había quedado en Boston al terminar la facultad, salvo dos que eran de Los Ángeles y habían vuelto a la Costa Oeste. Lo cierto era que yo me había criado en una ciudad dormitorio de Nueva York y no tenía ninguna red real de amigos en Manhattan; de buena gana me habría quedado en Boston para siempre, pero habíamos decidido mudarnos a la gran ciudad porque la *startup* de Sam tendría allí muchas más salidas.

—¿Y a ti cómo te ha ido el día?

—¡Muy bien! Me ha cundido un montón. —Lo dijo mirando a Anderson Cooper en vez de a mí—. Adivina lo que he decidido hoy. —Arqueé una ceja—. Voy a empezar a entrenar para el maratón de Boston y lo voy a correr con unos colegas del MIT. Ahora mismo la empresa está en una especie de compás de espera, y además siempre he querido correr uno.

Escruté su perfil, buscando algún indicio de que pudiera sentirse un inepto. Bajo la tenue luz de nuestro piso, empecé a notar los efectos del vino sumándose al vodka con soda que me había tomado antes con el estómago vacío. Barajé la opción de tranquilizarlo, de decirle que el tiempo que estaba invirtiendo en montar la empresa ya daría sus frutos, pero luego me lo pensé mejor, a sabiendas de que le haría sentirse inferior... o al menos más de lo que ya se sentía.

—¡Uau, cómo mola! —respondí antes de darle otro sorbo al vino y apartar los pensamientos sobre la empresa de Sam hasta los márgenes de mi conciencia.

El alcohol siempre viene muy bien para despejar espacio mental en beneficio de ideas más placenteras.

3

De: Courtney Cantwell
Para: Alexandra Vogel
Asunto: Primer encargo

Alexandra:
Encantada de conocerte virtualmente. Como recordarás de la orientación (aunque seguro que todas esas sesiones serán una nebulosa en tu cabeza), me ha tocado ser tu coordinadora de proyectos hasta que te asignen a un departamento. Han empezado a llegar los primeros encargos, y me alegra informarte de que hemos podido satisfacer tu petición de trabajar con el área de Derecho Inmobiliario. Tu primera misión consistirá en revisar los contratos de arrendamiento en relación con una venta de activos. Ponte en contacto con Lara Maloney para saber más detalles.
Saludos,
Courtney

Me sequé el sudor del labio superior con la yema de los dedos antes de llamar al marco de la puerta abierta de Lara Maloney, quien en el acto me hizo señas para que entrara y se levantó para estrecharme la mano con más rotundidad de la cuenta. Había combinado unos pantalones cargo, que eran el equivalente *business-casual* de los vaqueros de premamá, con unos gruesos tacones de bobina, y tenía el pelo negro y crespo veteado de gris. No parecía llevar maquillaje, pero tenía una mirada alerta y enérgica en unos ojos de un azul muy vivo.

Noté que las gotitas de transpiración del labio superior se me habían renovado instantáneamente, y sentí de pronto un mareo. «Tendría que haber leído más sobre transacciones inmobiliarias en operaciones de F&A antes de esta reunión», pensé. Era consciente de que tampoco esperaban que los de primer año supiéramos mucho de la parte práctica de la abogacía, pero tuve la sensación, tan novedosa como desagradable, de no estar ni remotamente preparada.

Le di un repaso rápido al despacho de Lara para ver si podía congraciarme con ella en lo personal y camuflar así mis carencias en lo profesional, pero no vi muchas pistas útiles. En una esquina había una maceta con un ficus flacucho y marrón con la tierra cubierta de hojas marchitas. En la pared tras la silla de invitados, prácticamente fuera de la vista, tenía colgados los títulos de la licenciatura y el máster en Derecho, ambos de la Universidad de Pensilvania, pero sí entreví, clavado en la pared, un dibujo de un pavo hecho con la huella de la mano de un niño. No lograba cogerle el punto a aquella mujer. Era evidente que le daba más valor a la obra de su hijo o hija que a sus propios logros académicos, y las carpetas sobre la mesa estaban apiladas y etiquetadas con mucha meticulosidad, a pesar de que la planta pidiera agua a gritos y, en una balanza imaginaria, su aspecto se inclinara hacia el desaliño. No se me ocurrió ni el más mínimo tema de conversación, pero por suerte resultó no ser amiga de la cháchara.

—Buenas. ¡Nos alegramos de tenerte en el equipo! ¡Siéntate, por favor! —Me señaló la silla al otro lado de la mesa—. Bueno, pues nosotros representamos a la parte compradora —empezó a decir, y me apresuré a sacar mi bloc de rayas amarillo para tomar notas—. Nuestro cliente, Stag River, va a comprar la cadena de panaderías TO's... ¿Te suena? —Asentí y pensé en lo ricos que estaban sus *sticky buns*—. Me cabrea. La gente siempre anda hablando de sus *sticky buns,* pero eso es porque la mayoría nunca se ha comido uno de verdad. Aun así yo iba mucho al que hay en Lexington Avenue. Antes estaba gorda, pero me hice un tratamiento de *coolsculpting,* que básicamente consiste en congelar tus células grasas y mearlas durante unas semanas. —Me quedé mirándola, sintiendo que se me desencajaba la mandíbula, y ella hizo un gesto con la mano, como desdeñando sus digresiones—. El caso es que TO's es, siendo objetivos, la panadería más cutre del mundo, pero tienen como seiscientas propiedades, y nosotros debemos asegurarnos de que todas y cada una estén totalmente libres de cargas. Es una tarea más engorrosa que complicada. ¿Ves por dónde va la cosa?

Asentí mientras el corazón se me paraba unos segundos. No había apuntado ni una sola palabra desde que había dicho lo de las «células grasas». Me obligué a concentrarme y me puse a escribir de nuevo.

Lara siguió con la logística sobre dónde encontraría los contratos de arrendamiento (el repositorio con los documentos de la *due diligence*), cómo señalar las posibles contingencias (nunca por correo o mediante comunicación escrita, salvo en papel, para que se triturara todo inmediatamente después de cerrar la operación y para que, en el caso de que con el tiempo surgiera alguna demanda, la única prueba que hubiese fuera que nosotros habíamos «auditado la empresa completa y satisfactoriamente», y no que hubiésemos pasado algo por alto).

—¿Solicitaste tú Inmobiliario o te han asignado este encargo por casualidad? —me preguntó de pronto Lara.

Subrayé el «triturado» y levanté la vista.

—No, sí que lo puse entre mis preferencias —dije terminando mis apuntes sobre las finanzas del vendedor mientras hablaba.

—¿Qué es lo que te interesa de esta rama del derecho?

—En un plano muy básico, me gusta la idea de que la operación gire en torno a una estructura física..., que mi mente pueda visualizar algo concreto.

—A mí también. —Asintió con entusiasmo, lo que significaba que había pasado la prueba—. Además, las horas de Inmobiliario son más manejables en comparación con otras áreas de práctica, pero a la vez se trabaja mucho con otros departamentos, y eso te da también mucha visibilidad.

Asentí con una sonrisa de alivio ante aquel «discurso de ascensor». Todos los departamentos del bufete salvo F&A presumían de las mismas ventajas: la conciliación entre la vida laboral y la personal, una buena visibilidad en operaciones para los asociados júniores, un camino despejado hacia la sociatura. Si me fiaba de lo que me habían contado Derrick y Carmen, los abogados de F&A parecían enorgullecerse de no dormir y no ver a sus familias. Y recorrían los pasillos del bufete con más vanagloria y arrogancia que los miembros de lo que daban en llamar «departamentos de apoyo».

—Vale, me pongo con los contratos ahora mismo. Aviso si surge algún tema y me limitaré a informarla de mis avances... ¿a diario?

—Con uno diario COB es suficiente —dijo Lara—. Y te mandaré una invitación de calendario para nuestra reunión mensual, que es la semana que viene. Te servirá un montón si quieres especializarte en Inmobiliario.

«¿Ya está? ¿Ya estoy en Inmobiliario?»

Me despidió con la cabeza, volví a mi mesa y busqué en Google «COB», *Close of Business.*

«Para la hora del cierre.»

—¿Al? —Sam abrió la puerta de la calle.

—¡Estoy en la cocina! —le grité.

Al poco noté que me deslizaba las manos por la cintura desde detrás mientras yo removía el líquido punteado de granos de arroz sofrito. Eché la cabeza hacia atrás para apoyarme en él, más a su altura gracias a los tacones del trabajo.

—Estoy haciendo *risotto* de parmesano y trufa negra. Y he hecho también salmón a la plancha.

Sam me dio un cachete cariñoso.

—Huele de muerte. —Vi que se quedaba mirando la pequeña nuez negra que había sobre la encimera—. ¿Qué ha pasado con lo de apretarnos el cinturón hasta que llegara tu primera nómina?

—Ya lo sé —dije con un suspiro—. Pero es que de vuelta del trabajo pasé por Eataly y vi un cartel que decía ¡que la temporada de la trufa negra italiana se estaba acabando!

—¡Pero nena! ¿Que pasaste por Eataly? ¡Eso es como si uno de Alcohólicos Anónimos pasa delante de una licorería! Tienes que buscarte otro camino de vuelta del trabajo.

Se alejó para ir a colgar el abrigo en el armario. «Si se entera de lo que me ha costado la trufa, se muere.» Sam había aprendido a apreciar la buena comida desde que estábamos juntos. Pero también era cierto que se había criado en una familia muy unida y cariñosa con unos padres profesores universitarios que llevaban una vida frugal, y el halago más sentido que le había oído hacerle a una comida era que se trataba de una «ganga».

—¡Ya lo sé, ya lo sé! Pero no pasa nada. ¡En el trabajo no pago nada! El café, el comedor, los aperitivos... —enumeré—. ¿Cómo te ha ido a ti?

—Bien, acabo de terminar las reuniones con Peripecia Capital, los tipos que fundaron la empresa esa de la que te hablé, Uno. Parece que están de verdad interesados en nosotros. —Se puso a hojear el correo que yo había cogido del buzón.

—¿Y qué más? ¿Qué impresión te han dado? —Añadí otro cucharón de caldo.

—Eh… No sabría decirte. —Volvió a ponerse detrás de mí y me ayudó a remover con la mano encima de la mía, aunque aquel acercamiento tenía un cariz muy distinto al de hacía unos instantes—. ¿Cuánto dices que hay que estar removiendo esto? —me preguntó al oído.

—Hasta que se chupe todo el líquido —le dije, y mi cuerpo reaccionó al suyo mientras él miraba por encima de mi hombro la cantidad de caldo que quedaba y suspiraba abatido: era para comérselo cuando no se lo proponía—. Pero tampoco hace falta estar removiéndolo todo el tiempo.

—Ah, ¿no?

—No, solo hay que quedarse cerca y removerlo de vez en cuando.

Solté la cuchara y me volví. En el acto apretó los labios contra los míos y me cogió por debajo de las axilas para auparme en la encimera. Esbozó una sonrisa voraz y se abalanzó sobre mí, mirando de reojo los fuegos por un momento.

—Ahora me alegro de que me convencieras para que contratáramos un seguro del hogar —susurró.

Estudié la bandeja del calientaplatos, llena de burritos de desayuno de aspecto tristón que rebosaban panceta tiesa y queso endurecido, en medio de la reunión mensual del Departamento de Inmobiliario. Yo nunca había sido de mucho desayunar, y el olor de la carne y el queso recalentados estaban revolviéndome la tripa. Lara y otra socia de Inmobiliario, Michelle O'Reilly, se sirvieron cada una un vaso de zumo de naranja y un burrito atiborrado. Michelle era más joven que Lara, más alta y más intimidante. Yo me serví un café solo.

—¡Qué fuerza de voluntad, qué envidia! —dijo Michelle mirándome y con cara de estar pensando justo lo contrario mientras le daba un bocado al burrito—. Humm... Qué rico está.

—Hoy me he despertado muy temprano, no sé por qué, y ya he comido —mentí.

—¿Y en qué has estado trabajando aparte de en mi operación? —me preguntó Lara para sacar conversación mientras llegaban los demás abogados de Inmobiliario.

Sonreí.

—¡De momento solo Inmobiliario!

—¿En qué decías que estabas interesada? —preguntó Michelle con la boca llena de burrito.

—Solo en Inmobiliario. Indagué un poco sobre los departamentos del bufete cuando me pidieron que enumerara mis tres ámbitos de interés. —Hice una pausa—. Pero el que más me atraía era el de Derecho Inmobiliario. No sé, quizá debería diversificar... Me quedan dos semanas para sumar ámbitos de interés y estoy pensando en añadir F&A. —En realidad se me estaba ocurriendo sobre la marcha.

—Lo de diversificar está bien pensado, pero los de F&A son lo peor. No son más que un puñado de niñatos de fraternidad que van por la vida como si fueran los dueños de este bufete porque tienen clientes como Gary Kaplan. —Michelle vio que yo no reaccionaba ante aquel nombre—. Sabes quién te digo, ¿no? —Negué con la cabeza—. Es básicamente el rey del mundo de las F&A de las firmas de *private equity*. Fundó Stag River, que es hasta la fecha el cliente más gordo del bufete. Nos genera como unos cien millones de dólares de negocio al año. Y es un capullo integral. Peter Dunn es su chico de los recados... y por eso se cree el enviado de Dios en la Tierra.

Es un gilipollas..., igual que todos los socios de F&A y sus asociados. No se quieren dar cuenta de que no podrían hacer nada sin todos nosotros. —Michelle se iba exaltando por momentos.

—Sí, y además no admiten mujeres —añadió Lara—. Vamos, dicen que sí que intentan fomentar que haya mujeres, pero que son las horas lo que echa para atrás a las mujeres, cuando en realidad es su actitud lo que echa para atrás. Son unos misóginos, eso es lo que son. —Se recostó en su asiento y dejó reposar su alegato a la vez que su espalda.

—Entendido. Cero F&A —dije, aunque me sentí extrañamente atraída por el desafío de un departamento donde habían triunfado tan pocas mujeres—. ¿Quién es el cliente más importante de Inmobiliario? —pregunté intentando cambiar de tema.

Vi que intercambiaban una mirada de reojo.

—Stag River —contestó Michelle—. Porque hacemos todo el trabajo inmobiliario para los departamentos de F&A y de Mercados de Capitales.

Me bebí a sorbos el café mientras escuchaba hablar de sus operaciones al resto de los abogados que fueron llegando. «Está claro que pasarse la vida trabajando para el cliente de otros puede explicar fácilmente lo resentidos que parecen.» Me remetí tras las orejas los mechones rebeldes que me enmarcaban la cara y me pregunté si alguien estaría dándose cuenta de lo mismo que yo: de que en realidad yo no encajaba en aquella reunión.

—Anoche te perdiste una *happy hour* estupenda —me contó Carmen, que estaba mirando fijamente los tomates mientras estudiábamos el bufé de ensaladas del comedor de la empresa.

El día después de aquel desayuno de trabajo me habían mandado otro encargo de Inmobiliario para una operación de F&A, esa vez con Michelle, y mis días habían empezado a coger un ritmo de ajetreo considerable. Aunque el trabajo en sí no me fascinaba especialmente, me complacía pensar que estaba ganando lo mismo que los asociados de F&A, que mandaban correos sobre la operación a cualquier hora de la noche.

Me eché una cucharada de guisantes sobre un lecho de lechuga romana.

—Ya, es que me han asignado a otra operación de Inmobiliario y me quedé trabajando hasta tarde. ¿Quiénes estabais? —En realidad el trabajo de Inmobiliario nunca me tenía ocupada más allá de la seis y había ido al cine con Sam, pero no me pareció de buen gusto admitirlo en voz alta.

—Las ensaladas monocromáticas no están nada de moda ya —nos interrumpió Derrick, que se coló entre Carmen y yo—. ¡Os he guardado sitio! —anunció mientras se dirigía ya hacia las mesas.

—Entonces, ¿quiénes fuisteis? —volví a preguntarle.

—Los de siempre... Derrick y Kevin, pero también unos asociados de F&A algo mayores —dijo como si tal cosa mientras consideraba sus opciones proteínicas.

Ignoré el temor a que las amistades y los clichés estuvieran formándose ya sin mí y a que Carmen estuviera sacándome ventaja.

Cuando seguimos recorriendo el bufé de ensaladas, tuvimos que detenernos tras un asociado pelirrojo que llevaba allí plantado desde que habíamos cogido las bandejas. Estaba inmóvil, mirando al frente, a las fuentes de verduras encajadas en el hielo. Carmen y yo intercambiamos una mirada de reojo y luego volvimos a fijar la vista en él.

—Perdona, ¿te importa si...? —Alargué la mano por detrás de él para coger la pinza de los garbanzos.

Parpadeó por unos instantes antes de volver a la vida.

—Perdón. —Por fin fijó la vista en mí con unos ojos que parecían vidriosos e inyectados en sangre—. Acabo de quedarme dormido. —Miró hacia el bufé, hizo una mueca y dio media vuelta sin llevarse siquiera la bandeja vacía.

—Ese tío trabaja en F&A —dijo Carmen en voz baja.

Asentí, pero sin apartar los ojos de él hasta que desapareció del comedor. Su nivel de agotamiento casi le honraba.

Nos fuimos con las bandejas a la zona de mesas y seguí a mi amiga hasta donde se había sentado Derrick con Roxanne y Jennifer. Después de saludarlos, pusimos como ellos los móviles bocarriba en la mesa y nos sentamos. Eché un vistazo rápido por el resto de las mesas del comedor y vi que todos y cada uno de los abogados estaban con el teléfono colocado delante, igual que nosotros.

—¿Habéis visto en *Golpes Bajos* que el presidente de McAllister ha dimitido porque les mandaba fotopollas a todas sus asociadas jóvenes? —preguntó Derrick.

Los demás asintieron, pero yo no tenía ni idea de qué hablaba.

—¿Qué es *Golpes Bajos*?

—¿No lo conoces? Yo lo leo todas las mañanas... Es como el *Gawker* de los bufetes de abogados —me explicó Carmen.

—Es muy divertido. Espera, te mando el enlace —dijo Jennifer cogiendo ya el móvil.

—Es un detalle esto de que nos den teléfonos para no tener que estar atados al escritorio —comentó Roxanne, que se apartó el flequillo de los ojos para leer los mensajes que tenía.

—No lo hacen por tener un detalle contigo —replicó Derrick con un resoplido—. Lo hacen para que así no tengamos una excusa oficial para no trabajar cada segundo de cada minuto aquí.

Cogí yo también el móvil y fruncí el ceño al ver el mensaje que me acababa de entrar.

—Mi socia mentora me ha cancelado la comida que teníamos mañana —anuncié—. Otra vez.

—¿Quién es tu socia mentora? —quiso sabe Roxanne.

—Vivienne White.

—Uau —dijo Carmen arqueando una ceja—. Esa es de los peces gordos. Debiste de impresionarlos en la entrevista; alguien quiere que te cuiden.

—¿Tú crees? Pero si todavía ni la he visto.

Derrick miró el móvil y estalló en una carcajada.

—Mirad el correo que le ha mandado Noah Gellman a todo el bufete.

Todos los de la mesa actualizamos nuestras bandejas de entrada.

De: Noah Gellman
Para: Bufete-Todos
Asunto: ¡URGENTE! ALGUIEN TIENE CACAO???

—Seguro que alguien se ha metido en su móvil o en el ordenador antes de que se le bloqueara —explicó Derrick—. Los de F&A se pasan la vida gastándose bromitas por el estilo.

Carmen no parecía tan divertida.

—Bueno, ¿qué? ¿Al final te vas a decidir por Arbitraje Internacional? —le preguntó a Derrick, y luego se dirigió a nosotros—: Derrick me contó anoche en la *happy hour* que su padre es el embajador de Ghana en nuestro país.

—Sí, seguramente. ¿Y tú? —le preguntó a Carmen.

—Yo solicité Inmobiliario y F&A —dijo.

—¡Mierda! —exclamó Roxanne al tiempo que se ponía en pie y, sin apartar los ojos de la pantalla del móvil, se alejaba de la mesa, dejándose allí la comida.

Aparte de Carmen, que le robó una uva del cuenco de fruta sin tocar, nadie reaccionó a la espantada de Roxanne. En las últimas semanas nos habíamos acostumbrado a que las urgencias del trabajo dieran al traste con toda noción de urbanidad.

—Yo puse Inmobiliario, pero voy a pedir F&A también antes de que se acabe el plazo. Ojalá trabajemos en cosas parecidas. Necesito a alguien que responda a todas mis preguntas tontas —le dije en un aparte a Carmen.

Una nube, sin embargo, pareció pasar momentáneamente por la cara de mi compañera, que redondeó un poco la espalda. Su expresión seguía siendo de lo más plácida, pero la mirada se le había nublado. Tosí y le di un sorbo al agua. Cuando alcé de nuevo la vista, volvía a tener los ojos azules y amables de siempre. «¿Qué ha sido eso? ¿O son solo imaginaciones mías?»

—Dios cría a las genias y ellas se juntan… —Se dio un toquecito en la sien—. En Inmobiliario hay trabajo de sobra para las dos si queremos —prosiguió—, pero si las dos intentamos entrar en F&A, podríamos tener problemas. —No mentía cuando me había hablado de su vena competitiva, y me pareció que, más que afirmando, estaba haciéndome una advertencia.

—Qué va, ni ganas —le aseguré—. Solo quiero diversificarme un poco. —Me tiré del dobladillo de la falda hacia abajo, reprimiendo la urgencia de aceptar sus palabras como un reto—. Ahora mismo solo estoy haciendo Inmobiliario. A lo mejor me quedo con eso y punto.

En cuanto las palabras salieron de mi boca, supe que intentaría meterme también en operaciones de F&A: nunca había sido capaz de rechazar un reto.

Derrick parecía estar viendo un partido de pimpón entre Carmen y yo, con una sonrisilla burlona jugueteando en los labios mientras asistía como espectador a la discusión que estábamos intentando a toda costa hacer pasar por una conversación ociosa.

Esa tarde apagué el ordenador a las cinco y media, me cambié en el baño para ponerme la ropa del gimnasio y corrí hacia el ascensor rezando por llegar al vestíbulo sin que nadie me viera. Aunque había terminado todo el trabajo del día, no quería que nadie pensara que no estaba trabajando duro... o que tenía tiempo de sobra para que me asignaran a otra operación de Inmobiliario. Pero el ascensor se detuvo en la planta 35 y entró la rubia estresada que me había cruzado el primer día de trabajo y que me dio entonces un repaso de pies a cabeza. Siendo justa, yo hice otro tanto. Con esos ojos grandes parecía inocente, y algo más joven que los demás. No iba maquillada y tenía el pelo largo y recogido en un moño bien apretado en la nuca. Llevaba collar y pendientes de perlas y una rebeca de algodón blanco buena, pero cuando se volvió para pulsar el botón de su planta, vi que de la falda negra de tubo le colgaba un largo hilo que parecía una cola. Cuando se volvió, cruzamos la mirada.

—Buenas —dije subiendo la voz una octava.

Se me quedó mirando con cara de perplejidad.

—En el manual de empleados pone que mientras estemos en la oficina, la etiqueta es *business casual,* así como cuando quedemos con clientes o estemos representando a Klasko en un entorno donde la etiqueta apropiada sea el *business casual* —recitó.

Escruté su expresión para ver si había algún indicio de malicia, pero no vi nada.

—Ya, es que llego tarde al gimnasio —le expliqué, y me encogí de hombros—. A veces hay que saltarse alguna norma para mantenerse cuerda.

Asintió con cara muy seria.

—Pero ¿cómo sabes cuáles te puedes saltar?

Volví a encogerme de hombros y me despedí con la mano para desearle buenas noches mientras las puertas del ascensor se abrían en su planta. Salió a regañadientes, como si no quisiera dejarme ir hasta que respondiera a su pregunta.

Conseguí llegar a la clase de *spinning* de las seis cuando estaba casi recién empezada. Lancé la bolsa con el logo de Klasko en la taquilla y me monté en la bici en los últimos minutos del calentamiento. Cuando se atenuaron las luces y el monitor nos pidió que nos centráramos en nuestra respiración, permití que se me dibujara una sonrisa en la cara, en un momento de orgullo personal. «¿Lo veis? Soy abogada y sigo teniendo vida.»

P: ¿Señorita Vogel? ¿Se encuentra usted bien?

R: Sí... Sí... ¿Podría repetirme la pregunta, por favor?

P: ¿Había oído usted hablar de Gary Kaplan antes de que se lo presentaran en persona?

R: Me sonaba su nombre, sí.

P: ¿Qué sabía de él? ¿Tenía alguna impresión formada, profesional, personal o de otro tipo antes de conocerlo en persona?

R: No estoy... No recuerdo los detalles de mis impresiones antes de conocerlo.

P: ¿Recuerda la primera vez que oyó el nombre de Gary Kaplan? ¿Tiene idea de quién se lo mencionó o qué dijo sobre él?

R: No sé a ciencia cierta si fue la primera vez que me lo mencionaron, pero sí recuerdo oírlo nombrar al principio de mi primer año. Cuando una de las socias de Inmobiliario me preguntó si sabía quién era, recuerdo que la sorprendió ver que no lo conocía, porque era un nombre muy sonado, tanto en el bufete como en el mundo de las finanzas en general. Pero esa fue seguro la primera vez que oí el nombre de Gary Kaplan.

P: ¿Diría usted que sus primeras nociones sobre Gary Kaplan se las formó a través de terceras personas, esas abogadas de Derecho Inmobiliario que ha mencionado?

R: No, yo no diría tanto. Me ha preguntado cuándo fue la primera vez que oí su nombre y le he explicado lo que recordaba. Lo conocí en persona poco después de eso, cuando empecé a trabajar para sus operaciones.

P: ¿Cómo llegó a conocerlo profesionalmente? ¿Es una práctica común que los abogados de una operación de Derecho Inmobiliario establezcan relaciones con los integrantes de la división de F&A de una *private equity*?

R: La verdad es que ignoro si para ellos es una práctica común. Yo diría que a veces, en los casos en que los temas inmobiliarios son un factor con la suficiente relevancia en la transacción, entonces sí que puede ser corriente.

P: Permítame que se lo pregunte más directamente: siendo como era solo una asociada júnior del Departamento de Inmobiliario, ¿cómo es posible que le presentaran a Gary Kaplan en persona?

R: Estuve poco tiempo trabajando en el Departamento de Inmobiliario antes de pasar a trabajar en exclusiva para el área de F&A, de la que Gary era el cliente más importante.

P: ¿Quién le presentó a Gary Kaplan?

R: Peter Dunn.

P: ¿Quién es Peter Dunn?

4

Pocos días después de aquella tarde que logré escaparme temprano del trabajo, me encontraba en el despacho de Lara mientras ella actualizaba por teléfono a los de F&A sobre los pormenores de la parte inmobiliaria de una operación antes del cierre. Yo la observaba con curiosidad, viendo cómo respondía impávida a las preguntas que le disparaban cual metralleta desde el teléfono en altavoz del asociado sénior del Departamento de F&A, sin parar de tirarse de un mechón de pelo en un tic nervioso. Era extraño ver a una socia comportándose con deferencia ante un asociado, alguien con menos veteranía que ella.

—Sí, no hay problema con el cambio de control —confirmó.

Arrugué el ceño mientras me preguntaba por qué no les habría mencionado la cláusula de recuperación que yo había encontrado en los contratos de arrendamiento y que había subrayado y resaltado en dos correos distintos.

—Bien —dijo el asociado, que se había presentado como Jordan Sellar.

Hizo una pausa entonces, como si estuviera apuntando algo. «¿Debo asumir que a Lara no le ha parecido que lo de los derechos de recobro tuviera importancia, o debería ir sobre seguro y...?»

—Em, esto, hola —intervine—. Perdón, aquí Alex. No sé si será relevante, pero hay dos propiedades que contemplan derechos de recobro para el arrendador. Y además se estipula específicamente que los derechos permanecen aunque haya un cambio de control. Perdón, no sé si será relevante… —Encogí el gesto al oírme repetir las disculpas.

Hubo un silencio a otro lado de la línea. Me maldije por pensar que podía decir algo remotamente inteligente en mi tercera semana de trabajo.

—¿Quién acaba de hablar? —volvió a oírse a Jordan por el altavoz.

—Ay, perdona. Alex Vogel. Soy de primer año…

—Sí es relevante. Lara, vais a tener que hacer que renuncien ellos a la cláusula. O, en el peor de los casos, tendremos que reestructurarlo todo en torno a eso. —No parecía haberse inmutado, y me permití admitir una pequeña victoria al haber aportado algo a la llamada.

—Por supuesto, Jordan. Ya está en marcha. Justo ahora iba a contártelo. Os mantendremos informados —se apresuró a contestar Lara, quien, cuando levanté la vista, vi que estaba fulminándome con la mirada.

«¿No debería haberlo dicho? ¿Tendría que haber esperado a que colgara Jordan para decírselo a ella?»

En cuanto terminó la llamada, Lara respiró hondo antes de decirme:

—Alex, aquí en Klasko, si disientes en algo con alguien, debes hacerlo solo dentro de tu equipo.

—Lo siento, lo siento mucho —tartamudeé—. Creí que Jordan era de nuestro equipo. —«¿Debo recordarle que fui yo la que le señaló la contingencia? ¿Dos veces?»—. No volverá a ocurrir.

Asintió lentamente.

—¿Podrías volver a enviarme la información sobre las propiedades con esas cláusulas? Tengo que hacer unas llamadas. —Ya me había dado la espalda y estaba tecleando en el ordenador, dando a entender que podía retirarme.

Volví a mi oficina, abochornada mientras revivía la conversación para mis adentros.

Anna levantó la vista por encima de la mampara de su cubículo cuando me vio llegar.

—Un momento, por favor. Tengo a Jordan Sellar al teléfono. ¿Quiere cogerlo o le devuelve la llamada?

La respiración se me cortó ligeramente, pero dilatar el mal trago no iba a solucionar nada.

—Lo cojo. —Entré corriendo en el despacho y cerré la puerta tras de mí mientras me preparaba para la reprimenda.

—Buenas, Alex. Quería haberme presentado en condiciones. No sé si te interesará F&A, pero el martes que viene he quedado con otra asociada de primer año para hablar de nuestro departamento. ¿Te apetece apuntarte?

—¡Claro! —Estaba tan aliviada de no haberme metido en un lío que contesté sin mirar la agenda.

En cuanto colgué, me metí en el Facebook interno de la firma y pinché en el perfil de Jordan para encontrarme con el pulcro joven bronceado y atractivo que había visto el primer día de trabajo en la sala de reuniones y en el bar. «Jordan Sellar. Asociado estrella de F&A.»

Tenía sentada a mi lado a la chica rubia nerviosa de la que siempre se me olvidaba el nombre, con el mismo conjunto de rebeca blanca y falda negra que le había visto la semana anterior. «Yo me habré saltado la etiqueta de la empresa, pero por lo menos me cambio de ropa», pensé sin piedad. Se hizo un silencio incómodo mientras repasábamos con la vista el restaurante, deseando que llegara la comida. Nuestro camarero se acercó a la mesa con solo dos platos. En cuanto le puso delante su ensalada César, la chica cogió el tenedor, pinchó un picatoste y se lo metió en la boca. Jordan se quedó mirándola con curiosidad, con un mohín en los labios, pero sin delatar nada más en la expresión mientras su filete permanecía intacto en el plato.

Yo había estado haciendo averiguaciones antes de nuestro almuerzo y, al parecer, todo el mundo en la firma sabía quién era Jordan Sellar. Me supuse que debía su popularidad, a partes iguales, a su atractivo físico y a su talento como abogado. No era que fuese simplemente guapo en comparación con el plantel de abogados anodinos de Klasko: era guapo por derecho, guapo en plan catálogo de J. Crew, guapo de tener buenos genes, con unas espaldas anchas y un pelo negro y espeso que llevaba con el largo justo para poder remetérselo por las orejas. Además, tenía fama de ser uno de los asociados más prometedores del bufete, y lo cierto era que irradiaba calma y control en un entorno en que otros parecían andar siempre presas del pánico con el auricular en la mano o llegando a duras penas a su siguiente reunión. Y por alguna razón, a pesar de que todavía ni siquiera había incluido F&A entre mis ámbitos de interés, me había pedido que me uniera a aquel almuerzo.

Jordan se echó la corbata azul hacia atrás para colocársela sobre el hombro derecho, y por un momento fugaz fue como si estuviera colgado de una horca. Luego se reajustó la enorme esfera del Rolex, se giró los gemelos del toro y el oso de la Bolsa que llevaba en los puños de la camisa y se crujió el cuello. Parecía estar haciendo todo un numerito de esperar a que me sirvieran para hincarle el diente a su carne. Por fin, al levantar la vista del plato, la rubia se percató y desencajó los ojos al ver que Jordan no había tocado el suyo. Dejó el tenedor en la mesa, con los colores subidos, y se tapó la boca hasta que terminó de masticar.

—Lo siento mucho, ¡no me había dado cuenta de que no le habían traído la comida a Alex! —Tenía una voz tan empalagosa que dolía al oído.

Pero el tono escarlata que estaba subiéndole por las mejillas despertó mi compasión.

—Ay, no, qué va. ¡Come, por favor! —insistí.

—No querrás que se te enfríe la ensalada —dijo Jordan guiñando un ojo, aunque parecía bromear solo en parte.

Por suerte, el camarero llegó justo entonces con mi salmón y nuestro superior cogió el tenedor y el cuchillo de la carne.

—Bueno, Jordan, cuéntanos: ¿tú siempre quisiste ser abogado de F&A? —preguntó la rubia.

—Desde que tenía pañales —dijo secamente, la boca medio llena de chuletón de solomillo.

Solté una risita y me tapé la boca. Él tragó su bocado y sonrió con ganas, dejando a la vista una fila de dientes blanco Chiclet. Miré de reojo su mano izquierda, solo para confirmar que tenía alianza y asegurarme así de que no creyera que le reía las gracias para intentar ligar con él. Sin embargo, la chica de la que siempre se me olvidaba el nombre parecía a punto de llorar y me sentí mal. Por primera vez en mi vida, agradecí ser hija única y que desde pequeña me hubieran llevado a restaurantes con servilletas de tela y camareros con pajarita donde las conversaciones entre adultos me aburrían hasta la extenuación. Sin saberlo, mis padres me habían enseñado a manejarme en un almuerzo de trabajo.

—¡Venga! ¡Vale la pregunta! —le dije a Jordan, intentando desviar la atención de la chica—. ¿Querías trabajar en F&A cuando empezaste en Klasko?

—Mirad —dijo señalándonos a las dos por turnos con el cuchillo, los codos apoyados en la mesa—, este es uno de los bufetes más importantes del mundo, pero lo cierto es que todos los beneficios los generan dos departamentos: el de F&A y el de Mercados de Capitales. Las demás áreas son solo de apoyo. Procesal y Concursal son solo para diversificar, ¿lo sabíais? —Yo no lo sabía, pero asentí igualmente—. El resto trabaja para nosotros, pero en teoría debemos fingir que somos todos iguales para ser políticamente correctos.

Ladeé la cabeza pensando en el encargo de Inmobiliario que tenía con Lara y en las ventajas de pertenecer a un «departamento de apoyo», en palabras de ella, mientras mi colega asociada se daba quehacer asintiendo con entusiasmo.

—A ver —prosiguió Jordan—, reconocerlo no lo podemos reconocer en voz alta, pero nos compensan en consonancia. Un socio sénior de F&A gana entre cinco y seis millones al año. Los de Inmobiliario solo uno, si llegan a eso. En este bufete nadie «elige» hacer otra cosa que no sea F&A.

«¿Y qué hay de la gente que quiere conciliar la vida personal con la laboral?»

—¿Y qué hay de la gente que quiere conciliar la vida personal con la laboral? —preguntó la rubia.

A Jordan se le desencajaron los ojos, como si la pregunta en sí evidenciara la pereza y la ingenuidad de la chica. «Menos mal que no lo he preguntado en voz alta.»

—Nosotros somos los que financiamos la «conciliación» laboral de los demás. Además, nadie antepondría tener tiempo libre a sacarse seis millones de dólares al año —dijo con un resoplido, mientras yo me quedaba intentando hacerme a la idea de cómo sería tener seis millones de dólares en el banco—. ¿Tú en qué estás trabajando? —me preguntó entonces apuntándome con el cuchillo.

—Bueno, estoy en el asunto este de Inmobiliario... en la parte inmobiliaria de vuestra operación de F&A —mascullé, sintiéndome de pronto abochornada de estar trabajando en un departamento «de apoyo».

Jordan se me quedó mirando con una expresión ligeramente obnubilada antes de volver a la realidad.

—¿Para qué socia?

«No tiene ni idea de con quién estuvo hablando por teléfono la semana pasada.»

—Lara Maloney.

—Uff, madre. —Jordan sacudió la cabeza y soltó un bufido desdeñoso—. Ese departamento es un desastre.

Pensé en el aspecto desgreñado de Lara y en la mancha de huevo del labio de Michelle en aquel desayuno de trabajo. Aun así, me pareció una afirmación innecesariamente dura. Los abogados de Inmobiliario que había conocido eran gente inteligente y agradable que valoraba a sus familias...

—¿Sabes lo que te digo? Que deberías trabajar en alguna operación de F&A. Te voy a meter en una de las mías. —Lo dijo como si estuviera haciéndome un regalo.

Le sonreí agradecida y me paré a tomarle las medidas una vez más. Tenía algo, algo especial. Y no era una cuestión de privilegios, no se parecía a los niñatos vagos que había conocido en la facultad y que vivían de las rentas de sus padres. Había algo distinto tras su fachada de naturalidad: autoridad a la par que confianza... y la sensación de haberse ganado ambas cosas.

«Esto tendría que hablarlo con Sam. Se lo prometí...»

—¡Genial! —dije, con un entusiasmo genuino que me sorprendió hasta a mí.

—Yo estoy trabajando con los de Fiscal —anunció la rubia, que no suscitó reacción alguna en Jordan, aunque pareció quedarse esperando a que él le dijera que también ella debería estar trabajando para F&A.

—¿Y tú en qué año estás? —le pregunté yo a Jordan para romper el silencio.

Sabía la respuesta, pero no soportaba ver a aquella chica así, retorciéndose del dolor.

—Es mi sexto. Con suerte me quedan dos para socio. ¡Vamos, yo creo que, como no me hagan socio, mi mujer me pide el divorcio! Habrían sido seis años sin dormir para nada.

—¡Seguro que te hacen socio! —afirmó la otra con voz chillona.

—No hay nada seguro en este mundo. Hay otros dos tipos de mi promoción en F&A en la carrera para la sociatura. Por suerte no hay mujeres...; antes que a mí ascenderían a una mujer, eso está claro. —Hizo una pausa—. Porque deberían, la verdad. Ahora mismo no hay ni una mujer socia en el departamento.

Su contestación me sonó tan robótica que estuve a punto de pedirle que me explicara por qué era bueno que hubiese mujeres socias, a sabiendas de que probablemente no sería capaz de responderme, pero me lo pensé mejor.

—¿Crees que es más fácil que hagan socia a una mujer que a un hombre? —le pregunté en cambio.

Jordan le dio un bocado a la carne, como si necesitara tiempo para pensar.

—El bufete ha reconocido que necesitan potenciar la diversidad. Y no se equivocan. Para los clientes es importante. Y eso es bueno para el negocio.

—Me han contado que los ascensores nuevos son solo para el Departamento de F&A y que van directos a la planta nueva, la cincuenta y seis —comentó la rubia, no se supo muy bien a cuento de qué.

Jordan esbozó una sonrisa irónica.

—Todavía no me puedo creer que Mike Baccard le haya concedido el capricho a Matt de que nos pusieran una planta propia. ¡Y con ascensor exprés!

De pronto apareció una mano grande sobre el hombro de Jordan. Seguí una alianza que asfixiaba a un dedo hinchado, pasando por unos puños dobles, hasta una cara sonriente y mofletuda.

—No hagan ustedes caso de nada de lo que les cuente sobre mí.

Le di un repaso al recién llegado, que no era para nada guapo —tenía ojeras bajo las pestañas inferiores e implantes capilares que todavía estaban creciéndole—, pero tenía una sonrisa y una actitud que, de algún modo, lo hacían entrañable.

Jordan rio y se apartó la mano del hombro.

—Aquí tenéis al socio director del Departamento de F&A —nos explicó.

—Matt Jaskel —anunció el hombre extendiendo la mano hacia mí.

—Alex Vogel. —Proyecté la voz adrede por encima del ruido del restaurante.

—Encantado, Alex. —Se volvió y le tendió la mano a mi compañera de mesa—. ¿Y tú eres?

—Nancy Duval —susurró.

—¿Cómo?

—Nancy Duval —repitió, un poco más fuerte y algo más incorporada en el sitio.

El hombre asintió y le soltó la mano.

—Nancy y Alex, confío en que no me estéis distrayendo a Jordan —dijo, y le puso una mano en cada hombro a su compañero y se los masajeó con brusquedad.

Sentí entonces otra presencia que se acercaba a mi silla. Reconocí la sensación al instante. Nunca había un parecido físico entre los hombres que me provocaban un cosquilleo columna arriba —el último había sido un profesor auxiliar esmirriado y con gafas que tuve en clase de segundo de Literatura Estadounidense Contemporánea—, pero todos compartían cierta seguridad en sí mismos. No me volví de golpe, para saborear el momento de la revelación.

—Este es Peter Dunn, socio también de F&A —nos presentó Matt.

Cuando me volví, me encontré con los ojos verdes e intensos de Peter, que descansaban en una cara bronceada de mandíbula cuadrada. El traje gris le destacaba el físico esbelto, mientras que el pelo, espeso y color castaño miel, le hacía parecer más joven de lo que asumí que era dada su veteranía.

—¿Qué tal os va en Klasko por ahora? —preguntó con una voz rasgada que me sorprendió por su emotividad.

—Aprendiendo mucho. La verdad es que lo estoy disfrutando, gracias —respondí sosteniéndole la mirada.

Noté que estaba calibrando mi compostura, evaluando mi comportamiento y mi intelecto. No pude evitar actuar en su beneficio, sintiendo que el cuerpo se me escoraba hacia él. Dirigí sin querer los pies hacia sus zapatos negros y relucientes: cuero italiano. Aspiré su aroma: colonia Tom Ford. La sangre se me subió a la cabeza y me puse colorada. Lo más delicioso de la conversación era que, para el resto de la mesa, del restaurante, no suponía más que una presentación de trabajo rutinaria.

—Vamos a pasarle a Alex una operación de F&A —dijo Jordan, y Peter y Matt asintieron dando su aprobación mientras estudiaban nuestros platos.

Recordé que, siempre que venía un entrenador nuevo al equipo de natación, yo era consciente de que me evaluaba también fuera de la piscina. Un buen entrenador sabía quiénes eran los nadadores más fuertes antes incluso de verlos en el agua.

—¿Pescado en un asador? —preguntó Peter mirando de reojo el trozo de salmón que tenía ante mí, resultado de los repetidos recordatorios de mi madre de que no era propio de una señorita apurar el plato.

—No como carne roja —dije encogiéndome de hombros—. Más que nada porque no me gusta el sabor.

—¿Y por qué la traes a un asador entonces? —le preguntó Peter a Jordan.

—En los asadores es donde se come el mejor pescado —contesté por él.

Peter se me quedó mirando el tiempo justo para hacerme pensar que había metido la pata.

Pero Matt asintió y le dijo a Jordan:

—Ponla en la adquisición de Stag River que acaba de entrarnos.

—Y yo pensaré también en alguna operación en la que pueda meterte —dijo a su vez Peter.

Me envolví la mano con la servilleta y disimulé el puño de triunfo bajo la tela. Al parecer había pasado la prueba que acababan de ponerme, fuera la que fuese.

—Alex está trabajando ahora mismo en Inmobiliario —comentó Jordan como si tal cosa mientras establecía contacto ocular con el camarero y hacía un gesto de garabatear en el aire.

Matt refunfuñó, pero Peter pareció decirle con un gesto que lo dejara estar.

—Aprende todo lo posible sobre todo lo que puedas. Para eso precisamente se os deja escoger el trabajo en los primeros meses. Pero, cuando tengas que escoger, no seas tonta y ven a trabajar con nosotros. —Peter me guiñó un ojo, y sentí que se me dibujaba una sonrisa en respuesta antes de que Matt y él se volvieran para irse.

¿Debía acordarme del nombre de la operación en la que en teoría me iban a poner? ¿Se encargaría Jordan? ¿Debía preguntarle si necesitaba que fuera haciendo algo? Estaba hecha un mar de dudas.

El camarero trajo la cuenta y vi con el rabillo del ojo que Jordan dejaba una propina de un treinta por ciento y al firmar añadía un «mag.». Protesté para mis adentros por aquella necesidad suya de hacerles creer a los camareros que era magistrado. Más allá de la mentira, no podía imaginarme un universo en el que mi padre firmara con un «doctor» en un recibo, pero decidí apartar el pensamiento.

En cuanto volvimos al vestíbulo y nos despedimos, esperé el ascensor con Nancy, fingiendo no notar su malestar.

—No me puedo creer que me haya puesto a comer antes de que nos trajeran la comida a los tres —dijo, ensanchando los ojos como si así pudiera crear más superficie para que se le evaporaran antes las lágrimas inminentes.

—¡Vamos, Nancy, no seas tonta! Jordan estaba de broma.

—Ya, pero he quedado fatal. Y eso que había estado ensayando y todo... —Se metió en el ascensor en cuanto se abrieron las puertas y yo la seguí de cerca.

—¿Ensayando... la comida? —pregunté, a lo que asintió, y yo tuve que morderme el labio para no sonreír—. ¡Lo has hecho muy bien!

—Puff... En F&A rige la ley del más hombre —dijo en un susurro, a pesar de que estábamos solas en el ascensor.

Me encogí de hombros.

—Yo me llevo bien con los tíos. —Siempre había hecho más migas con los hombres que con las mujeres, pero sabía que añadir esto último no me haría ningún favor.

—Pues que sepas que es duro entrar en su club. Según me han contado, no cogen nada más que a una mujer por año, como mucho —añadió.

Eso no podía ser una norma real, ¿no? Así y todo, me pregunté si a Carmen ya la habrían asignado a alguna operación de F&A. ¿Y si era verdad que solo había sitio para una de nosotras?

—Eso no puede ser verdad.

Nancy suspiró.

—No se pueden permitir tener mujeres. Las mujeres se quedan embarazadas y cogen bajas de maternidad, y el departamento tiene demasiado volumen de trabajo para andar supliendo a compañeras cuando se dan esos casos. O por lo menos eso es lo que cuenta la gente…

Esa tarde pedí que me trajeran la cena al despacho para poder estudiar en detalle una pila de documentos del catastro. Si el almuerzo no se hubiera dilatado tanto, seguramente me habría dado tiempo de volver a casa para cenar con Sam, pero me parecía que había hecho contactos útiles y me alegraba de haber ido. Mientras mordisqueaba mi rollito de atún picante, intentando mantener los ojos bien abiertos y no manchar de soja el mapa grande que tenía en el escritorio, me sonó un mensaje en la bandeja de entrada.

De: Courtney Cantwell
Para: Alexandra Vogel
Asunto: Encargo

Alex:
Matt Jaskel y Jordan Sellar han pedido tu colaboración para una fusión de Stag River. Por favor, ponte en contacto con Jordan para saber más detalles. Peter Dunn también ha solicitado trabajar contigo… La semana que viene o así te cuento más. ¡Enhorabuena!
Saludos,
Courtney

«Enhorabuena.» Sonreí al leer la palabra, con la sensación de haber sido invitada a una fiesta exclusiva.

Acababa de terminar de leer el correo cuando el repique metálico me informó de que tenía otro mensaje sin leer, este último de Jordan a todo el equipo de Stag River para ajustar el calendario de la revisión de la *due diligence*. Había puesto en copia a las trece personas que trabajarían en la operación, incluida yo.

Justo cuando estaba preguntándome si debía ponerme esa misma noche con la *due diligence* y cómo, oí otro repique.

De: Jordan Sellar
Para: Alexandra Vogel
Cc: Matt Jaskel
Asunto: Solo para tenerte informada...

He empezado a ponerte en copia en los correos colectivos para que estés al día. Todavía no tienes que hacer nada. Dentro de poco nos darán acceso al repositorio y entonces ya te informaré de lo que hay que hacer.

Me quedé con la vista clavada en la pantalla, sintiéndome al mismo tiempo eufórica por ser lo suficientemente importante para estar en un mismo hilo con uno de los socios más destacados del bufete y culpable por renegar de mi acuerdo con Sam sobre evitar F&A. Cogí el móvil y marqué su número.

Respondió al segundo tono.

—Hola, nena.

—¡Hola! —La voz me salió un decibelio más alta de lo que pretendía—. Imagínate lo peor.

—¿Te han pedido trabajar en una operación de F&A? —Sam soltó una risa sarcástica y yo me quedé callada—. ¿Estás trabajando en una operación de F&A?

—Sí. A veces lo único que necesitan es a algún novato con hueco en la agenda. No creo que sea muy infernal, pero hoy voy a tener que quedarme hasta tarde.

—Claro, normal. Nuestro trato tenía que vencer en algún momento. No podía durar para siempre —dijo Sam, en un tono que pretendía ser comprensivo pero sonó más bien a fastidio—. Quién sabe, a lo mejor hasta te gusta.

Las palabras resonaron con ligereza al teléfono, pero pesaron en mi cabeza.

—Quién sabe...

Después de colgar, me quedé sola en el despacho y evité mirar el reloj. No quería pensar en las horas de sueño que iba a perder para poder enterarme de lo justo y no quedar en ridículo al día siguiente. Y durante todo ese tiempo reviví las palabras de Sam en mi cabeza. La tensión con la que las había dicho les había dado un retintín de advertencia, o incluso amenaza. «A lo mejor hasta te gusta.»

5

A Sam le sonó la alarma a las siete para salir a correr, y yo refunfuñé y me tapé la cabeza con la almohada. Había salido de trabajar a las tres de la madrugada, después de terminar el análisis inmobiliario y de leer todos los correos en los que Jordan y Matt me habían puesto en copia, que no pararon de entrar en mi bandeja hasta las dos de la madrugada, todo ello mientras me veía obligada a buscar todos y cada uno de los términos legales que desconocía (en torno al ochenta por ciento).

Pensé en volver a dormir, pero con la luz de la mañana los párpados no se me querían quedar quietos, y al final las ganas y la ansiedad me sacaron de la cama. Me arrastré hasta la cocina y apoyé los codos en la encimera de granito frío mientras esperaba a que subiera el café. El resoplido final del vapor al filtrarse por los granos me obligó a ponerme en pie. Me eché una taza y fui sin pestañear hasta la nevera para coger la leche. Cerré los ojos, cogí aire y sorbí, permitiendo que el sueño se me desprendiera de los hombros.

—No deberías beberte esa cosa. —Sam estaba delante de mí, cogiéndose el pie contra el glúteo para estirar el cuádriceps; yo me quedé mirándolo sin más—. Está llena de hormonas —dijo cambiando de pie—. Ayer vi un documental en Netflix que me dejó loco. Te lo juro, estoy pensando en hacerme vegano.

«Ya me gustaría a mí tener tiempo para ver documentales de Netflix», pensé, pero para evitar una posible pelea y un golpe claro al ego de Sam, me mordí la lengua.

—Yo diría que casi con seguridad el café es vegano —comenté sin más.

—Me refiero a la leche. Viene de vacas a las que les meten por un tubo…

—¡Sam! —lo corté, con la mano en alto para callarlo.

Rio, hizo un gesto conciliador con la cabeza y luego siguió con los estiramientos. Volví mi atención al teléfono del trabajo, y parpadeé y hasta escupí café en el parqué al ver que tenía ciento treinta y siete mensajes nuevos en la bandeja de entrada.

Sam pegó un salto hacia atrás para evitar que le salpicara.

—¡Al! Por Dios, cómo te pones. Solo pretendía que la eliminases de tu dieta. Que vaya bien el día, adiós —dijo ya de espaldas.

Yo estaba demasiado ocupada entrando en pánico para responder.

—Mierda. Mierdamierdamierda.

Corrí al dormitorio y me puse el primer conjunto de trabajo que pillé. Me salté la ducha y corrí en tacones hasta el metro, donde intenté sin éxito delinearme los ojos en un vagón lleno de gente. Fui bajando como loca por la cola de mensajes sin leer, sin saber a cuáles dar prioridad, mientras seguían entrando sin parar. Corrí hasta mi despacho, cerré la puerta y me hice un lío con el directorio digital hasta que encontré la extensión de Jordan y marqué.

—Buenos días —dijo.

Me tomé un momento, sorprendida por la falta de urgencia en su voz.

—Perdona…, quiero decir… que lo siento —tartamudeé—. Estaba durmiendo.

«Silencio.»

—Como suele ser el caso cuando... —Dejó la frase en suspenso, preguntándose sin duda adónde quería yo ir a parar, y acto seguido se oyó un clic cuando me puso en altavoz, como dándome a entender que mi llamada no merecía toda su atención, y no tardé en oírle teclear de fondo.

—He visto los correos sobre la lista de auditoría de la *due diligence,* pero había tantos que me he dicho que era mejor llamarte.

—Ah. Vale —dijo Jordan, que seguía sonando algo confundido—. Todavía no hay nada que hacer. No son más que desavenencias sin importancia sobre una de las filiales *offshore*.

Arrugué el gesto ante mi pantalla, que seguía en hibernación.

—¿Ciento cincuenta y dos correos solo por desavenencias sin importancia?

Jordan resopló, divertido.

—Bienvenida a F&A, Pippy. —Colgó.

¿Acababa de llamarme Pippy?

A partir de esa mañana siempre tenía mensajes sin leer en la bandeja de entrada. Llevaba nueve semanas en Klasko cuando empecé a dormir con el teléfono de la empresa en vibración contra el pecho, para malestar evidente de Sam. Cenaba con el móvil encima de la mesa. Me duchaba con él en el baño. La palabra «ocupada» adquirió un matiz totalmente distinto. Empecé a bloquear tiempo en mi agenda todos los días para ir al gimnasio, una cita que rara vez cumplía. Poco a poco, ese tiempo se convirtió en el tiempo en que intentaba (a veces sin éxito) colar con calzador una ducha.

—Hola, Lara —respondí alegremente por mi extensión.

—Hola.

Mierda. Parecía cabreada. ¿Qué había hecho? ¿De qué me había olvidado? Si no me hubiera llamado, habría olvidado por completo que trabajaba para ella.

—¿Me mandaste los contratos de arrendamiento para los abogados locales?

La puse en altavoz mientras buscaba como loca por los mensajes de Enviados. Ni siquiera sabía de qué operación estaba hablándome. Lara... Inmobiliario... Creía habérselos mandado. Mierda. ¿Se me había olvidado darle a Enviar? Ahí estaban.

—Sí, aquí está, los mandé anoche a las once y dos.

Silencio.

—Alex. No me pusiste en copia —dijo Lara intentando hablar con calma.

Se me cayó el alma al suelo. Tenía razón: la casilla de Cc estaba vacía.

—Ostras, lo siento mucho, no volverá a ocurrir. —«Por favor, que no me despida, por favor, que no me despida...»

—Más te vale que así sea. Mira, por favor, si ves que no puedes con esto aparte de tus asuntos con F&A, dímelo y pido que me asignen a otra persona.

Inspiré con fuerza.

—No hará falta, no volverá a ocurrir.

Oí un latido mecánico al otro lado del teléfono.

—Tengo que atender esta llamada —dijo, y cortó la comunicación.

Dejé caer la cabeza entre las manos; se me había subido la comida a la garganta. Me parecía increíble haber hecho algo así, yo nunca cometía descuidos tontos como ese.

—Pasa hasta en las mejores familias. —Me volví en la silla y me encontré a Peter Dunn apoyado contra el marco de la puerta y con los brazos cruzados sobre el pecho.

«Mierda —pensé—. Tengo que empezar a cerrar la puerta cuando estoy hablando en altavoz.»

—Ni caso, pequeña —dijo con una sonrisa, y me obligué a soltar el aire para contener las lágrimas—. Tienes que elegir entre ser perfecta o estar viva, las dos cosas es imposible. —Me observó detenidamente unos instantes más antes de dar otro paso y entrar del todo en el despacho—. Cuando era asociado de segundo año, y de eso hace más tiempo de lo que me gustaría reconocer, mandé a firmar la antepenúltima versión de un acuerdo de fusión en vez de la definitiva, con un montón de cosas que habíamos logrado quitar después de mucho negociar. Básicamente eché por tierra todo el trabajo que habíamos hecho. Y nuestro cliente ni lo leyó. Lo firmó sin más. Y evidentemente la otra parte lo firmó porque las condiciones eran mucho mejores para ellos. Imagínate el lío. —Sacudió la cabeza y me tuve que reír.

—¿Y qué pasó? —quise saber, sintiendo pavor y consuelo a partes iguales.

Peter se encogió de hombros.

—El socio para el que trabajaba me llamó a su despacho y me dijo que él se encargaría y que tenía que servirme de lección en dos sentidos: la primera, que la «regla de las tres erres» lo es todo. Y la segunda, que no existe casi ningún error que un buen abogado no sepa gestionar. ¿De acuerdo? —Asentí—. Si no entiendes algo, pregunta sin problema.

—Releeré, revisaré y rectificaré —dije demostrándole que sí, me sabía las tres erres.

Peter sonrió, se llevó un dedo a un lado de la nariz y luego me señaló con él.

—Chica lista —dijo—. ¡Pero eso era antes de que la gente consultara el correo cada tres segundos! Joder, antes la espera era una agonía. Puedes volver a mandar el correo de nuevo diciendo algo así como: «Sin darme cuenta he dejado a Lara fuera del mensaje. Ahora ya está dentro». Y punto. —Se giró sobre sus talones para irse, antes de detenerse y decirme volviendo la cabeza—: Ah, y dentro de poco te meteré en una de mis operaciones. Es mejor que diversifiques y no te dediques solo a Inmobiliario. —¿Estaba diciéndome que en realidad mi error no importaba porque era para Inmobiliario?—. Ah, y no te disculpes —añadió ya casi al otro lado de la puerta—. Nunca.

Me quedé mirando el umbral vacío, ligeramente confundida, y luego volví al ordenador.

—¡Eoo!

Volví a levantar la vista y esta vez me encontré con Carmen. Le hice señas para que pasara.

—Hola. —Tenía que empezar a cerrar la puerta, sí o sí.

Se sentó enfrente.

—¿El que acaba de salir era Peter Dunn? —Asentí—. ¿Lo conoces? —Asentí—. ¿Y él te conoce a ti? —Arqueó las cejas, y tuve que reírme y asentir de nuevo.

—Ese tipo es un pez gordo.

Volví a reírme, esa vez sin sentirme mal.

—Ahora estoy en F&A... mientras hago como que tengo tiempo para el caso de Inmobiliario en el que estoy.

—Ya me he enterado.

—¿Y eso? Pero si ni siquiera tenemos dispensadores de agua. —Señalé a las botellas de cristal de agua con gas y natural que nos dejaban en la mesa todas las mañanas las hadas del cáterin.

—Mi socio mentor es Matt Jaskel. Me lo mencionó la última vez que lo vi.

—Uau, él sí que es un pez gordo. Seguramente impresionaste a alguien en tu entrevista —dije repitiendo lo que me había dicho ella sobre Vivienne White.

Soltó una risita de aprobación.

—¿Estás más delgada? —No sonó a cumplido—. ¿Qué tal Sam? Podríamos comer mañana, ¿no? —No esperó respuesta alguna mientras sacaba ya su teléfono—. ¿A las doce? He pensado que mejor que empecemos a compartir nuestras batallitas en F&A si pretendemos sobrevivir. —Sonrió de oreja a oreja y me fijé una vez más en el atractivo tan especial que tenía cuando sonreía; parecía plancharle todas las aristas y suavizarle el rostro.

Abrí en el ordenador el calendario para comprobar si podía quedar para comer, pero entonces me di cuenta de que iba tarde para mi siguiente reunión.

—¡Anna! ¿Me puedes coger los documentos que he mandado imprimir? —grité hacia la puerta, y allá se fue mi promesa de no pedirle tareas por debajo de su categoría; volví a mirar a Carmen y le dije—: A las doce no puedo. ¿Y si comemos tarde? ¿A las dos?

—No puedo. Tengo una reunión telefónica a las dos, y mi padre viene este finde a verme, así que quiero intentar adelantar todo el trabajo que pueda. ¿Un café a las cuatro?

—¡Hecho! Te comparto el evento por la aplicación.

—¡¿Hola?! —Carmen y yo nos llevamos la mano al pecho, del susto, cuando resonó una tercera voz por la oficina—. ¡¿Hola?! —Nos quedamos mirando hacia el teléfono, por donde salía la voz de Lara—. Qué cruz con los de primer año... —mascculló antes de colgar.

—¿Se te ha olvidado colgar en tu última llamada?

—Mierda. —Sacudí la cabeza mientras me preguntaba horrorizada cuánto de nuestra conversación habría oído Lara—. Este día tiene que acabar ya. Todo me sale mal.

—Le puede pasar a cualquiera. ¿Era una socia de F&A? —preguntó Carmen, pero sacudí la cabeza—. ¡Entonces da igual! ¿A quién le importa? Tengo que irme pitando, mañana nos vemos —dijo saliendo a todo correr de mi despacho.

Jordan estaba ya sentado en una silla de invitados cuando llegué al despacho de Matt, que, con su ubicación en esquina, estaba bañado por el sol. Me quedé en la puerta y esperé a que el más veterano me hiciera señas de que pasara, y, en cuanto me vio, me indicó por gestos que me sentara en la silla vacía.

—Danos un minuto. Estamos con otra historia que tenemos que terminar.

Jordan me saludó con la cabeza y siguió hablando con Matt.

—La estimación es una mierda porque esas cifras en realidad tendrían que ser de lo más corrientes —reflexionó.

Yo sabía que debería estar prestándole más atención a la conversación, verla como una oportunidad para aprender, pero dejé vagar la mirada por la estancia. Una legión de objetos de metacrilato ocupaba hasta el último centímetro de las repisas de las ventanas, pregonando todas las impresionantes operaciones que había conseguido cerrar con éxito Matt: un péndulo de Newton por Criterio S.A., un rascacielos por Al Alza S.L., un pozo de petróleo por Epicentro S.R.L.

Tombstones, lápidas, me había explicado que se llamaban otro de primer año, recuerdos de haber cerrado una operación.

—Yo tengo demasiadas cosas encima. Encárgate tú.

La voz de Matt se me coló por los oídos y le regalé una sonrisa, a sabiendas de que mi trabajo sería más fácil si le caía bien. Matt me sonrió a su vez. Esto iba a ser más fácil que con Lara. «Los tíos se andan con menos historias», me dije.

Jordan siguió informándolo.

—Y el comprador nos ha mandado la lista de sociedades objetivo para que…

—¿Sabes lo que son sociedades *target* u objetivo? —preguntó Matt interrumpiendo a Jordan.

Asentí mientras agradecía para mis adentros haberlo buscado esa misma mañana después de verlo mencionado en un correo en el que me habían puesto en copia.

—Sociedades susceptibles de ser compradas. Adquisiciones potenciales para el comprador —respondí intentando disimular mi suficiencia.

—Creo que Seísmo y Metales Élite pueden dar problemas... —prosiguió Jordan ignorándome.

Seguí con mi repaso a la decoración del despacho. Había fotografías en blanco y negro, muy típicas de los fotógrafos profesionales de los noventa, de Matt con su mujer y sus tres hijos, todos vestidos con vaqueros y camisas blancas y descalzos. Tenía también los característicos retratos de los ochenta, con los bordes ovalados ya deslucidos, en los que el hijo más pequeño era todavía un crío. Y otra instantánea de Matt siendo engullido por las mangas de merengue blanco del vestido de novia de su mujer, ella con un corte a lo *garçon* con las capas muy marcadas y él con rizos gruesos y castaños y barba poblada.

—Cuesta creer que en otros tiempos tuviera tanto pelo —comentó Matt siguiendo mi mirada, y luego rio y se pasó la mano con mucho cuidado por el cuero cabelludo, como si fuera a arrancarse los implantes solo por pasar los dedos por encima.

Lo miré con los ojos entornados y cara de pilla.

—¿Estás sugiriendo que este trabajo provoca alopecia? Tal y como lo cuentas, F&A va ganando puntos por momentos...

Tras unos segundos de perplejidad, soltó una risotada sincera justo cuando yo posaba la mirada en la pizarra blanca; en el lado derecho había una lista en rotulador verde con los nombres de unas veinte operaciones, y a la izquierda otra con lo que comprendí rápidamente que eran apellidos. «Vogel» tenía una equis al lado, al igual que otros, entre ellos «Greyson».

—Ahí están los de primer año que han mostrado interés por F&A. Queremos que todos cojan algo de experiencia —explicó Matt al seguir mi mirada—. Las equis son para la gente a la que ya le hemos asignado operaciones.

Me pregunté en qué tendrían trabajando a Carmen y si su operación sería más grande o importante que la mía, pero comprendí que en cualquier caso me sacaba ventaja, teniendo como tenía a Matt por mentor.

—Vale —dijo Jordan, estirando el cuello de lado a lado como si estuviera calentando antes del entreno—. Proyecto Hat Trick. Adelante.

Ambos se me quedaron mirando y sentí una bofetada de pánico escénico, pero me obligué a abrir la boca.

—De acuerdo. Bien, pues nuestra oferta inicial se aceptó.

—Eso ya lo sabemos—dijo secamente Matt, pero Jordan asintió para darme ánimos.

—Solo he tenido acceso al material de la *due diligence* desde el lunes, de modo que no he terminado de revisarlo todo, pero voy avanzando. Hay un supuesto bien claro de no transferibilidad en uno de los contratos de Freestyle.

Tal y como había aprendido esa mañana leyendo la Investopedia entre los bamboleos de la línea E, aquello era un problema porque, cuando nuestro cliente comprara esa empresa, el contrato quedaría anulado en lugar de transmitirse al nuevo propietario. La noche anterior me había tirado varias horas para poder presentarles tres soluciones posibles. Mientras me preparaba para compartir con ellos las recomendaciones que había ensayado, me recordé que debía actuar como si se me acabasen de ocurrir.

Matt miró a Jordan.

—Haz que renuncien —dijo tranquilamente.

El otro asintió y apuntó algo. Ambos volvieron a mirarme, preparados para seguir. Comprendí entonces lo poco que sabía sobre lo que estaba haciendo.

—Ya he empezado a preparar la carta de oferta, para que no nos metan ningún gol —dije regurgitando la expresión que había utilizado Jordan cuando me pidió que preparara la carta—, pero la iré actualizando sobre la marcha, y Jordan está revisando los cambios que he introducido en el acuerdo de compra. He apuntado algunas cuestiones en el estado contable, pero supongo que Jordan las discutirá en caso de ser necesario. El compromiso de financiación está blindado. —Exhalé y levanté la vista.

Matt me miró con cara seria.

—Bien —dijo sin emoción en la voz ni asomo de halago, y luego volvió al ordenador y se puso a escribir.

Me permití relajar los hombros y miré a Jordan, que me guiñó un ojo. No pude impedir que se me arquearan las comisuras de los labios hacia arriba.

—Pip, me haces polvo. Nunca encuentro los putos adjuntos en tus correos —dijo Matt sin apartar la vista de la pantalla—. Adjúntalos debajo de tu texto, no debajo de un hilo de cuarenta correos. —Me di la vuelta para mirar hacia atrás, pero, cuando volví la vista, Matt estaba mirándome a mí directamente—. Sí, tú eres Pippy, Pip para abreviar.

Abrí la boca, pero la cerré, decidida a dejar de hacer preguntas.

—Y, a todo esto, ¿por qué le habrán puesto «Proyecto Hat Trick»? —masculló para sí Matt—. Qué tontería de nombre.

«Porque es el tercer intento de adquisición de la empresa. Tengo que empezar a coger las notas a boli. Los apuntes a lápiz se me emborronan. ¿Se me olvida algo?»

—¿Cómo? —La voz de Matt interrumpió mis pensamientos.

Levanté la vista de los apuntes.

—¿Perdón? —Estaban los dos mirándome.

—¿Qué has dicho? —preguntó Matt.

«Mierda, ¿acabo de decir todo eso en voz alta?»

—Yo…

—¿Por qué lo han llamado «Proyecto Hat Trick»?

—Ah, no sé… A lo mejor es porque es la tercera vez que se ha considerado la compra de esa empresa. No me he dado cuenta de que…

—¿Practicas algún deporte? —preguntó.

—Practicaba. —Aunque, dado que la natación no era un deporte donde se pudieran hacer *hat tricks,* no me parecía muy relevante.

—¿A qué facultad fuiste? —preguntó Matt.

«¿Me lo ha preguntado porque he dicho una tontería o porque le ha parecido un dato interesante?»

—Hum… ¿A Harvard?

—¿Me lo dices o me lo preguntas? —Matt parecía divertido viéndome mortificada.

Sacudí la cabeza y sentí un mareo repentino.

—Harvard.

—Ah, es verdad. Lo sabía. —Matt hizo un gesto, como quitándole importancia—. Eres de una familia de Harvard, ¿no es eso?

—¿En qué sentido?

—¿No fue toda tu familia a esa facultad? ¿No tienen una biblioteca que lleva el apellido de tu familia?

—No. —Sacudí la cabeza despacio, aunque Matt había hablado con tanta confianza que me vi por unos momentos dudando de si no sería verdad—. Qué va, no, yo soy la única que ha ido a Harvard, y puedo decir con cierto grado de seguridad que no donamos ninguna biblioteca a la causa.

Matt y Jordan intercambiaron una mirada y el primero soltó una risita burlona.

—Que empiece el juego —musitó Jordan entre dientes.

—¿Sube-sube? —le preguntó Matt.

—No, no. Estoy bien. Anoche dormí. Voy a meterle un poco de caña.

—¡Muy bien! —concluyó Matt, que a continuación nos dio la espalda y cogió el teléfono—. ¡Gracias, chicos!

Nos retiramos y recorrimos el pasillo juntos. «¿Qué leches acaba de pasar?» Mi trabajo se me antojaba una conversación en una lengua que me era familiar pero incomprensible, como el escocés.

—Te has portado —dijo Jordan, y me quedé mirándolo mientras me preguntaba por dónde empezar.

—¿Pippy? —le pregunté.

—Nos das un poco pinta de niña pija. Pippy la Repipi. —Me miré y me remetí la camisa blanca por la falda color lavanda—. Eso es bueno. Normalmente Matt no piensa nada sobre ningún asociado de primer año.

Asentí.

—¿Y por qué cree que toda mi familia fue a Harvard?

—Carmen nos contó algo que seguramente hemos malinterpretado. Olvídalo. Tengo que correr a hacer una llamada.

Se metió en su despacho sin mediar más palabra.

Horas después estaba luchando por mantener los ojos abiertos mientras escrutaba las actas de una junta del consejo de administración de la empresa que Stag River quería comprar, sin apenas saber qué estaba buscando, pero con la esperanza de poder reconocer una contingencia en caso de verla, cuando el timbre del teléfono me sacó del trance.

—¡Buenas, Matt! —dije forzando alegría en la voz.

—Vete a casa, Pip. Yo ya me voy y le he dicho a Jordan que haga lo mismo.

Miré la esquina derecha inferior de la pantalla: eran solo las siete de la tarde.

—Gracias, Matt, pero voy a terminar una…

—No era una sugerencia. —Sus palabras eran rotundas, pero el tono sonaba amable—. Esta operación va a estar a punto de caramelo dentro de unas semanas, y será entonces cuando espero tenerte aquí a todas horas. De momento, vete a casa.

Colgó antes de que pudiera darle las gracias, y acto seguido cogí el teléfono y le escribí a Sam.

De camino! Ueooooo.

Los puntos suspensivos aparecieron al instante. Sonreí al imaginármelo tecleando.

Tooooma. Corre!!!

Estaba a punto de apagar el ordenador cuando recordé algo que había pasado antes. Cogí el teléfono y marqué la extensión de Carmen.

—¡Hola! —contestó al punto—. ¿Qué pasa? Estoy hasta arriba.

—Tengo una pregunta un poco sin sentido.

—Cuéntame.

—Esto, hum… Puede que te suene raro, pero ¿tú les has dicho a Jordan y a Matt que mi familia financió una biblioteca en Harvard? —Maldije la aprensión que se me coló en la voz.

—Sí —respondió ella sin vacilar, y tampoco había sorpresa o disculpa en su tono, y oí que seguía tecleando de fondo.

—Em…, ¿y eso? Es que sonó a que yo no había conseguido entrar en la facultad por mis propios méritos.

—Ah, no, es que me los conozco y se les pone dura con todo el rollo de viejos ricos de la Ivy League, Nueva Inglaterra y esas cosas. Creía estar haciéndote un favor de los buenos…

La respuesta me pareció bastante inofensiva. No me quedó más remedio que concederle el beneficio de la duda.

—Gracias. Ya se lo he aclarado.

—Vale, guay. Oye, te dejo. ¿Sigue en pie el café de mañana?

—*Yeah!*

—Estupendo. Nos vemos entonces. —Colgó.

Sacudí la cabeza para desechar la extraña conversación, que se me repetía en bucle en el cerebro, y recogí mis cosas para irme.

Cuando abrí la puerta del piso, un vago rastro de humedad me anunció que Sam acababa de salir de una de sus duchas posmaratón. Respiré hondo conforme iba hacia el dormitorio y dejaba que me invadiera el fragante aroma a flores del jabón Dove. Asomó la cabeza por la puerta del baño con la toalla en la cintura.

—¡Nena! No me lo puedo creer. ¡Lo estás partiendo en F&A y aun así llegas temprano a casa! —Se acercó dejando huellas de agua a su paso y me besó mientras me daba un cachete suave; después volvió por un momento al baño y me preguntó—: ¿Qué tal el trabajo? Yo hoy he corrido quince kilómetros y estoy muerto de hambre. ¿Quieres que cenemos fuera o pedimos para que nos lo traigan?

—No ha ido mal. Bastante bien, en realidad. Creo que la clave de este trabajo es aprovechar las noches que son más tranquilas y volver a casa contigo en cuanto pueda.

Dejé el bolso en la cama y sentí el subidón de tener el control de mi vida después de volver a casa tras una larga jornada, con mi novio, que se alegraba de verme en el bonito piso que mi trabajo me permitía alquilar. Sam volvió a salir y escogió una camiseta de un cajón, y, mientras lo observaba, sentí una paz absoluta. Conocía bien a mi novio, lo conocía en profundidad: siempre sabía lo que pensaba de alguien con tan solo calibrar su postura cuando hablaba con ese alguien; sabía que sus comidas favoritas eran el sándwich de queso a la plancha y la sopa de tomate; conocía la cara que ponía en el espejo mientras se afeitaba. De pronto aprecié que con él las cosas fueran casi siempre lo que parecían, por no hablar de lo mucho que me adoraba. En realidad, a mis amigos de Klasko no los conocía de nada. Me daba absolutamente igual que todavía no pudiera pagar su parte de alquiler ni llevarme a cenar a sitios buenos. Había rechazado un trabajo en Sanctuary for Families para poder permitirme esas cosas, tanto para mí como para él. Yo sabía que su empresa acabaría triunfando y que con el tiempo todo se compensaría.

—¿Qué? —preguntó mirándome.

Entorné ligeramente los ojos. Ya había metido los brazos por las mangas de la camiseta y estaba a punto de pasársela por la cabeza.

—Todavía no tengo hambre —dije en voz baja.

Desencajó los ojos, incrédulo.

—¿Que no?

Meneé la cabeza una sola vez y luego curvé hacia arriba la comisura derecha. Con los brazos todavía en las mangas y el pecho fuerte y terso aún desnudo, se me acercó despacio. Levantó los brazos y me los echó por la cabeza, acercándome con su camiseta como si fuera un lazo de vaquero. Levanté el cuello hacia él y me besó, tomándose su tiempo. Siempre que me besaba, sentía que me envolvía con su bondad.

—Te he echado de menos —susurré.

Y volvió a besarme. Le puse las manos en el pecho y fui bajando lentamente con los dedos hasta donde la toalla se enrollaba sobre sí misma. Con una mínima presión en el doblez, la toalla se le fue al suelo. Me acercó por las caderas y me dejó una mano en la espalda. Sentí que la camiseta le caía de las manos cuando me bajó la cremallera de la falda. Me quité los tacones. Nos miramos y levanté los brazos por encima de la cabeza. Obedeció mi petición con una sonrisa de niño y me pasó la camisa de vestir por la cabeza.

Cambié ligeramente el peso de pie y levanté una pierna.

—Déjate los tacones puestos —me susurró, y sonreí mientras bajaba de nuevo el pie—. Lo único que me gusta de que trabajes tanto es lo buena que estás con esa ropa de trabajo. Ah, otra cosa, quien avisa no es traidor, tengo la rodilla tan reventada que no puedo agacharme…

Eché la cabeza hacia atrás y reí, y sentí la caricia del pelo por la espalda. Esperé a que me echara sobre la cama, pero en cambio me empujó contra la pared, donde los tacones me dejaron a la altura perfecta.

«Pues a mí de este trabajo me gusta todo», pensé antes de poner la mente en blanco y perderme en él.

Segunda parte

El contrato de confidencialidad (NDA)

Contrato por escrito entre dos o más partes firmantes con objeto de proteger la información delicada de la que las partes tendrán conocimiento en el momento de establecerse las negociaciones.

P: ¿Diría que sus relaciones profesionales iban más allá del espacio físico de la oficina?

R: No estoy segura de entender la pregunta.

P: ¿Socializaba o socializa con sus compañeros de trabajo? ¿Socializaba con clientes?

R: Sí. Sí.

P: ¿Podría por favor profundizar en el tema?

R: Klasko no solo nos alienta a socializar, sino que también a menudo lo financia con *happy hours* o retiros. Como yo no hice ni el grado ni la especialidad en Nueva York, muchas de mis amistades surgieron en Klasko.

P: Entiendo. ¿Y qué me dice de los clientes?

R: Lo cierto es que gran parte del trabajo que hay que hacer en Klasko pasa por la atención al cliente. En un mercado legal como el de Nueva York, hay muchas firmas con reputación excelente donde elegir, por eso la idea es que un cliente contrata a un abogado o a otro porque además disfruta de su compañía, porque cerrar una operación puede llevar muchísimas horas.

P: ¿Cómo socializa con sus compañeros y clientes?

R: ¿A qué se refiere con «cómo»? ¿Cómo socializa cualquiera con sus amigos? ¿Cómo socializa usted con sus amigos?

P: Señorita Vogel, yo no soy quien está prestando testimonio aquí. ¿En qué clase de actividades participa con sus clientes y compañeros fuera de la oficina?

R: En actividades de toda clase. Ir a comer, a cenar, de copas. No sé…, las cosas que se hacen con los amigos.

P: ¿Alguna vez ha ido a un bar de estriptis con un compañero o un cliente?

R: No.

[El abogado de la defensa parlamenta en privado.]

P: ¿Hay alguna diferencia entre cómo socializa con sus amigos y con sus clientes?

R: Aparte del hecho de que la cuenta la paga el bufete, en general los temas de conversación difieren. Una cena con un cliente es algo profesional, a menudo hablamos de trabajo.

P: Ah, ¿sí? ¿Los temas de conversación se reducen al trabajo? ¿Y qué hace, controla su ingesta de alcohol?

R: No siempre, no.

P: Quizá sería oportuno que profundizara más en el tema de las estrategias de la atención al cliente.

6

Mientras entrábamos desganados al cursillo semanal del lunes por la mañana, fue formándose un atasco alrededor de la hoja de firmar y me quedé escuchando las conversaciones que me rodeaban:

¡Mierda! Nunca me acuerdo de mi número de colegiado.
Pon tu nombre y ya está, ya lo rellenarán ellos.
¿Qué ellos?
¡Pues ellos! ¡El bufete!
Estaba tan borracha que le di al taxista la dirección del curro en vez de la de mi piso.
A mí también me ha pasado. Porque, joder, es que vivimos aquí.
Mi novia dice que, como esta semana no llegue algún día antes de las diez, corta conmigo.
Dile que tranquilidad, que esto acaba de empezar. Cuando te paguen esta noche, cómprale unos Louboutin. Te saldrá barato si deja de darte la brasa.

Cogí una taza, me la rellené de café solo y me senté en la fila de atrás. En las dos primeras sesiones, solo había medio atendido mientras me ocupaba con el aluvión de los correos del lunes por la mañana que me anegaba el móvil. Sabía que no me dirían nada —de los asociados de F&A casi se esperaba que tuvieran el teléfono en la mano durante esos cursillos—, pero ese día daba la charla mi socia mentora fantasma, Vivienne White. Imaginé que merecía toda mi atención y dejé el móvil bocabajo en la mesa. Vivienne era una mujer menuda de rostro severo, guapa, pero con una gelidez que me hacía preferir mirarla de lejos. En teoría todos tenemos que comer con nuestros socios mentores en la primera semana de trabajo, pero yo todavía no la había conocido en persona, y eso que estaba empezando mi tercer mes en el bufete. Le había mandado varios mensajes para quedar, pero ya me había cancelado tres veces las citas que ella misma había concertado.

Vi que el tipo que tenía a mi lado estaba consultando el correo y conseguí vencer la urgencia de hacer lo mismo. El Proyecto Hat Trick no estaba todavía en plena ebullición y esperaba poder aprovechar esa cocción lenta. Se suponía que ese viernes unos cuantos íbamos a celebrar nuestros primeros meses de supervivencia en el trabajo, y, aunque todavía era lunes, ya habían empezado a llegar los correos sobre la logística, esperando con ganas nuestra cena el último día de esa semana laboral.

—¡Por el día de paga!

Derrick, Jennifer, Kevin y yo entrechocamos los gruesos bordes acanalados de nuestras jarras de cerveza y echamos dentro los chupitos de sake. Disfruté con la sensación familiar de la malta en el paladar, que me supo aún mejor porque sabía que apenas haría mella en los 3700 dólares que habían aparecido por cuarta vez en mi cuenta corriente, mi paga quincenal limpia de polvo y paja, después incluso de que el Estado se llevara su parte y hubiera llegado al máximo de lo que destinaba a ahorro.

Me enjugué el labio cuando el vapor de la mesa de *hibachi* me llegó a las mejillas. Era la primera vez que iba al Benihana; Jennifer había insistido en que era el lugar perfecto, porque los turistas que se colaban en la franquicia del centro ni pestañearían si nos desmadrábamos un poco. Miré de reojo a la pareja que estaba en la mesa de enfrente, la silueta de sus cuerpos ondeándose en el calor mientras reían y se manoseaban. Derrick siguió mi mirada.

—Tendríamos que haber ido al EMP y haber reventado —protestó al ver que nuestro chef, con un gorro de cocinero que no podía ser más alto, nos recibía con una exhibición teatral de su arte cisoria.

—¡Eres el ser humano más insaciable que conozco! —dijo Jennifer riendo.

No me sonaba de nada el EMP, pero di por hecho que se trataba de un restaurante increíblemente pijo.

—¿Estás de coña? ¡Pero si apenas puedo permitirme esto después de los impuestos! —se quejó Kevin.

—¡¿Verdad?! ¡Nos roban la mitad de la nómina para dársela a un Gobierno que no hace prácticamente nada con lo que yo esté de acuerdo! —protestó Jennifer.

En mi opinión, quejarse sobre que te roben la mitad de la nómina era un ejercicio reservado única y exclusivamente a los contribuyentes de los tramos más altos, un grupo al que estaba más que agradecida de pertenecer.

—¿Dónde están Roxanne y Carmen? —preguntó Kevin.

—Roxanne está atrapada en el curro, y Carmen, es que ha venido su padre —dije después de darle un buen trago a la cerveza.

—¿Desde Singapur? ¿O estaba ya en el país? —me preguntó Derrick, pero me limité a encogerme de hombros porque sabía que Carmen se había criado en Los Ángeles, pero no dónde vivían sus padres—. ¿Sabéis que fundó la filial de Singapur de Travers Cullen antes de mudarse a L.A.? Es impresionante el tío. Hace poco que volvió a Singapur, por lo visto lo necesitan allí.

Travers Cullen era uno de los bufetes más grandes del mundo. Yo no tenía ni idea de que Carmen estuviese emparentada tan de cerca con las élites de la abogacía, pero sin duda eso explicaba por qué parecía sentirse tan cómoda en el mundillo.

—¿Cómo sabes todo eso? —le preguntó Jennifer.

—¡*Golpes Bajos!* —dijo Derrick, que le dio un trago a la cerveza—. No todo cotilleo legal es soez. Hay un montón de noticias inocentes sobre traslados, fichajes y otras historias.

Kevin estaba mirándome fijamente.

—¿Qué pasa? —Me señaló el ceño fruncido.

Meneé la cabeza mientras intentaba poner en claro mis propios pensamientos.

—Es que es muy raro... —Le di un buen sorbo a la cerveza y luego me llevé la mano a la sien—. Carmen le contó a Matt Jaskel que toda mi familia fue a Harvard y que financiaron una biblioteca, cuando en realidad mi padre es oncólogo en un pueblecito de Connecticut y mi madre trabaja de voluntaria en una biblioteca, pero nunca ha financiado ninguna, creedme. Y ahora resulta que Carmen es la que tiene la familia importante. Lo que no entiendo es por qué lo habrá dicho. —Miré las caras de mis amigos en busca de una explicación, pero parecían estar todos mirando por detrás de mí.

—¡Alex! ¡Buenas!

Me volví hacia la voz a mis espaldas, comprendiendo entonces qué había distraído a mis amigos, y, al levantar la vista, me quedé mirando con cara de ligero desconcierto a Peter Dunn.

—¡Eh, Peter! ¿Qué haces tú por aquí?

—Estoy nadando en críos de diez años. —Señaló hacia la otra punta de la sala, a una mesa con niños con sombreritos de fiesta—. El cumpleaños de mi hijo. ¿Y qué haces tú aquí? —me preguntó con un destello de picardía en los ojos.

—Estamos cenando. Por cierto, que no sé si conoces a todo el mundo, pero estos son Jennifer Goodman, Kevin Lloyd y Derrick Stockton. Somos todos de primer año.

Jennifer y Derrick se quedaron mirando a Peter, ligeramente pasmados.

—Qué locura —dijo este.

No supe si se refería a la cara de mi amigos o al hecho de que fuéramos cuatro adultos cenando en el Benihana; asumí que se trataba de lo segundo. Empecé a sudar de la vergüenza, y cuando Peter me puso una mano firme en el hombro y se volvió para irse, pero dejó la mano un segundo más de la cuenta, casi se me paró el corazón.

Derrick y Jennifer se volvieron para mirarme.

—¿Qué pasa? —pregunté inclinándome hacia delante y fingiendo confusión cuando ellos se acercaron también a la mesa.

—¿Trabajas para él? —quiso saber Derrick, pero negué con la cabeza—. ¿Y de qué lo conoces?

—¿De qué te conoce él a ti? —lo corrigió Jennifer.

—Trabaja en la misma planta que yo, y nos hemos cruzado alguna que otra vez. Pero no he trabajado para él... ¡todavía!

—Pues si yo trabajara con un tío que estuviera como él, yo desde luego ¡no podría trabajar! Me pregunto si tendrá a alguna asociada trabajando para él. ¡Seguro que no da pie con bola!

Me encogí de hombros.

—A mí se me olvida hasta comer en el trabajo. Estoy demasiado ocupada para fijarme en cómo está nadie.

Derrick soltó una risita burlona.

—Ajá, ya. No me lo trago.

El repiqueteo de metal contra metal devolvió la atención de mis amigos hacia el cocinero. Estaba cortando una cebolla sobre una tabla con un cuchillo en cada mano a tal velocidad que las delgadas hojas solo se veían en unas pinceladas plateadas en vertical que cortaban el aire antes de que echara los aros en la plancha de *hibachi* y chisporrotearan.

Miré por el rabillo del ojo hacia Peter, que se sentaba en esos momentos al lado de una mujer que estaba de espaldas a mí; ella tenía una postura perfecta, y el pelo rubio le bajaba en cascada por los hombros, sedoso y liso, como yo había querido tenerlo siempre. Solían decirme que tenía un pelo bonito, pero yo seguía examinándome las puntas abiertas, que tenía partidas y sin vida, porque mi pelo natural era rizado y me lo había cargado con tanto secador y tanta plancha cada vez que me lo lavaba. Peter colocó la mano en el respaldo de ella mientras la mujer grababa con el móvil un vídeo de los niños, que aplaudían encantados con el espectáculo de cómo les preparaban la comida.

Le di un repaso al restaurante: a las que llevaban vaqueros de premamá, a los menores que bebían alcohol y a los niños más pequeños con sus padres. Dejó de parecerme el sitio apropiado para divertirnos ahora que no teníamos que andar vigilando la cuenta del banco, pero sí nuestra reputación profesional. Me quedé mirando a Jennifer, que estaba abriendo la boca para que el cocinero le lanzara un trozo de gamba. Kevin y ella rieron como niños, y me recordaron a una excursión que hice con el colegio al SeaWorld cuando estaba en cuarto curso. Le di un buen sorbo a mi Sapporo, que de pronto me supo amarga.

Me escoré ligeramente en la silla, en una postura algo incómoda, de cara a Derrick pero, a la vez, sin perder de vista a Peter por el rabillo del ojo, mientras Kevin compartía con nosotros los sentimientos encontrados que le había provocado su última cita.

—... ¿Y qué queríais que dijera? ¿«No»? Así que le dije que, claro, que podía subir a mi casa. Pero no quiero volver a quedar con ella precisamente porque subió a mi casa en la primera cita.

Peter había desaparecido de mi campo de visión y ahora su mujer tenía al lado una silla vacía. Escruté el restaurante.

—Por lo menos no es la única chica con la que estoy quedando —prosiguió Kevin—. ¿Tú no conoces a nadie que me pegue, Alex?

Sacudí la cabeza.

—Perdón, tengo que ir al baño —dije ya de pie y camino del baño que había cerca de la puerta del restaurante, con las piernas más temblorosas de lo que cabría esperar tras un par de chupitos de sake y una cerveza.

Les había mentido a mis amigos, pero de repente se había apoderado de mí el deseo de estar en la visual de Peter, de recordarle mi existencia. Me llevé el móvil a una oreja y me tapé la otra con un dedo mientras iba y venía por el pasillo sin salida donde estaban los aseos de hombres y mujeres, frunciendo el ceño para hacerme la concentrada. Me flaquearon las rodillas cuando se abrió la puerta del baño de caballeros. Corregí mi postura y dije «sí» al teléfono, e incluso asentí para enfatizar, pero del baño solo salió un hombre corpulento con pantalones cargo de cuadros y camiseta blanca.

Seguí dando vueltas de una punta a otra, pero, cuando lo hice por décima vez, me di cuenta de lo penosas y estrafalarias que eran mis intrigas. Me aparté el teléfono de la oreja sin colgarle a mi interlocutor imaginario y noté un asomo de sudor por la nuca, que se me hizo insoportable, y tuve que echar el cuello hacia delante para rascarme con saña la piel bajo el pelo.

—¿Sabes por qué nos rascamos cuando nos pica?

Peter había aparecido en la otra punta del pasillo, por la entrada del restaurante, e iba guardándose el teléfono en el bolsillo de la chaqueta. Tenía la nariz ligeramente roja por el ventoso aire nocturno. Me apoyé en la pared con una mano, con todo el desenfado que pude, para no caerme.

—Hay muchas teorías —dijo—. Una es que nos rascamos cuando sentimos un cosquilleo como un acto reflejo para impedir que se nos posen bichos y esas cosas en la piel. Es muy curioso que sepamos apartar la mano rápidamente cuando notamos algo demasiado caliente, pero después nos rasquemos nada más sentir un picor, ¿no es verdad? Nuestros cuerpos son una cosa increíble. —Tuve que combatir el impulso de rascarme los brazos y la barriga—. Hay nervios que no pueden sentir el picor y el dolor a la vez, por eso cuando nos rascamos se nos alivia el picor. Hay quien dice que el dolor es más soportable que el picor.

—Yo tengo una tolerancia muy alta al dolor —afirmé con una rotundidad que me sorprendió hasta a mí.

Peter pestañeó.

—¿No nos pasa a todos los abogados? Yo creo que el picor es mucho peor. Bueno, que disfrutes de la cena. Vuelvo a mi papel de padre.

Conseguí despedirme con la mano cuando ya se había dado media vuelta. Luego volví a la mesa y me senté entre Jennifer y Derrick.

—¿Todo bien? —Derrick miró de reojo a Peter, que estaba volviendo también a su mesa—. Eres un cuelgue de oficina envuelto en amor de cachorrito y con un lazo de obsesión, ¿no te parece? —Me dio unos toquecitos juguetones en la punta de la nariz.

—Mira que te gusta chinchar —le dije.

Me bebí de un sorbo lo que me quedaba de cerveza y luego me lancé de cabeza al arroz frito con gambas mientras me obligaba a concentrarme en los trucos de cuchillo que hacía nuestro cocinero. Hasta tal punto logré evadirme en aquella farsa que se me olvidó mirar el teléfono en media hora larga. Cuando por fin lo hice, se me encogió el corazón: me había perdido treinta y siete correos en ese intervalo de tiempo. Era evidente que la operación de Stag River estaba llegando a su punto de ebullición, y en su último mensaje Jordan me decía: «Llámame en cuanto puedas, da igual la hora». Me excusé antes de los postres, dejé un billete para la cuenta y mil disculpas.

—Vete ya, anda —dijo Derrick, tirándome el billete de cien dólares de vuelta como si le diera asco.

—¡Corre! —me animó también Jennifer.

Supuse que con los nuevos saldos que teníamos en las cuentas podían permitirse cubrirme.

Como eran las diez de la noche de un viernes, opté por irme en taxi a casa y no a la oficina. Sam estaba ya acostado, y la profundidad de sus ronquidos revelaba que llevaba dormido un buen rato. Me senté a la mesa del comedor, inicié sesión en el ordenador y llamé a Jordan al móvil.

—Buenas —contestó—. ¿Puedes llamarme al de la oficina?

—Claro.

No parecía enfadado porque él estuviese en el despacho y yo no, pero aun así me preocupé. No tendría que haber salido siquiera. Jordan iba a pensar que era una floja. «¿Debería volver ahora mismo? Pero es que entonces desperdiciaría el tiempo de ir y venir.» Volví a llamarlo, esta vez al fijo de la oficina.

—Buenas. Nos han llegado los comentarios de los abogados de Onyx y son un lío. Cualquiera diría que esta gente no ha hecho una fusión en su vida… Y eso es… un coñazo. Pero lo peor es que los plazos que han puesto son una locura absoluta. Acaban de adelantar un mes la fecha de cierre del trato, lo que significa que tenemos que concretar la oferta…

Jordan me ordenó que empezara con el contrato de compraventa de acciones, y por lo alerta que parecía su voz, deduje que no tenía intención alguna de salir de la oficina en breve. No me dijo para cuándo quería el borrador, pero decidí ponerme un plazo de veinticuatro horas para demostrarle lo comprometida que estaba con el trabajo. Hinqué los codos y trabajé casi todo el sábado en el sofá, esforzándome para contestarle amablemente a Sam en sus idas y venidas por el piso. Le mandé los documentos a Jordan justo antes de medianoche, cuando Sam se había dormido ya. Me desperté el domingo por la mañana y ya tenía un correo con sus correcciones adjuntas en un escaneado con grandes parcelas de tinta roja. «Pero ¿este hombre no duerme o qué?», me pregunté mientras desentrañaba los furiosos tachones rojos sobre lo que quería quitar y los garabatos de las palabras con las que quería reemplazarlo. «¿Tiene un escáner en su casa, o es que sigue en el despacho?»

—Me cuesta la misma vida entender la letra de Jordan —le comenté a Sam, que hizo un puchero mientras yo me ponía unos vaqueros y una sudadera y llamaba a un taxi para ir a la oficina a eso de las diez de la mañana.

La realidad era que no podía permitirme que me distrajera, y el doble acristalamiento y las impresoras de alta velocidad también eran un buen aliciente. Me pasé casi todo el día trabajando para adecentar el contrato todo lo posible.

A última hora de la tarde no quise irme sin saludar a Jordan antes de volver a casa, aunque no tenía claro que él supiese siquiera en qué día estábamos cuando me pasé con una copia en papel del contrato modificado para que lo revisara. Apenas levantó la vista al verme, enfrascado como estaba, y con los dedos perdidos en el pelo, en un documento extenso mientras arrastraba un bolígrafo rojo por la página con la otra mano. Me volví para irme sin mediar palabra.

—¡Oye! —me llamó, y giré sobre mis talones—. ¿Has entendido cómo funciona, que está todo relacionado? ¿Que rigen las leyes del Mercado de Valores porque el comprador cotiza en bolsa? —Asentí lentamente, pese a no tener ni idea de qué estaba hablándome—. ¿Y por qué teníamos que realizar la compra a través de una filial en propiedad absoluta? —Asentí más despacio aún y Jordan se me quedó mirando—. Sin saber lo esencial, solo se puede hacer un buen trabajo hasta cierto punto. Me apuesto algo a que aquí está todo correcto. —Levantó en alto el documento que acababa de dejarle en la mesa—. Pero también me apuesto algo a que no sabes por qué has hecho nada de lo que has hecho.

Le sostuve la mirada, odiándolo por un momento mientras empezaba a redactar mentalmente el mensaje que iba a mandarle a Sam para decirle que al final no iba a llegar a casa para cenar, pero asentí, me di media vuelta y volví a mi despacho. Empecé con los documentos originales y saqué la Ley del Mercado de Valores de la biblioteca virtual de Klasko. Me empapé bien del tema en la que era la primera vez que leía una fuente jurídica primaria desde que trabajaba allí.

Entré en el piso a las once pasadas y me encontré con una nota de Sam.

> Hola, nena:
> He intentando esperarte, pero estaba reventado. Te he comprado un rollito por si tienes hambre. Está en el frigo.
> Muac.

Sonreí al leerla y la dejé en la encimera porque no quise tirarla. Estaba demasiado cansada para comer o analizar por qué me suponía un alivio que Sam estuviera ya durmiendo. Me desvestí con sigilo y me colé entre las sábanas a su lado. Respiré hondo, en un intento por relajarme, y no recuerdo ni haber soltado todo el aire cuando el sueño me venció de golpe.

7

De: Lloyd, Kevin
Para: Stockton, Derrick; Vogel, Alexandra; Greyson, Carmen
Asunto: SOS Cita

Chicos, tengo una tercera cita esta noche con una chica que me gusta de verdad (¡territorio inexplorado!). Tengo una reunión telefónica que no puedo saltarme y voy a tener que cambiarme en el trabajo. ¿¿Qué se supone que tengo que ponerme?? Y encima no me ha dado tiempo de reservar en ninguna parte... ¡Socorrooo!

Me apoyé en la repisa de la ventana del despacho de Kevin mientras Carmen se sentaba con las piernas cruzadas encima de la mesa y Derrick se quedaba de pie contra la pared, con la cabeza ladeada, cada uno dándole el repaso a Kevin.

Carmen fue la primera en hablar.

—Este conjunto es el que menos me gusta de los tres.

—Lo mismo digo —dijimos a la par Derrick y yo.

Kevin puso cara de hastío.

—Yo creo que vaqueros y jersey. Te lo digo de verdad. Ella ya sabe que eres abogado, no hace falta que te vistas de abogado —comenté.

—Entonces, ¿el primer conjunto? —preguntó enfurruñado mientras sacaba el brazo de la americana y volvía a quitarse la corbata.

—Yo diría que sí.

—¿Sin traje? —quiso corroborar Kevin.

—Sin traje —repitió Carmen mientras yo asentía.

—Vale, jersey y vaqueros. Una cosa menos. Derrick, ¿adónde podemos ir?

Nuestro amigo levantó la vista del teléfono.

—¿Por qué me preguntas a mí?

—Tú eres... el vividor. Me da que tú sabes cómo impresionar a una cita. ¿Adónde llevas tú a las chicas en la tercera cita?

Torcí el gesto para mis adentros.

—¿Eso es lo que soy? —Derrick me miró y yo me encogí de hombros; puso cara de hastío y luego añadió—: Humm..., déjame pensar.

—¿Intento subírmela a casa? —preguntó Kevin—. Ella es, no sé, como muy recta, igual que tú, Alex.

Me sonrojé y vi que Carmen se miraba la manicura, molesta al parecer por que no le pidieran consejos amorosos.

—Yo no soy tan recta —protesté, y mis dos amigos refunfuñaron en broma—. Y llevo media vida sin llegar a una tercera cita.

—¡Sí! Claro que sí —le ordenó Carmen a Kevin—. La hará sentirse deseada. Siempre puede rechazarte... y probablemente es lo que debería hacer, si quiere mantener tu interés. Pero si no lo intentas, creerá que no te gusta.

Kevin asintió, como si estuviera recibiendo órdenes de un socio sobre una operación.

«Madre mía, cómo me alegro de no estar soltera —pensé—. Cuántas reglas absurdas...» Así y todo, más allá de esa voz en mi cabeza, me corroyó cierta envidia por la experiencia que debía suponer tener citas en una ciudad como Nueva York, y, para más inri, con cuentas de banco de las que tirar.

—Te he reservado una mesa para dos en Il Buco a mi nombre —anunció Derrick guardándose el móvil en el bolsillo.

—¡Toma! ¡Sabía que tendrías enchufe! Eres el amo. ¡Gracias! —Kevin extendió el puño cerrado hacia Derrick.

—Lo que tengo es OpenTable —dijo secamente y le chocó el puño.

Me pasé una semana seguida trabajando codo con codo con Jordan y Matt hasta bien entrada la noche. La diferencia entre sábado y domingo y el resto de la semana era que mi vagón del metro iba casi vacío y el bufete estaba algo más tranquilo. Llegó el lunes y, con él, un dolor de la musculatura interna de la espalda baja y tortícolis en el cuello. Cuando me miré en el espejo, vi unos ojos sin brillo y hundidos en las cuencas, y me acerqué más para confirmar que estaban tan espantosos como parecían. «Pues sí.» Pero había conseguido superar la primera ronda de negociaciones de mi primera fusión y había salido relativamente indemne. Estaba ya salivando mientras pensaba en lo poco que me quedaba para compartir una pizza con Sam y darme un baño caliente yo sola cuando el sonido del teléfono me enderezó el cuello como un palo. Al otro lado de la línea, Jordan.

—Buenas. —Apoyé el auricular entre la oreja y el hombro mientras seguía escribiendo.

—Estoy con Matt, estás en altavoz.

—Hola, Matt.

Dejé de teclear. La multitarea era aceptable mientras hablaba con Jordan, pero un socio exigía toda mi atención. Cogí aire y puse el teléfono en altavoz para poder aplicarme presión en las sienes y, con suerte, evitar así que el cerebro fundido me chorreara por las orejas.

—Hemos quedado para cenar esta noche en el Marea con Didier y la gente del Banco Nacional. ¿Puedes venir? —Matt habló con un tono desenfadado, pero yo sabía que Didier

Laurent, el director ejecutivo de la división de F&A del banco, era su mejor cliente.

Un subidón de adrenalina barrió rápidamente todo agotamiento. «Debería decir que no», pensé. Lo mejor era que me fuera a casa con Sam: llevábamos siete días sin vernos despiertos. Y necesitaba dormir. Pero también sabía lo poco frecuente que era que te invitaran a cenar con un cliente en tu primer año de asociada, y necesitaba aprovechar todas las oportunidades que tuviera para congraciarme con Matt si quería optar a un puesto en F&A. Por lo demás, ya me había dado cuenta yo sola de que ningún sénior le pedía nunca nada a un júnior: Lara en realidad no me pedía que empezara a revisar contratos, ni Jordan me pedía nunca que redactara un borrador de un contrato de compraventa de activos. Los veteranos nos ordenaban hacer las cosas... y simplemente añadían un interrogante para sentirse mejor consigo mismos.

—Claro que sí, contad conmigo —dije.

—Eres la mejor, Pippy —contestó Jordan—. Nos vemos abajo a las seis y media.

Salí del ascensor justo cuando Jordan y Matt salían del suyo enfrente de mí. Los tres nos volvimos y, al mirar por la cristalera del vestíbulo, vimos que fuera estaba lloviendo a mares.

—Joder, está diluviando —dijo Matt—. Pip, ¿puedes conseguirnos unos paraguas? Nosotros iremos mientras a ver si ha llegado el coche.

Fui hasta el mostrador de seguridad de Klasko, al otro lado del vestíbulo.

—Buenas, Lincoln. ¿Me podrías dejar tres paraguas? —El vigilante no levantó la vista; tenía los ojos clavados en la pantalla de delante—. ¿Lincoln? —Por fin llamé su atención—. ¿Podrías dejarme por favor tres paraguas?

—Claro, señorita, sin problema.

Sentí curiosidad por ver con qué andaba distraído y estiré el cuello por encima del mostrador. La enorme pantalla plana estaba dividida en unas cuarenta casillas, con vistas en directo y en continua rotación, de salas de reuniones, dependencias comunes y pasillos. Me adelanté un paso, acercándome a Lincoln por detrás para que el televisor quedara en el centro de mi campo de visión.

—Uau. ¿Son todas de Klasko? —pregunté.

Me tendió los paraguas, pero yo seguí avanzando por detrás del mostrador hasta colocarme tras su silla, fascinada.

—Sí, sí. Estoy siempre vigilando.

—Qué inquietante —bromeé.

Lincoln esbozó una sonrisa breve antes de borrarla y fruncir el ceño.

—Nunca cuento lo que veo. Lo único que quiero es que estén todos ustedes a salvo.

—Venga, Lincoln, confiesa: ¿están poniendo algo bueno esta noche en la tele? —pregunté.

El vigilante me señaló la cámara del comedor, donde aparecía Nancy Duval tapándose los ojos con una mano, los hombros temblorosos, aparentemente llorando, aunque la imagen era demasiado borrosa para poder asegurarlo, mientras se tomaba a cucharadas medio litro de lo que parecía helado en un banco rodeado de decenas de mesas totalmente vacías.

—¡Iuuu! —Me incliné para ver con más nitidez—. Espero que te estén pagando bien... Si no, sería como pedir a gritos que empieces a extorsionarnos.

—Me pagan bien —contestó bastante serio.

—¡Pippy! —gritó Matt, señalándose el reloj con muchos aspavientos—. ¡Que ha llegado nuestro Quality!

No sabía de qué estaba hablando, pero me despedí de Lincoln con un saludo militar de dos dedos.

—Gracias por los paraguas. ¡Nos largamos!

Mientras nos acercábamos al Escalade que estaba esperándonos, me fijé en un pequeño letrero impreso en la ventanilla del copiloto donde ponía «Quality. Su coche de calidad con chófer». No intercambiamos una palabra en todo el trayecto hasta el restaurante mientras redactábamos y recibíamos un chaparrón de correos sobre la operación.

—Acaba de llegarme un correo de Didier —anunció Jordan cuando el coche paró delante del restaurante—. Por lo visto, uno de sus analistas tiene que quedarse trabajando. ¿Invitamos a otro asociado de Klasko para rellenar el hueco? ¿A Derrick?

Yo no sabía que mi amigo estuviese trabajando con F&A, porque no me había contado nada ni tampoco había visto su nombre en la pizarra de Matt, pero por mí encantada de que viniera si así me parapetaba de silencios incómodos con el cliente, por mucho que eso significara que no sería la única invitada de primer año.

—Acabo de escribirle —anunció Matt abriendo la puerta del coche—. Ya mismo está aquí.

Suspiré aliviada y me bajé del coche.

Saludamos a K.J. y Taylor, los miembros más jóvenes del equipo del Banco Nacional, que estaban esperando justo al entrar en el asador. Iban los dos impecablemente vestidos con sendos trajes azul marino, y la única diferencia entre ambos era la raya diplomática de Taylor y la corbata rosa de K.J. Didier, el jefe, brillaba por su ausencia.

K.J. y Taylor extendieron los brazos para chocar el puño con Matt y Jordan, y me fijé en el destello de los gemelos de plata en los puños dobles de sus camisas. Por un momento de confusión, no supieron si debían chocar también conmigo el puño. ¿Habrían tenido una cena de trabajo con una mujer alguna vez en su vida? Me obligué a dibujar una amplia sonrisa, me remetí la blusa de seda por la falda y extendí la mano con aplomo.

—Alex Vogel.

K. J. fue el primero en estrechármela, sin decir nada, pero sujetándola un poco más de la cuenta.

—¡Me alegro de ponerle cara a tu voz! —me dijo Taylor cuando se la di a él.

—¡Yo tengo la sensación de conoceros después de tantos correos! —dije riendo.

Vi que Matt se relajaba casi imperceptiblemente al saber que podía confiar en mí para encandilar a los clientes.

—Te imaginaba distinta —me dijo K. J. dándome un repaso de arriba abajo.

Se me encendieron las mejillas al instante y por un momento creí que era por corte, pero en realidad era irritación, y se me quedó ricamente instalada en la base del cráneo.

—Ah, ¿sí? ¿Y qué pinta te creías que tenía?

Matt salió a su rescate, le dio una palmada en la espalda y le preguntó dónde estaba Didier. Jordan me miró y meneó ligeramente la cabeza, como diciéndome que lo dejara pasar, y eso hice.

—Está atrapado en una reunión telefónica. Me ha dicho que empecemos sin él —contestó K. J.

—Menos mal, ¡porque me muero de hambre! —dije entre risas, y le di un toquecito en el brazo a K. J. para disipar la tensión que hubiera podido quedar en el ambiente.

Seguí al grupo hasta la mesa, tomándote mi tiempo para maravillarme ante una pasta blanca y humeante recubierta de trufa negra rallada y unas vieiras perfectamente selladas en su costra dorada sobre las otras mesas. Fui la última en llegar a la mesa circular y me senté donde Matt me señaló, entre él y K. J., que estaba ya en pleno despotrique.

—... y la mitad del tiempo no entendía una mierda de lo que decía esa tía. Y ese acné que tenía...

Simuló un estremecimiento de repulsión y luego siguió profundizando en el aspecto físico de la analista de *private equity* con la que habían trabajado en la última operación. Se volvió para mirarme y yo reí más alto de la cuenta, como para asegurarle que no tenía por qué censurarse. Intenté ignorar la sensación de estar traicionando a mi sexo... Fue fácil, la sustituyeron sin problema las mieles de sentirme incluida.

—He pedido un par de botellas de tinto para la mesa —me dijo Matt—. Pero a ti te he pedido una copa de *sauvignon blanc* porque imaginaba que pedirías pescado.

—Anda, ¡no sabía que hoy viajábamos al pasado! —Matt ladeó la cabeza, con cara de desconcierto—. ¡De vuelta a los cincuenta! ¿La comida sí la puedo elegir o no?

—Qué graciosilla. ¿Qué vas a querer?

—Dorada —dije ojeando la carta.

Sentimos una presencia a nuestras espaldas y nos volvimos para ver a Derrick, que lucía una pajarita de rayas roja y azul y sonrisa de pillín.

Matt se levantó para estrecharle la mano.

—¡Hombre! ¡Bienvenido! Me alegro de que hayas podido venir.

Derrick hizo la ronda de la mesa para saludar a todo el mundo, y me di cuenta de hasta qué punto le había influido la educación de unos padres diplomáticos. Desprendía confianza y compostura, con una elegancia que hacía que los demás se sintieran a gusto. Cuando llegó ante las dos sillas que estaban vacías, se sentó en la más pegada a Taylor.

—¿Estás de coña? —Taylor estaba alzando la voz hacia Jordan—. Esta Serie Mundial está comprada...

—Eso sí que es de coña. Los Yankees tienen el mejor equipo que se puede comprar, pero ni por esas han entrado en la Serie. Un buen equipo no se compra con dinero; ayuda, pero no lo es todo.

Jordan se recostó en su asiento y cruzó los brazos por encima del pecho para hacer ver que había tenido la última palabra. K.J. se adelantó en el sitio, como para aprovechar su turno de demostrar sus conocimientos de béisbol, y yo me limité a observar aquella extraña batalla de masculinidad.

Hice un cambio de plano hacia Derrick y comprendí que estaba intentando parecer absorto en la carta de bebidas hasta que la conversación cambiara de tema. Levantó la vista para intercambiar una mirada conmigo y luego enderezó la columna.

—¿Qué vamos a beber, chicos? —preguntó a la mesa.

Matt apenas levantó la vista de la carta.

—He pedido un vino para la mesa, pero pedid lo que queráis.

Mientras Derrick, K.J. y Taylor le pedían con avidez sus bebidas al camarero, me quedé observando a mi amigo. Solo hacía una semana que habíamos estado juntos en el despacho de Kevin, dándole consejos para su cita, pero esos días no le habían hecho ningún favor. Tenía la cara hinchada, por la ingesta de alcohol, imaginé, y unos ojos inyectados en sangre que solo podían delatar una falta de sueño importante.

El camarero le presentó a la mesa la botella que había pedido Matt y luego le sirvió a él primero para que la catara. Tomé buena nota de cómo metía la nariz en la copa, inhalaba y luego removía el vino en la boca al darle un sorbo. Hizo un gesto de asentimiento leve pero rotundo al camarero antes de devolverle la atención al grupo.

—¿Esta es para Didier? —preguntó Derrick señalando la silla vacía que tenía al lado, y Matt asintió—. Parece que esta noche tengo la oreja del mandamás —comentó soltando una risita.

Sentí que Matt se ponía ligeramente tenso a mi lado, confirmándome así el que había supuesto que era mi papel en aquella cena: el de un asociado júnior de un despacho de élite se esperaba que fuera una presencia positiva, pero sin ser el centro de atención; que bebiera, pero sin estar bebido; que tuviera sentido del humor, pero sin hacer gracias. Ser el alma de la fiesta era una posibilidad que solo te daban el estatus y la categoría de socio. Al parecer, Derrick no lo había captado.

—Espero que a nadie le importe si le doy un empujoncito a la noche con un par de chupitos —le dijo a la mesa.

Vi que Jordan y Matt intercambiaban una mirada breve, con cara de ligera irritación.

—Un *sauvignon blanc* para la dama. —El camarero colocó el vino delante de mi plato y luego fue repartiendo el resto de las bebidas por la mesa.

—¡Y seis chupitos de Patrón! —le pidió Derrick al camarero desde la otra punta de la mesa con una voz que sonaba ya demasiado alta.

Lo miré con detenimiento, preguntándome si no llevaría ya encima unas cuantas. El camarero miró a Matt, que le dijo que no con un gesto casi imperceptible para indicar que ignorase la comanda de mi amigo, a lo que el hombre respondió con un mínimo guiño de ojos mientras seguía sirviendo.

—Salud —brindó Matt levantando la copa—, por nuestros clientes favoritos.

Todos nos unimos al brindis, pero, en cuanto devolvimos las copas a la mesa, Jordan se acercó a Matt por detrás y le susurró algo al oído para avisarle de que había recibido un correo de alguien. Miré a K.J. y Taylor para ver si se habían dado cuenta de que había movimientos de trabajo en la mesa, pero estaban los dos con la vista clavada en el regazo, aprovechando también para consultar sus móviles.

De repente nos volvimos de golpe hacia donde estaba Derrick, que dio un puñetazo en la mesa después de arrearle un buen trago a su copa en una demostración innecesaria e histriónica de masculinidad.

—Me habría traído veinte veces antes a nuestra Nancy que a este payaso… —me susurró Jordan al oído antes de volver a su asiento.

Solté un resoplido de risa al recordar su expresión en aquel almuerzo mientras veía a Nancy comer de su ensalada César. Empujé mi copa ligeramente hacia el centro de la mesa para no tenerla tan a mano, muy consciente de pronto de que debía atenerme al máximo de dos copas que el bufete sugería en el Reglamento de Atención al Cliente que nos habían dado el primer día.

Le busqué la mirada a Derrick e intenté advertirle, pero me miró con cara de hastío para hacerme ver que pasaba de lo que yo pudiera decirle, seguido de un contoneo de muñeca condescendiente.

—Sois una panda de borrachos —anunció una voz estridente que me hizo olvidar el enfado con Derrick.

Reconocí la voz de Didier al instante: era inconfundible, con un muy leve deje gutural en un inglés por lo demás fluido y rico en frases hechas. Levanté la vista, esperando ver a un apuesto dandi francés en un traje estilizado, pero me encontré con que Didier era más bien corpulento…, gordo, para ser más exacta. Y alto; uno noventa, calculé. También tenía la cara rubicunda, pero con un tono que me hizo pensar que no era un sonrojo pasajero, aparte de unos ojos grandes y enrojecidos y un pelo rubio casi blanco. Le dio la mano a todo el mundo, incluso a K.J. y a Taylor, haciendo una ronda rápida por la mesa antes de detenerse ante mi silla.

Se me quedó mirando fijamente.

—Usted debe de ser Alexandra.

—¡Sí! Encantada de conocerlo por fin.

Esbocé una gran sonrisa antes de tenderle la mano, que me cogió para llevársela a los labios. Me estremecí por dentro al ver las gotas de sudor que le perlaban el grueso labio superior, pero resistí las ganas de apartar la mano con hasta el último poro de educación y diligencia de mi ser.

—*Enchanté, mademoiselle* —dijo, y Matt tosió, aparentemente incómodo—. ¿Es *madame* o *mademoiselle*?

Aparté la mano, pero sin borrar la sonrisa.

—*Mademoiselle.*

—*Parlez-vous français?*

—Didier, siéntate, haz el favor. —Matt sonó más desesperado que solícito mientras le señalaba la silla vacía al otro lado de la mesa en un intento evidente por terminar aquel coqueteo extravagante.

—Debería sentarme al lado del único miembro del equipo de Klasko al que no conozco —insistió Didier señalándome con la cabeza.

—¿A Derrick lo conoces? —le preguntó Matt, y noté un ligero tono de desafío en su voz.

Didier miró a mi amigo.

—¿Tú eres de F&A? —Derrick negó con la cabeza y el francés volvió a mirarme.

—Yo me cambio —se ofreció K. J. levantándose de la silla.

No tenía muy claro cómo iba a sobrevivir una comida entera al lado de Didier, pero noté que Matt estaba mirándome y, cuando me giré para cruzar la vista con él, entendí al instante que esperaba de mí que tuviera entretenido al cliente.

El camarero empezó a servirle una copa a Didier de la botella de la mesa, pero este sacudió la cabeza con decisión.

—Yo quiero probar lo que está tomando la señorita —dijo inclinándose hacia mí.

Olía a tabaco y ginebra, y sentí que se me retorcía el labio superior ante aquel olor y tuve que toser para disimular. K.J. y Taylor rieron, al parecer acostumbrados a que su jefe hiciera de las suyas. Por un momento pensé que Derrick iba a salir en mi defensa, pero debió de pensárselo mejor. Jordan levantó la copa con una sonrisita. No supe si estaba deseándome suerte, felicitándome por atraer la atención de Didier o agradeciéndome de antemano mi conducta modélica, pero, fuera como fuese, yo me lo tomé como si estuviera a punto de enfrentarme a una especie de prueba.

Me incorporé en el sitio y ajusté mi expresión para mandarle un mensaje a mis compañeros: «Yo puedo con esto y con más». Noté los sentidos más alerta, en una versión más leve de lo que solía experimentar justo antes de un campeonato de natación. Se me hacía raro que mi cuerpo estuviera produciendo adrenalina en esos momentos, pero comprendí en el acto lo mucho que había echado de menos sentirla correr por las venas.

Didier me cogió la copa, metió la nariz dentro y aspiró con fuerza. Le arreó un buen sorbo y luego le dio vueltas al líquido en la boca. Lo observé detenidamente mientras se apartaba la pelambre rubia de los ojos, asombrada de que tuviera una fortuna de por lo menos cuarenta millones y ni por esas fuera a pelarse con regularidad.

Me miró y sonrió.

—Ah, *sauvignon blanc*. Un toque a cítricos maravilloso. Me encanta la lima. Solo los franceses saben hacer vino.

Me volví hacia el camarero, que por suerte estaba pasando a mi lado.

—Perdone, ¿puedo ver la carta de vinos? —Me giré en la silla hacia Didier—. En realidad prefiero los blancos de California. Quédese este usted, por favor. Yo me voy a pedir otra cosa.

Vi de reojo que Jordan se ponía tenso. Pero Didier se echó a reír ostentosamente, dándose palmadas en la barriga.

—¡Esta chica sabe lo que quiere!

Justo lo que había pensado: un niño pequeño con traje de banquero que lo único que quería era que alguien le plantara cara.

Nos interrumpió la llegada de los entrantes, que los camareros presentaron con mucha ceremonia. Matt había pedido prácticamente todos los de la carta, y me quedé mirando cómo nos ponían delante más erizos, *pesce crudo,* ostras y caviar de los que íbamos a ser capaces de comernos.

Jordan aprovechó la oportunidad para pedir otra ronda de copas.

—¿Pippy? —me preguntó, y sacudí la cabeza, pero torció el gesto y añadió—: Otra para ella también.

Para cuando por fin llegaron los postres, los demás iban ya por la cuarta o la quinta ronda y no tenían prisa alguna por irse con la lluvia que seguía arreciando fuera. Yo fingía sorber mi vino, agradecida de que nadie se hubiera fijado en que tenía la copa todavía casi llena. K.J. y Didier querían que los lleváramos a un bar después de la cena, y a Taylor no tuvieron que convencerlo mucho para que se les uniera. Matt garabateó en el aire para pedir la cuenta. Lo vi firmar el recibo de 3200 dólares sin inmutarse, y también él puso el «mag.» después de su nombre, una afectación absurda.

—¡Pippy! ¡Bebe! —Jordan me señaló la copa de vino desde el otro lado de la mesa.

—¿Por qué ponéis un «mag.» después de la firma? —pregunté tras asegurarme de que los demás estuvieran enfrascados en sus conversaciones.

—¿Qué es lo que hacemos, dices? —Jordan frunció el ceño y se inclinó hacia mí.

—Poner «mag.» después del nombre.

Miró de reojo el recibo y se rio.

—No, no es eso.

Al parecer ahí acababa la conversación y se apartó de mí. Viendo que la comida había terminado, le di un buen sorbo al vino para bajar la retahíla de conversaciones incómodas que había tenido que soportar.

Mientras Didier, K.J. y Taylor se apiñaban a un lado de la mesa leyendo un correo nuevo que acababa de llegarles, Derrick estaba barajando ansioso los nombres de todos los clubes donde podía colarnos.

—... el Goldbar, o el Death & Co, o el Acme. En el Acme nos puedo colar sin problema —estaba diciendo.

Matt y Jordan lo miraban de hito en hito con la boca desencajada, pero mi amigo no parecía darse cuenta.

El más veterano carraspeó y le dijo en voz baja:

—Derrick, aquí estás como invitado, compórtate como tal.

La energía de la mesa se despeñó en picado. Comprobé si nuestros clientes habían oído algo, y me alivió ver que seguían enfrascados en su propia conversación.

A mi amigo se le cambió la cara y quise salir en su defensa, pero no se me ocurrió cómo hacerlo sin sobrepasarme yo también o avergonzarlo aún más.

K.J. rompió el silencio.

—¡Vámonos de aquí! —dijo aflojándose la corbata mientras volvía con el resto.

Derrick comentó educadamente que tenía que volver a casa, con los ojos clavados en la servilleta de su regazo, y nadie se lo discutió.

—Yo igual... Mañana tengo que levantarme temprano para terminar los flecos de después del cierre para todos vosotros, amigos del Proyecto Hat Trick —dije, dedicándoles una sonrisa de disculpa mientras agradecía para mis adentros tener una excusa legítima.

—¡No! ¡Venga, Pippy, no puedes irte! —coreó el resto de la mesa.

Contraje la cara ante el evidente contraste entre la respuesta a mis disculpas y a las de Derrick, me extendí un poco más de la cuenta sobre la lista de asuntos pendientes del cierre y los documentos que tenía que mandar a los archivos del bufete para la posteridad y añadí una mentira sobre una clase de *spinning* a las siete.

Cuando salí a la calle con Derrick, había parado de llover. Él avanzó por la acera, que estaba todavía cubierta de charcos, mirando al otro sentido en busca de un taxi libre e ignorándome claramente.

Me quedé parada un momento, sin tener claro si debía decirle algo.

—¿Derrick? ¿A qué ha venido todo eso?

—¿El qué? —Sacó una mano para llamar a un taxi sin hacerme apenas caso.

—Me refiero a que... ¿Estás bien?

No se volvió para mirarme y me quedé con los ojos clavados en su nuca mientras él miraba al oeste, hacia Central Park South.

—Estoy bien. Supongo que me he equivocado haciendo esta noche mi numerito de «invitado negro». Siento si no todo el mundo ha disfrutado de la actuación...

—Madre mía, pero ¿de qué hablas, si se puede saber? Estabas...

—¿De qué hablo? Si estaba en esa mesa ha sido solo para ser el negro de turno. No seas tan ingenua, Alex. Pero si ni siquiera trabajo para F&A...

—No te menosprecies de esa manera, Derrick —le increpé—. Si te han invitado es porque le caes bien a la gente.

Mi amigo volvió la cabeza como un resorte y se me quedó mirando.

—No solo me menosprecio a mí. Tú estabas allí porque eres mujer. Una mujer atractiva, bien educada y modosita. ¿Tú te crees que a esas cenas invitan a mucha gente de primer año? —Entorné los ojos antes de que se me cayera el alma a los pies. «Dios santo, tiene toda la razón.»—. Es siempre la misma mierda. Me pasó igual cuando estuve de asociado en un bufete de Los Ángeles en verano, pero creía que, cuando me contrataran de verdad, a lo mejor empezaban a tratarme como a todo el mundo. ¡Y más en Nueva York! Pero no. ¡A la mierda! Lo que me ha pasado hoy es que se me ha olvidado qué tipo de negro tenía que representar. Todos los asociados esperan que sea el vividor negro. Los socios esperan que sea el intelectual negro.

—Nadie espera que seas nada —repliqué sin mucho convencimiento.

—De todas formas da igual porque no me pueden despedir. Adivina cuál es la parte buena de ser el chico negro por excelencia. —Volvió a acercarse a la calzada, formó un círculo con el pulgar y el índice y pegó un silbido, y en el acto un taxi pegó un frenazo y se paró—. Vuelve sana y salva a casa, Pippy —se despidió, pero mi apodo sonó a insulto al decirlo él.

Él vivía en el West Village, y aunque sabía que yo vivía de camino, no se ofreció a compartir trayecto.

Me quedé unos instantes mirando el taxi de Derrick antes de salir de mi aturdimiento y parar otro para mí.

—¡Pippy! ¡Vente con nosotros!

Matt y Didier iban en cabeza del grupo al salir del restaurante. Se me instaló una sensación de tristeza en la garganta. Derrick había destrozado toda ilusión de que la invitación de esa noche hubiera sido porque realmente disfrutaban de mi compañía. Era todo una cuestión de perspectiva, ahora lo entendía.

—No era una pregunta —siguió Matt con una amplia sonrisa.

A lo mejor sí que querían mi compañía, aunque solo fuera para entretener a Didier. Y lo cierto era que yo tenía ganas de saber lo que era irse de juerga sin tener que pensar en la cuenta. ¿Cómo sería una noche en Manhattan sin cortarte con el presupuesto?

—Eh, pero recuerda que lo que pasa cuando sales con los clientes se queda fuera con los clientes —me advirtió llevándose un dedo a los labios.

Asentí comprendiendo perfectamente.

Dos horas más tarde estábamos en un oscuro rincón de la sala Boom Boom del Standard Hotel. En cuanto Matt le enseñó la American Express negra al gorila de la puerta, nos saltamos la cola y nos escoltaron hasta la planta 14, donde nos condujeron a una mesa en esquina rodeada de unos lujosos sofás rojos; éramos los únicos trajeados en un mar de vaqueros ceñidos, vestidos cortos y escotes de silicona. Para cuando me hube tomado el tercer chupito por órdenes de Jordan, estaba costándome mantener erguido el cuello, que, presa del vodka, se me había diluido en plastilina. La advertencia del máximo de dos copas me retumbaba en bucle en los tímpanos palpitantes.

—Seguro que es duro en el trabajo que te estén entrando todo el rato —me dijo K.J. arrastrando las palabras ya y echado por encima de Jordan para hablar conmigo.

Yo sacudí la cabeza con un gesto pícaro y odiándome por sentirme halagada. De haber estado sobria, me habría ofendido por que no me tratara profesionalmente, pero la ofensa se disolvió y fue reemplazada por un complejo de instituto mal sepultado por ser la de las espaldas anchas cuando estaba de moda ser flaca y la chica lanzada cuando a los tíos les gustaban las más pavas.

—Pues la verdad es que no.

—Díselo —le dijo Taylor a Jordan.

—¿Que le diga qué? —preguntó secamente y mirando al frente.

—¡Eso le pasa a Carmen! —insistí yo, intentando desviar la atención de mí.

—¿Qué es lo que le pasa? ¿Quién es Carmen? —le preguntó Taylor a Jordan con un codazo, pero este terminó la conversación con un movimiento casi imperceptible de cabeza.

Miré con envidia la compostura absoluta de Jordan. «¿Cómo lo hace? Lleva pimplando vino y chupitos toda la noche.» Matt apoyó la cabeza en el reposabrazos de la otra punta del sofá mientras una camarera escasa de ropa le rellenaba la copa que tenía en la mano casi inerte, y en ese momento Didier hundió su mole junto a mí, aplastándome el lateral de la pierna derecha con su izquierda. Sorbió por la nariz, repescando lo que quiera que se hubiera metido para luego volver a regurgitarlo hacia abajo. Como no quería coger la peste, intenté sin éxito removerme para salir de debajo.

—¿Tú conoces a una tal Carmen? —le preguntó Taylor a Didier.

Este asintió.

—Está en la compra del Trinity.

Recobré de pronto la solidez del cuello y levanté la cabeza como un resorte. «¿Que qué? Ella no me ha contado nada.»

—¿Está buena? —metió baza K.J.

Me quedé expectante a la respuesta de Didier, sintiéndome ligeramente rastrera por querer saber lo que pensaba.

—Sí, pero de esas que te dan ganas de tratarlas como la mierda. —La voz de Didier era nítida y parecía más sobria que hacía unos segundos; ahogó un eructo y me llegó el olor a residuo químico rancio—. Tú eres de las que están buenas y te dan ganas de tratarlas como a una reina —chilló, aunque apenas se oyó con la música.

—Tú estás fatal —mascullé, tuteándolo ya sin reparos.

—No sabes hasta qué punto. —Le botaron los hombros al reír—. Pero sabes lo que te digo, que a mí me importa una mierda lo buena que estés. A todos nos da igual. Si te asignan a operaciones grandes es porque haces bien tu trabajo. Si estuvieras solo buena, me dedicaría a entrarte, no a trabajar contigo.

No supe qué responder. En parte me dieron ganas de decirle que no podía hablarme de esa manera… Eso era acoso. Pero no parecía acoso, sino más bien un cumplido. Ni siquiera estaba segura de que un cliente pudiera acosarme: al fin y al cabo, no era mi empleador. Me esforcé por verle el lado negativo a que un cliente expresara interés por mí, y a pesar de la visión nublada por el alcohol, vi lo que me esperaba: que me asignaran las mejores operaciones, reseñas positivas de mi rendimiento, un camino más allanado hacia el éxito del que tendría si Didier no supiera ni mi nombre o se empeñara en que lo correspondiera. Las copas volvieron a subírseme a la cabeza y cerré los ojos por un momento.

—¿Sube-sube o baja-baja? —me preguntó Didier.

Lo miré sin entender.

—¿Cómo?

Se rio.

—Qué ricura.

«Eso es flirtear. Descarado, un flirteo con un francés gordo y mayor al que no tocaría ni con un palo. Pero en fin…» Lo miré con cara de hastío, pero sin dejar de sonreír mientras se sacaba un bote de Advil de viaje del bolsillo del traje y una pequeña ampolla de cristal del pantalón.

—¿Que si subes? —dijo señalando el frasquito, que estaba lleno de polvo blanco—. ¿O bajas? —Levantó en alto el bote de Advil.

Me quedé mirando el frasquito.

—¿Qué es eso?

—¿Qué mierda haces, Didier? —Jordan se había abalanzado de pronto por delante de mí, y había hablado en tono pausado, aunque claramente molesto—. Ella no necesita esa mierda.

—¿Qué es? —pregunté con un puchero.

—Es que es tan rica —gimió Didier, pero Jordan me cogió del brazo y me apartó del sofá, liberando de paso mi falda de la pierna del banquero.

El francés estaba ya concentrado en los pechos de la camarera que estaba rellenando la cubeta del hielo.

—Eso no era Advil —chilló Jordan hacia atrás mientras nos abría paso hasta la barra entre las figuras balanceantes que nos rodeaban por todos los frentes—. Eran Xanax y coca. Y no necesitas ni lo uno ni lo otro.

—Ah.

Mientras dejaba que Jordan me arrastrara entre el gentío, los graves de los altavoces me retumbaban por el pecho. Me quedé mirando a la cantante de pelo corto del grupo, que daba patadas con las piernas enfundadas en medias de rejilla bajo el vestido mientras de fondo atronaba una trompeta estridente.

—Yo no me meto nada —dije, casi disculpándome.

Nunca me había imaginado que los abogados más exitosos de Manhattan desfogaran con otra cosa que no fuera alcohol. Los banqueros sí, pero me extrañaba de los abogados. «No puede ser tan malo —pensé— si todos estos tíos lo hacen un martes cualquiera y luego vuelven a sus mansiones en Westchester con sus críos.»

—Ya lo sé, Pip, ya lo sé. Las drogas están mal vistas en el club de campo —me dijo con una sonrisita burlona.

Mis padres no habían ido a un club de campo en su vida, pero no tuve oportunidad de corregirlo antes de que nos arrastrara por fin a los dos hasta la barra y pidiera agua. Nos llevamos a los labios los grandes vasos con gotas condensadas por fuera y echamos la cabeza hacia atrás. Succioné un cubito de hielo con ganas y lo escupí de vuelta al vaso, sin importarme si era poco femenino por mi parte.

—¿Matt y tú os metéis coca?

—Paso pregunta. —Jordan sonrió.

Yo puse cara de hastío, fastidiada por haberme venido abajo y haber pedido finalmente que me aclararan qué era eso del «sube-sube» que la gente estaba siempre ofreciéndose.

—Tú y Matt sois como... —Entrelacé los dedos y los puse en alto, enganchados.

Jordan rio y asentí.

—Lo has pillado..., yo creía que no sabrías verlo. —Me quedé mirándolo y lo invité a seguir—. Tú entiendes la atención al cliente. Has conseguido caerle bien a Didier, y el trabajo de Matt consiste en tener contento a Didier.

—Tengo una pregunta —mascullé.

—Dispara.

—¿Te acuerdas de que...? ¿Por qué crees que Carmen os contó que toda mi familia había ido a Harvard? Y en plan que... ¿habían financiado una biblioteca?

—Hum... ¿Le has preguntado a Carmen?

—Sí, y me dijo que había sido para hacerme quedar bien.

Jordan asintió, como si le pareciera normal que Carmen hubiera contestado eso.

—Mira, Pip, lo peor que se puede ser en este oficio es alguien al que le han dado hecho todo lo que a los demás nos ha costado tanto ganarnos. Le hace pensar a la gente que no eres ni tan lista ni tan trabajadora como el resto de nosotros. Mira a Peter... Por eso... —Jordan entrevió la confusión en mi mirada y dejó la frase sin terminar—. ¡Chupitos! —anunció intentando desviar el tema.

—¿Qué decías de Peter?

—Déjalo, Pip. Chupitos.

Puse cara de hastío, capitulando a regañadientes.

—Nunca respondes a mis preguntas... Y no quiero chupitos. Se supone que no debemos tomar chupitos, y también se supone que solo debemos ¡tomar dos copas! ¡Eso es lo que nos dijeron diez veces en la charla sobre atención al cliente!

—Existen normas para todos los demás, y luego están las normas para los de F&A. Matt atrae más negocio que nadie en este bufete. Nos regimos por otras normas. —Jordan le hizo una seña al camarero—. Dos chupitos de Casamigos, *por favor.*[1]

—Didier ha dicho que trabajo bien —dije a la defensiva.

—Y es verdad. Deja de intentar tirarme de la lengua —me dijo Jordan, que me dio un chupito—. Normalmente los de primer año lo único que hacen es organizar reuniones y preparar las diapositivas de las presentaciones. Tú haces trabajo de verdad. Vamos, que te dejamos hacer trabajo de verdad... porque eres buena. —Recordó lo que acababa de decir y repitió—: Deja de tirarme de la lengua.

---

1 En español en el original *(N. de la T.).*

P: Basándose en lo que había oído contar de Gary Kaplan, ¿qué ideas se había formado sobre él antes de conocerlo?

R: No puedo decir que tuviera ninguna idea formada sobre él como persona, se lo aseguro. Tenía ideas formadas sobre cómo sería en el plano profesional: un hombre con mucho éxito, inteligente, y alguien para quien debía hacer el mejor trabajo posible si se me daba la oportunidad. Pensaba que una persona con el estatus de Gary era capaz de afianzar o destrozar la carrera de alguien en un bufete, para bien o para mal.

P: ¿Diría que esas ideas que se formó sobre Gary Kaplan pudieron influir en su percepción de él?

R: Le repito que yo no me había hecho ninguna idea sobre cómo sería o cómo actuaría. Yo lo único que sabía era que se trataba de un cliente importante.

P: Pero ha dicho que su reputación le precedía. ¿Se limitó usted a ignorar sin más esa información a tenor de su reputación profesional?

R: No, yo no lo diría así. Lo que diría es que había oído cosas sobre él, y todas podían haberse o bien corroborado o bien desvanecido al conocerlo. Intento no juzgar a nadie antes de conocerlo, y quiero creer que es lo que hacemos todos.

P: ¿Asistió a su primera reunión con el señor Kaplan sin ideas formadas sobre su persona o cómo comportarse con él?

R: Ya le he respondido a eso. *[Pausa.]* Sabía que era un cliente importante del bufete, y puede que eso me hiciera ser ligeramente más… complaciente de lo que habría sido de por sí.

P: ¿Había alguien más presente cuando lo conoció?

R: Sí, Peter Dunn.

P: Descríbanos, por favor, su primer encuentro con Gary Kaplan.

[Que conste en acta que la testigo está hablando en privado con su abogado.]

R: Mi respuesta se verá alterada para observar en todo lo necesario el secreto profesional.

P: Me gustaría recordarle que la confidencialidad solo incumbe a las comunicaciones con objeto de dar u obtener asesoramiento legal que se pretenden confidenciales.

R: Gracias. Soy consciente de lo que abarca la confidencialidad.

P: ¿Podría, por favor, volver a relatarnos ese primer encuentro, así como sus impresiones?

8

Recorrí el pasillo hasta el despacho de Peter, y estaba a punto de dar un golpecito de cortesía en la puerta cerrada antes de entrar para la reunión telefónica que teníamos sobre la fusión a la que me había asignado cuando oí que salía otra voz de hombre del despacho. ¿Le habría puesto su secretaria dos citas a la misma hora sin darse cuenta? Casi agradecí la excusa para darme media vuelta e irme; cada caso con un nuevo socio era tanto una oportunidad para demostrar mi valía como para fastidiarla. Matt y Jordan ya sabían que era avispada y trabajadora, mientras que Peter no sabía nada de mí. Con todo, llamé suavemente a la puerta.

—¡Pasa, pasa! —gritó Peter desde el otro lado.

Cuando la abrí unos centímetros, me hizo señas para que entrara. Al abrirla del todo, vi a otro hombre en la silla de invitados.

—Gary Kaplan, esta es Alex Vogel —nos presentó Peter mientras me hacía señas para que me sentara al lado de un hombre moreno con un traje gris grafito hecho a medida, camisa blanca y corbata celeste.

«El famoso Gary Kaplan. Fundador y socio colectivo de Stag River, el cliente más importante del bufete.» *No sueltes ninguna tontería.* Mientras le tomaba las medidas, me sorprendió ver que no desprendía un halo de hombre poderoso;

tenía más bien aspecto manso, casi enfermizo, con ojos oscuros y hundidos en las cuencas y una tez cetrina. El traje parecía caro, pero su cuerpo escuchimizado no era la mejor percha posible.

—Tomaré un café. Solo, por favor —dijo cortante Gary sin hacerme más caso.

Me quedé mirándolo unos instantes más de la cuenta y luego busqué los ojos de Peter para asegurarme de que había oído bien.

—Ah... Alex es una asociada nuestra. No es...

Miré el traje de Theory gris oscuro que me había costado un dineral en Saks y me había comprado con mi primera nómina y me pregunté en qué momento mi apariencia, así en general, decía a gritos «secretaria».

—Disculpa —dijo Gary sin asomo alguno de contrición—. Pero sigue apeteciéndome ese café. —Miró a Peter, cuya incomodidad era evidente.

—Ah, pues la verdad es que a mí no me vendría mal otro —dije alegremente—. Le traigo otro encantada, ya que estoy.

Peter sonrió agradecido.

—Ah, Alex. He retrasado media hora nuestra reunión telefónica, así que tenemos tiempo.

Me preparé un descafeinado para mí y un café solo para Gary en la zona de cocina que había frente al despacho de Peter y volví al poco con ambos en la mano. El cliente cogió el suyo y lo dejó en la mesa delante de él sin darme las gracias.

—Yo he quedado para cenar en el centro con mi familia, así que tengo prisa —comentó Gary, que hizo una pausa antes de añadir—: ¿Puedes imprimirme un NDA antes de que me vaya?

—¿En el Nomad? —preguntó Peter.

—Es el único sitio donde comería al sur de la Cincuenta y Siete —contestó Gary con un resoplido de desdén.

—Alex, ¿te importa imprimirle un NDA a Gary? Está en el sistema.

Aliviada de poder salir de esa habitación, corrí a mi oficina y abrí el repositorio con los documentos del bufete. Busqué «Stag River» y «NDA»..., nada. Busqué «Stag River»..., nada. «Confidencialidad» y «Stag»..., tres resultados. Bingo. Imprimí el archivo que se llamaba «Modelo» sin rellenar los datos y regresé triunfante al despacho de Peter, donde se lo tendí a Gary.

—Gracias, pero ¿serías tan amable de imprimirme unos cuantos, bonita? —Lo dijo sin siquiera mirarme—. Este no me vale. Necesito un NDA para mí, uno personal, no para Stag River.

Me volví para regresar a mi despacho sin mediar palabra.

—Tengo un poco de prisa —gritó a mis espaldas.

Le puse mala cara sin que me viera ya, pero aun así aligeré el paso. Intenté visualizar mis posibles reacciones mientras recorría la moqueta gris del pasillo que tenía ante mí. Era un hombre muy poderoso en el mundo de las finanzas y era cliente de Klasko. Podía o bien aceptar el comportamiento de Gary como un insulto, o bien como un desafío; pero, fuera como fuese, aceptarlo tenía que aceptarlo.

Me senté a mi mesa y encontré fácilmente «NDA de Gary R. Kaplan» en el repositorio, mandé imprimir cinco copias y regresé una vez más al despacho de Peter.

Gary pasó las hojas hasta la página de las firmas y asintió.

—Unos cuantos son tres —masculló por lo bajo antes de ponerse en pie, darle la mano a Peter y pasar a mi lado camino de la puerta.

—Gracias, Alex. Es un tipo peculiar —comentó Peter cuando Gary ya no podía oírnos.

«Lo que es es un gilipollas.»

—Te agradezco que hayas sabido manejarlo —prosiguió—. Es un cliente importante. Nos trae más de cien...

No quería excusar a Gary, pero tampoco quería que Peter creyera que no me había percatado de su comportamiento.

—Ya, sí, entiendo, por eso no he dicho nada.

Justo entonces sonó el timbre de la alarma de la aplicación de calendario de Peter y me hizo señas para que tomara asiento para nuestra reunión telefónica.

La llamada con nuestro cliente derivó en una llamada con los agentes de inversión, que derivó a su vez en una llamada con el abogado de la sociedad objetivo. Casi cuatro horas más tarde, apenas lograba mantener los párpados abiertos mientras aquella tercera llamada se dilataba hasta la extenuación.

Peter asintió ante la rejilla del altavoz del teléfono.

—Así lo entendemos nosotros también.

Me peiné con las uñas el pelo grasiento y luego me froté por debajo de los ojos y me quedé mirando el manchurrón de delineador que acababa de llevarme por delante. No quería ni imaginarme la pinta que tendría ante Peter, cuya camisa sin una arruga me hizo preguntarme si podría haberse cambiado de ropa en esa última hora sin que yo me hubiera dado cuenta.

David Ramírez, el abogado de la empresa, se enfrascó en otro monólogo de cinco minutos sobre cómo las cláusulas inhibitorias de la competencia solo servían para provocar conflictos de violación de las leyes antimonopolio.

—Claro, podemos comentárselo a nuestro cliente, pero, si te soy sincero, no creo que vaya a colar.

Peter esbozó una sonrisita, como si compartiéramos un secreto, y sonreí a mi vez, aunque sin entender qué significaba. Él se incorporó de pronto en el sitio y se rascó bajo la clavícula, y me permití posar los ojos en su torso y luego en su bíceps, en el borde de la camiseta interior, fijándome en lo pegada que le quedaba al músculo por debajo.

—Yo te lo digo, David, tú sabes que intento ser justo, pero eso que propones es imposible. Gary jamás accedería a algo así. Y no te lo digo para dar por culo, es la pura verdad —dijo tranquilamente Peter, que me pidió «perdón» con los labios por usar ese lenguaje antes de pulsar el botón de silencio del teléfono y preguntarme—: ¿Qué hora es ya?

—Las nueve.

—¿Has comido? —Parecía preocupado.

«¿Cómo voy a haber comido si llevo aquí en tu despacho desde las cinco de la tarde...?»

—Estoy bien —dije gesticulando con los labios, a pesar de que seguíamos en silencio.

David continuaba con su cantinela, y si bien yo no conseguía entender nada de lo que decía, Peter pareció haberse olvidado por completo de que seguía al teléfono.

—¿No tienes hambre? —Me encogí de hombros—. Ahora pedimos algo. —Volvió a darle al botón de silencio—. Bien, me alegro de oír eso. Alex te mandará el borrador actualizado mañana por la mañana. Antes del lunes no va a haber movimientos, así que no tiene sentido que perdamos más sueño antes de eso. Buenas noches —dijo Peter, que cortó la llamada.

Tenía la sensación de acabar de perderme algo crucial. ¿A qué había accedido David? ¿Por qué era algo bueno?

—Carne no comías, ¿verdad? —preguntó Peter.

¿Cómo podía actualizar un borrador si no tenía ni idea de lo que acababa de pasar? ¿Por qué no iba a moverse nada hasta el lunes? Solo estábamos a jueves.

—¿Alex?

—Lo siento, estaba...

—Me suena que no comías carne, ¿verdad? —Asentí, pero volví a mirar la libreta—. Nos vemos dentro de diez minutos en el vestíbulo —dijo—. Hablaremos de los cambios durante la cena.

Enterré la barbilla en el abrigo para guarecerme del viento poco propio de noviembre mientras íbamos hasta nuestro coche de Quality. Una vez dentro, Peter fue alternando entre escribir cuidadosamente y bajar la pantalla como loco, y solo interrumpió en una ocasión el silencio para decirme:

—Oye, ¿podrías pedir un Quality para hacer una recogida en el Starlight Diner de la Setenta y Dos entre Park y Madison? Cárgalo a la cuenta de Stag River.

Asentí y empecé a escribir la petición en el móvil.

—Mejor llama —me aclaró.

Contacté entonces con la operadora de Klasko para que me pasara con el servicio de coches, aunque me resultaba un poco confuso que alguien de Stag River llamara a su abogado para que le pidieran un coche de vuelta a casa.

—¿Para quién digo que es el coche? —pregunté mientras daba el tono de llamada.

Peter siguió escribiendo sin responder. «Mierda, ¿lo habré cabreado?» No lo parecía, sin embargo; más bien daba la impresión de no haberme escuchado.

El tono de llamada dejó paso a la operadora, que se coló en mi oído.

—Buenas noches. Klasko & Fitch, ¿en qué puedo ayudarle?

Pedí el coche y, en cuanto la operadora oyó el número de facturación de Stag River, se saltó el paso de preguntar el nombre del pasajero y el destino. Colgué y me quedé mirando por la ventana en la intersección entre la Cincuenta y Park Avenue, donde había una pareja joven enrollándose apasionadamente mientras esperaban a que se pusiera verde el semáforo.

—Eso está bien —dijo Peter, y al levantar la vista vi que ya no estaba con el móvil—. Cuando dejas de disfrutar con la alegría de los demás, es mejor hacerles un favor a todos y largarte. —Comprendí que me había visto esbozar una sonrisa ensoñada, y la borré rápidamente—. ¿Has tenido tiempo de revisar la redacción del *teaser* que te he mandado para el analista del vendedor?

—Sí. ¿Debería ir auditando las cifras de ingreso reales para confirmar que son verídicas?

—Todo el sentido de un *teaser* es que la empresa acapare el interés del mercado. Si el documento no es verídico, aunque sea solo por una cuestión mínima, puede acabar con cualquier interés potencial, por desconfianza hacia nuestro vendedor. Nuestro trabajo consiste en asegurarnos de que se lleva a cabo la operación, y las empresas tienen que saber con quién van a irse a la cama exactamente.

Asentí despacio mientras seguía digiriendo sus palabras, pensando en lo mucho que la fusión de las empresas compartía con la fusión de las personas.

Mientras atravesábamos el vestíbulo de la estación Grand Central, las tiendas y los restaurantes se apresuraban a cerrar para la noche, y yo iba cada vez más molesta por que nuestra cena no fuera más que una excusa para acompañar a Peter en el primer tramo de su camino de vuelta a Westchester. Según el «horario de apertura» que había en las puertas de cristal del Oyster Bar, solo quedaban tres minutos de servicio, pero ya habían bajado la persiana metálica. Peter llamó con un toquecito en el cristal y un camarero nos dijo que no con el dedo antes de volverse en redondo al oír que el hombre tras la barra le gritaba algo.

—¿Has estado alguna vez? —me preguntó Peter aflojándose la corbata.

Negué con la cabeza y miré al interior y hacia el techo alicatado con azulejos rectangulares color hueso, que se extendían en unos arcos y unas pequeñas bóvedas sin fin que solo habría imaginado en una iglesia o en una cueva. El ambiente parecía cálido tras la puerta de cristal cerrada y resplandecía con una luz cobriza que prefería con mucho al blanco fluorescente y poco espontáneo de nuestras oficinas. Tenía un aire desenfadado, y mucho encanto, nada de pompa y solemnidad. Despedía confianza y frescura a partes iguales, no se parecía a los locales donde solíamos ir a cenar con los clientes. El fastidio que había sentido por la elección de la ubicación se disipó en una especie de asombro sereno ante el esplendor de aquel restaurante icónico, que hasta ese momento ni siquiera había sabido que estaba dentro de la estación.

Un joven camarero vino corriendo a la puerta y abrió la cerradura de seguridad.

—No le había reconocido, señor Dunn, mis disculpas —dijo con cara de nerviosismo.

Peter le quitó importancia con un gesto amigable y señaló la barra. El camarero asintió y mi jefe me hizo pasar al restaurante casi desierto. Aparte de una pareja terminándose el vino en una mesa, los ayudantes de camarero andaban ya barriendo por todo alrededor mientras en una esquina había un corrillo de camareros contando las propinas.

—¡Ni lo mencione! ¡Somos nosotros los que estamos llegando a estas horas! —le dije al camarero, disfrutando de tener el poder de ser capaz de calmarlo, y me pareció que respiraba aliviado.

Peter se puso a charlar con el camarero de la barra, que tenía un pelo plateado y una piel de porcelana sin vello facial que hacía imposible saber si peinaba ya canas con treinta y cinco años o tenía sesenta y había envejecido extremadamente bien. Yo por mi parte me senté en el taburete al lado de Peter, me bajé la falda por debajo de las rodillas y me remetí la camisa por detrás con toda la naturalidad que pude.

—¿Te van las ostras? —me preguntó Peter.

Asentí preguntándome si el camarero era demasiado educado y profesional para meternos prisa para pedir.

—Dominic —le dijo Peter al camarero—, dos docenas. Una de las del golfo o cualquiera de las que tengas más carnosas, y otra de las más pequeñas. Aquí la jovencita se cree que le gustan las ostras, pero es la primera vez que viene. —Me miró—. Te vamos a demostrar lo ricas que pueden estar.

Dominic me sonrió y yo le devolví el gesto, incapaz de contener la emoción por estar allí después del cierre. Nunca había conocido a un hombre con tanto dominio como Peter: la gente hacía justo lo que él les pedía.

—¿Qué va a tomar? —me preguntó Dominic, y su voz y su manera de comportarse me hicieron pensar que era más bien un hombre mayor que había envejecido bien.

—Mi plato favorito de verano son las ostras con rosado —anuncié esforzándome por sonar sofisticada pero desenfadada.

Peter y Dominic, sin embargo, se miraron e intercambiaron sonrisas socarronas, y tuve la sensación de haber revelado mi ingenuidad, aunque sin saber cómo.

—¿Estaría dispuesta a probarlas con un blanco? —sugirió Dominic—. Tenemos un *poulsard* y un *sauvignon blanc* que están teniendo gran acogida.

Me apresuré a rememorar la escena de la comida con los del National Bank. ¿Qué había dicho Didier cuando había metido la nariz en mi *sauvignon blanc*? ¿Lima?

—Me imagino que el *poulsard* está teniendo muy buena acogida este año, pero me encanta la idea del toque cítrico del *sauvignon blanc* con las ostras. ¿Te parece bien? —le pregunté a Peter, mientras las palabras me salían con torpeza de la boca.

A Dominic se le curvó el labio, como divertido, pero Peter se limitó a responder:

—Tú mandas. —Lo hizo mirándome fijamente con sus ojos verdes, que ya no parecían cansados y habían adquirido un brillo pícaro; la sensación de que estuviera leyéndome el pensamiento era más inquietante que gratificante—. Ponnos una botella, Dom —dijo, y luego a mí—: Así que… entiendes de vinos —comentó…, aunque no era para nada el caso—. Pero de ostras no entiendes. Dom me ha enseñado todo lo que sé sobre ellas.

De pronto me abochornó ver que estaba con los pies colgando del taburete y los apoyé con firmeza en la barra que había entre las patas del asiento para reprimir la sensación de no ser más que una niñita tonta jugando a ser mayor.

—¿Esta noche van a ser solo ostras? —preguntó Dom sin volverse.

—¡Sí! ¡Manda a los de cocina a casa, haz el favor! —dijo Peter, que se quitó la chaqueta y me rozó el brazo con el suyo al volverse para sacarse la manga—. Perdona. —Esa vez me tocó el brazo queriendo—. Voy un momento a llamar a mi mujer, ahora vuelvo.

Saqué yo también el móvil y aproveché para mandarle un mensaje a Sam.

Alex: Dejar Klasko y a partir de mañana empezar a jugar a la lotería a muerte.
Sam: Ja! ¿Empantanada?
Alex: Llego para las 11. Besitos.

Peter volvió conmigo justo cuando Dominic nos ponía las dos copas en la barra. Este nos presentó la botella y charló con Peter sobre los Mets mientras sacaba un cuchillo y cortaba el aluminio que envolvía el corcho con un tajo fluido.

—Salud. —Peter levantó la copa y brindamos.

Inhalé de pasada antes de darle un buen trago.

—¿Rico? —me preguntó—. En realidad yo no tengo ni idea de qué se supone que hay que oler cuando huelo el vino.

Nos pusieron en la barra las ostras, colocadas en torno al perímetro de una fuente redonda con hielo.

—Van en parejas de oeste a este. —Dominic nos las fue señalando con dos dedos y la palma hacia arriba—. Deer Creek, Humboldt...

Me quedé mirándolas mientras los diez siguientes tipos de ostras resonaban de fondo. Admiré el gris de la carne y ese brillo de la salmuera.

A pelo. ¿A pelo? ¿Acababa de usar alguien la expresión «a pelo»? Necesitaba dormir. Ni siquiera sabía por qué estaba allí cenando. Debería haber estado trabajando. O durmiendo.

Levanté la vista y miré a Peter.

—¿Vale? Solo la primera, para que le cojas bien el sabor.

Se decidió por una ostra sin salsa cóctel ni pasta de rábano picante. Asentí y cogí del hielo a su compañera. Soltamos la carne con los tenedorcitos en una sincronía silenciosa y echamos la cabeza hacia atrás con las conchas en los labios.

—¿Qué te parece? —preguntó Peter.

—¡Ñañam! —me salió decir, y luego me ruboricé por la chiquillada.

—Ya. El jugo es tan cremoso... y la carne igual. Y te estallan en la boca con poco que las muerdas.

Me incliné sobre la barra mientras iba tomando un montón de apuntes en la cabeza. Lo apropiado era masticarlas ligeramente. Yo siempre me las había tragado sin más. Sentí que los primeros sorbos de vino obraban su magia en mi estómago vacío. El calor se me extendió desde el abdomen hasta las piernas y hacia arriba por el pecho.

—¿Cómo vamos por aquí? —La voz de Dominic me ralentizó el flujo sanguíneo.

—Estupendamente. Justo lo que necesitábamos después de un largo día de trabajo. Tráenos unos cuantos vasitos de cóctel de gambas, por favor. ¿Te tomarías una crema de almejas de Nueva Inglaterra? —me preguntó a mí Peter; sacudí la cabeza y arrugué la nariz, lo justo de cansada y de animada para no decir a todo que sí—. ¿Calamares fritos? —sonreí y asentí.

Dominic se volvió y fue hacia la cocina.

¿No acababa de decir que no íbamos a comer y que podía mandar a casa a los de cocina? ¿Alguna vez le decía alguien que no a ese hombre?

Le di otro sorbo al vino, saboreando el cítrico al mezclarse con el residuo lechoso de la ostra en mi lengua, y sentí que Peter estaba observándome.

—Las ostras están mejor en invierno. Lo de los meses con erre es verdad, ¿sabes?

—Un hombre muy inteligente me dijo una vez que podía elegir entre ser perfecta o estar viva. Así que creo que eso me faculta para comer ostras en verano. —Ladeé la cabeza con cierta picardía.

Peter se recostó en el asiento y rio sin cortarse, como si yo hubiera liberado algo en él que lo tuviera lastrado. Despedía ese aire confiado y revuelto de quien ha estado de aventuras por tierras extranjeras, de quien se ha metido en algún que otro jaleo y jamás ha padecido la oscuridad o la soledad. Me hacía querer estar más cerca de él, arrebatarle ese algo mientras tenía la cabeza vuelta hacia el otro lado.

—Eres distinta a los demás de primer año —me dijo, y sacudió la cabeza, como si él también estuviera haciendo memoria—. ¿Sabes que el primer trabajo que tuve fue abrir ostras en un tenderete de pescado del pueblo donde me crie?

No podía imaginármelo con otra cosa que no fuera un traje.

—¿Y dónde te criaste?

—En Boston. Ya sabes, institutos privados y bocadillos de langosta. Mi padre me obligó a trabajar en el puerto para que aprendiera lo que costaba ganarse los cuartos. Me vino bien para los veranos en Cape Cod. Lo sé, un auténtico cliché, qué vergüenza. —Puso las manos bocarriba y me señaló las pequeñas líneas blancas de cicatrices difuminadas en sus grandes palmas—. Como ves, al principio no se me daba muy bien.

Sentí la abrumadora urgencia de repasarle las cicatrices con el dedo, pero en cambio apreté las rodillas y le di un buen trago al vino.

—Bueno… —dijo, y se aclaró entonces la garganta, como dando a entender que la parte social de la velada había concluido—. El verdadero problema con la tasación de una empresa privada es que no hay valor de mercado para el capital social, y además sus finanzas tienden a ser más engorrosas y mucho menos sólidas. Así que lo importante es hallar unos parámetros o una vara de medir adecuados, como empresas comparables sobre las que basar de entrada la tasación… —Atendí con todo mi ser, maravillada por lo mucho que sabía, e intentando asimilar cada palabra—. Y cuando se ha sugerido que nuestros márgenes operativos eran… ¡Come! —me ordenó señalando los calamares que acababan de aparecer.

Cogí una anilla dorada y reluciente y me la metí en la boca sin fijarme apenas, concentrada todavía en sus comentarios sobre nuestro análisis de tasación. Deseé tener una libreta para apuntarlo todo, pero a falta de eso intenté despejar un camino en la cabeza para guardar sus palabras.

—¡Échale salsa! —Me acercó el plato y obedecí—. En cualquier caso, se han sobrepasado al sugerir que los márgenes operativos…

Cuando hubo terminado su explicación, me bajé del taburete y me disculpé para ir al baño.

—Los aseos están por allí. —Señaló por detrás de mí—. ¡Disfruta de los labios!

Sentí que me sonrojaba. «¿Tendré algo en la boca? Me restregué la cara. ¿Habrá visto un gesto sexual en cómo me he limpiado los labios con la servilleta? ¿Tendré que disculparme?»

Me escabullí por el pasillo de los baños, apoyé la cabeza contra la puerta y cerré los ojos. Cuando los abrí, reí aliviada.

Justo enfrente de mí, en el aseo de mujeres, había un diván de cuero rojo en forma de unos labios enormes. Dejé correr el agua hasta que salió helada y humedecí una toallita de papel. Me la pasé bajo el pelo y por la nuca, con los ojos cerrados mientras esperaba impaciente a que se me enfriara el cuerpo.

Cuando salí del baño, Dominic estaba sentado a una mesa vacía con una pila de cuentas y recibos y una libreta, un boli en una mano y la otra enterrada en el pelo. Levantó la vista para mirarme por encima de sus gafas de leer, que tenía apoyadas casi en la punta de la nariz.

—Gracias por dejar abierto para nosotros —le dije al pasar—. Es la primera vez que vengo. Estaba todo exquisito.

—Me alegro de que le haya gustado. —Me miró con curiosidad por un momento y añadió—: El señor Dunn es uno de los mejores.

Asentí, corroborando tácitamente su parecer mientras me volvía y regresaba a nuestro sitio.

—¿Vamos? —preguntó Peter cogiendo ya el abrigo, pero me quedé mirándolo—. ¿Qué?

—¿Eres el dueño?

Resopló, sorprendido.

—No, no, para nada. —Hizo una pausa y luego tosió, con cara de bochorno—. Solo soy inversor. ¿Te lo ha dicho Dom? —Sacudí la cabeza—. Entonces, ¿por qué lo preguntas?

—Porque estamos aquí a deshoras y nos vamos a ir sin pagar. Además, cuando le he dado las gracias a Dom por no cerrar, me ha mirado igual que miro yo a Matt cuando me da las gracias por haber echado la noche trabajando..., como si en realidad no tuviera opción.

Peter se llevó un dedo a la nariz y luego me apuntó con él.

—Chica lista.

Me reí mientras deslizaba los brazos por el abrigo y me preparaba el cuerpo para el aire frío de la noche.

P: Una vez que conoció a Gary, ¿qué impresión le dio?

R: La de un hombre poderoso... que ni siquiera parecía reparar en mi presencia.

P: ¿Cómo le hacía sentir eso?

R: No muy bien. Pero supongo que eso me motivó para trabajar duro y ganarme así su reconocimiento.

P: ¿Le provocó eso aversión hacia él?

R: No, yo no diría que tras ese primer encuentro sintiera aversión. Yo diría que más bien fueron los encuentros que siguieron los que me provocaron la aversión.

P: Estaba preguntándole por ese primer encuentro. Por favor, ciña sus respuestas a las preguntas que se le hacen. Bueno, lo que me interesa saber es cómo llegó a suscitar esa aversión... ¿Qué hizo exactamente el señor Kaplan para provocar esa búsqueda de retribución por su parte?

[Réplica.] [Queda eliminado de las actas.]

P: ¿De dónde surgió esa aversión si no fue de su primer encuentro?

R: Si me hubiera dejado profundizar en el tema en lugar de explicarme que debía ceñirme a responder a la pregunta en cuestión, ya se lo habría contado.

9

Miré la hora en la esquina inferior derecha de la pantalla del ordenador.

03:07.

Probé a llamar a Jordan. Sin respuesta. Colgué el teléfono y me froté los ojos con los puños.

Antes incluso de terminar con la operación que tenía con Peter, me habían asignado a otra con Matt y Jordan: al Proyecto Duque para el National Bank, con unos plazos que eran de infarto. Los días anteriores al cierre fueron un caos de pelo grasiento y montañas y montañas de papeles que se balanceaban sobre mi mesa como una torre de Jenga en el penúltimo movimiento de la partida. Había corrido las cortinas opacas del despacho porque el sol me jugaba malas pasadas con sus subidas y bajadas, mandándome a dormir cuando el trabajo me ordenaba lo contrario. No tenía ni idea de si debía enviar por mi cuenta la hoja de condiciones con la que llevaba tres horas liada o Jordan querría revisarlo otra vez.

Probé a llamarlo de nuevo. Sin respuesta. ¿Por qué no respondía? Yo sabía que estaba: la luz de su perfil en la mensajería instantánea del bufete aparecía en verde. Quizá estuviera echando una cabezadita. A mí tampoco me habría venido mal una.

Miré los otros nombres de la mensajería. El circulito al lado del nombre de Derrick estaba también en verde. Marqué su extensión.

Mi amigo lo cogió al primer tono.

—¡Estaba a punto de llamarte!

—Creo que voy a morir. Estoy hecha polvo.

—¡Vente a mi oficina! ¡Tengo coca! —exclamó cantarín.

Hice una pausa, dejándole un momento para ver si estaba de broma.

—Paso. Estaba pensando más bien en una vuelta a la manzana para despejarme.

—Uf, paso. Yo no puedo parar del todo. Tengo que terminar una cosa.

—Vale, ya hablamos. —Intenté sonar alegre, pero noté que la preocupación por él me volvía más seria la voz.

—Sí, ya hablamos. Te llamo mañana —me aseguró Derrick.

Me eché hacia delante, apoyé la mejilla en la mesa, donde se fundió con la madera suave y fría, y metí las palmas bajo la cara. Estaba agotada, agobiada e incómoda, y no podía parar de pensar en si debía pasarme por la oficina de Derrick para preguntarle qué tal estaba. En vez de eso salí arrastrándome y recorrí el pasillo hasta la «sala de respiro». La idea de dejarme caer en el camastro de cuero fresco y acurrucarme bajo una de las mantitas era tan deliciosa que estaba casi salivando, pero, cuando llegué ante la puerta, vi la señal roja de OCUPADO en la media luna sobre el picaporte. Me vine abajo de la decepción; la idea de ir hasta otra planta para echarme un rato me parecía tan insoportable que casi me caí redonda. Sin embargo, no era más que una asociada de primer año, y tuve la certidumbre de que quienquiera que estuviese durmiendo dentro lo necesitaba más que yo. Seguramente llevaba una década cansado o cansada, mientras que yo solo llevaba a mis espaldas un par de meses de trasnochar.

Me apoyé de costado contra la puerta hasta que di con la oreja, pero entonces me recibieron gruñidos y gemidos masculinos y femeninos. Golpeé la puerta con el puño. Estaba dispuesta a privarme de un sueño horizontal y cómodo por alguien que lo necesitaba más que yo, no por dos asociados echando un polvo.

—¡Voy a volver dentro de veinte minutos! ¡Necesito dormir! —anuncié desde el otro lado de la puerta.

Tuve la sensación de estar pasándome un poco, pero me envalentoné ante la idea de que mis compañeros no querrían ser descubiertos y habrían despejado el campo para cuando volviese.

Cuando volví, la habitación olía a Clorox y las sábanas estaban cambiadas, pero aun así las quité y lo limpié todo otra vez; después, me dormí al instante, y no abrí los ojos hasta que el zumbido de una aspiradora me despertó desde el otro lado de la puerta.

Miré el teléfono y vi que Jordan me había respondido a los correos mientras dormía, había enviado él mismo la hoja de condiciones al ver que yo no lo hacía después de una hora de decírmelo y me había ordenado que durmiera unas horas y luego lo llamara en cuanto me despertara. Marqué su número.

—Solo quería asegurarme de que nada retrasara el cierre —me dijo sin siquiera un «hola»—. No puedo dejarlo pasar de hoy, porque entonces tendríamos que esperar al lunes para que transfirieran los fondos. El horror. ¿Has confirmado con el equipo de Inmobiliario si han archivado…? —Oía el estrés en su voz mientras me soltaba la lista de detalles administrativos de los que debía ocuparme.

Mientras me esforzaba por apuntar todo lo que estaba diciéndome Jordan, en la esquina inferior derecha de la pantalla me saltó una notificación de un correo nuevo de Carmen y la leí por encima:

He firmado por ti. Te he guardado un asiento atrás.

—Mierda —suspiré para mis adentros mientras seguía escribiendo, y cuando Jordan terminó, carraspeé y dije—: Esto... Se me había olvidado por completo que tenemos el cursillo de captación de clientes justo ahora, y...

—Sáltatelo —contestó lacónico.

—Es que es Matt quien lo da, y... —Sabía que no tenía que decir más: apoyar al socio para el que trabajábamos en cualquiera de sus facetas lo desbancaba todo y a todos.

—Ah. Vale, sí. Ve. Yo te cubro en esta hora. De todas formas ya lo tienes todo hecho, es que me pongo paranoico el día de cierre de una operación. Pero mira el correo. Si no firmamos esto esta tarde, me tiro por la puta ventana.

—¿Por qué te crees que nuestras ventanas no se abren, genio? —le pregunté secamente, la respuesta automática que él ya se había acostumbrado a esperar de mí mientras trabajábamos en el Proyecto Hat Trick.

Soltó una risita.

—Tú sigue así, Pip, que la próxima vez pido que me asignen a Carmen.

—Eres lo peor. —Le colgué.

Me levanté la barbilla hacia el techo con la palma de la mano y sentí el agradable crujido de una articulación en algún punto de la base del cráneo. Apilé los seis vasos de café vacíos que tenía en la mesa y los tiré a la papelera que tenía debajo. Fui despacio hasta el ascensor y me froté las ojeras con los dedos. Me sentía un fraude: era la primera noche en vela que había intentado hacer y no había conseguido sobrevivir sin desmayarme en la sala de respiro.

Apoyé la espalda contra la pared del ascensor hasta que el timbre mecánico de las puertas al abrirse en el salón de actos de la planta 45 me zarandeó para despertarme del duermevela. Una mujer con una carpeta archivadora estaba mirándome, y solté una risita abochornada al pasar a su lado. Abrí la puerta del salón de actos haciendo el mínimo ruido posible y entré con sigilo. Por suerte estaba hablando Matt, y todos los ojos siguieron puestos en él mientras yo cerraba con cuidado tras de mí y me abría paso hasta el asiento vacío al lado de Carmen, que me miró con cara de preocupación.

—¡Pippy! ¡Un detalle honrarnos con tu presencia! —me dijo Matt desde el estrado.

Mis cincuenta y dos compañeros de primer año se volvieron para mirarme y sentí que me ponía roja hasta la coronilla, aunque me fijé entonces en que parecían más envidiosos de mi relación con el socio codirector de F&A que asqueados.

—Sus operaciones no se cierran solas, jefe —le dije haciéndole un saludo militar de dos dedos, y me senté al lado de Carmen, abrazando mi pelo grasiento y mi camisa arrugada como una medalla al honor.

Matt soltó una carcajada antes de seguir con su charla sobre *due diligences,* pasando una diapositiva tras otra.

Carmen se inclinó hacia mí como para decirme algo y luego reculó en el sitio.

—Dios santo, Alex, necesitas una ducha. —Se tapó la nariz con el puño—. Hablo en serio.

—Soy consciente —susurré a mi vez.

Saqué el móvil y seguí respondiendo correos para la operación de Matt mientras él adoctrinaba al grupo sobre las políticas del bufete para fomentar una conciliación laboral saludable.

Cuando la presentación estaba acabando, vi un correo de Jordan con el asunto «Recta final». Estaba todo listo y teníamos la reunión telefónica para el cierre a las cuatro de la tarde.

De: Alexandra Vogel
Para: Jordan Sellar
Asunto: RE: Recta final

Les diré a los de mantenimiento que ya no hace falta que vayan a ver cómo abrir tu ventana.

Nuestra reunión telefónica de cierre de operación empezó y terminó esa tarde sin que yo pronunciara una sola palabra…, un recordatorio de que daba igual lo duro que trabajase: seguía siendo la última mona abogada y bien podría haberme sustituido cualquier otra asociada de primer año muda. Y luego habíamos terminado. Cerrado. Se acabó. Me pasé los seis minutos siguientes asegurándome de que no me había saltado ningún correo urgente en medio de la tempestad, y luego apagué el ordenador y me recosté en la silla. Eran las cuatro y cuarto de un viernes por la tarde. El sol brillaba. No podía esperar a meterme en la cama y no salir de ella en cuarenta y ocho horas.

—Anna —llamé hacia mi puerta abierta, y mi secretaria asomó la cabeza por encima de su cubículo—. ¿Me puedes pedir un taxi para casa, por favor? Necesito dormir inmediatamente. —Frunció el ceño—. No te preocupes, ¡yo lo pago! —Se plantó en el umbral con cara de disculpa y quise decirle: «Que llames de una puta vez», pero sonreí en cambio y le pregunté—: ¿Qué pasa?

—La semana pasada me pediste que te reservara mesa para cuatro en el Nomad. ¿Quieres que la cancele?

«Joder». Mis padres venían a cenar a la ciudad. Habían insistido en invitarnos a cenar a Sam y a mí para celebrar que cerraba una operación. Me tembló el labio inferior y negué con la cabeza.

—¿Podrías cerrar la puerta? —pregunté en un susurro, temiendo que si hablaba más alto se me saltarían las lágrimas, y luego recordé mis modales y añadí—: Por favor.

Anna me miró con lástima y cerró la puerta tras de sí, y las lágrimas se me desataron... Estaba demasiado cansada para reprimirlas.

Me desperté con la cara apoyada en las manos, bocabajo en medio del suelo de la oficina. Me quedé un momento así antes de incorporarme y limpiarme con el dorso de la mano la baba que me caía de una comisura. La verdad era que empezaba a entender por qué la gente se metía coca. Miré el reloj. Las seis y media. Cogí el móvil y les mandé un mensaje a mis padres y a Sam en el mismo grupo.

Qué ganas de veros! Nos vemos en el Nomad a las 8! ☺

Miré el correo del trabajo: solo dieciséis mensajes, ninguno urgente, y un bonito agradecimiento para Jordan y para mí de parte de Matt. Respondí a toda prisa, cogí la bolsa de deporte, me tomé dos Advil, los bajé por la garganta sin agua y salí por la puerta. Me fui directa al Equinox que había al lado del trabajo, me desvestí nada más entrar en los vestuarios, me envolví en una toalla y me metí en la neblina cerrada de la sauna, aliviada cuando vi que estaba sola. Mis poros se rindieron sin oponer apenas resistencia, deseosos de relajarse. Sentí la acritud del estrés en mi sudor. Estaba abandonándome por completo, deslizándose columna abajo para mi deleite. Me masajeé los hombros y dejé que mis dedos vagaran por mi piel, ahora pegajosa. Dejé caer la toalla. Me toqué los pechos y pensé en Peter Dunn. Pensé en lo bien que le quedaba la hebilla del cinturón sobre el abdomen totalmente liso, en que siempre parecía recién afeitado.

Abrí los ojos y volví a envolverme en la toalla, subí las piernas sobre el banco alicatado para sentarme a lo indio e intentar concentrarme en la respiración. Conseguí arrastrarme hasta la ducha y colgué la ropa del trabajo en la percha del cubículo antes de abrir el agua caliente al máximo para que las arrugas de la seda se alisaran con el vapor. Me froté con fuerza, como si pudiera exfoliarme el cansancio.

Entré en el Nomad justo a las ocho y me encontré a mis padres, que siempre llegaban temprano, hablando con el jefe de sala.

—¡Eh, papis! —me anuncié en voz alta.

Mi madre tenía en la mano un ramo de rosas blancas.

—¡Mi bichito! —chilló al verme.

Metí la cabeza entre ambos y me fundí en el abrazo triple.

—¡Estás estupenda! Muy delgada, pero ¡estupenda! ¿Esto es lo que te pones para el trabajo? Guapísima —me dijo, y asintió dándome su aprobación.

—Sí que estás guapa —corroboró mi padre.

—En realidad me he duchado en el gimnasio y he venido directamente desde el trabajo. Ha sido un mes bastante duro. Con suerte ahora vendrán unos días más tranquilos.

—Esto es para ti —me dijo mi madre poniéndome las rosas en la mano.

—¿Y eso? —pregunté con recelo.

—Porque has estado trabajando muy duro y estamos muy orgullosos —dijo mi madre, y yo me apresuré a cruzar la mirada con el jefe de sala, que me sonrió de oreja a oreja.

—Estamos a nombre de Vogel —le dije al hombre, y luego me dirigí a mis padres—: Son preciosas. Gracias, papis. ¿Tenéis un ibuprofeno? —Mi madre rebuscó en su bolso y me dio dos pastillas de Advil, que me tragué de nuevo sin agua.

Sam llegó justo cuando el jefe de sala nos hacía señas para que lo siguiéramos.

—¡Qué sincronización! —dijo mi madre dándole un abrazo.

Mi padre le estrechó la mano. Yo fui a darle un beso de verdad, pero él me dio uno pequeño en la mejilla, en un gesto seco. Se me fundieron los plomos y recé por que su saludo desganado se debiera a la presencia de mis padres y no a que estaba enfadado conmigo.

Mientras mi padre pedía el vino y escuchábamos pacientemente las sugerencias del día, me di cuenta de que Sam parecía estar ignorándome deliberadamente. No se había afeitado para la cena. No me miró cuando el camarero nos sugirió el *risotto* de trufa negra fuera de carta, aunque él sabía que seguro que me pedía eso. Se me dispararon los pensamientos; ignoraba qué había hecho u olvidado hacer, pero me sentí totalmente derrotada. Se me escapó una lágrima fugitiva y me apresuré a disculparme para ir al baño, a sabiendas de que vendrían más una vez abiertas las compuertas.

Apoyé las manos en los laterales de porcelana fría del lavabo y respiré hondo. Había leído en cierta ocasión que el revés de las muñecas es un centro de control de la temperatura corporal, de modo que me arremangué y me eché agua fría en las manos, a la espera.

—Hola, muy buenas.

Miré hacia el espejo y vi a Gary Kaplan a mi lado, sonriéndole a mi reflejo. Me volví hacia la izquierda para no verlo por el espejo y confirmar así que no estaba alucinando. Parpadeé dos veces. Seguía allí, a mi lado, en el baño de mujeres del hotel Nomad.

—¡Hola! —me obligué a decir.

Busqué para mis adentros algo inteligente que decir sobre el escalamiento constante del mercado de las *private equity*. ¿O quizá debía preguntarle sobre su familia? ¿O hablar de la comida? Había dicho que era al único restaurante del sur de la isla al que venía.

—¿Puedo invitarle a una copa? —me preguntó, y una sonrisa dentuda se le extendió por los labios, aunque sin que le vacilara la mirada.

Me pareció evidente que no me había reconocido, pero necesitaba salir de esa situación por las buenas, por si la próxima vez que me viera en el trabajo me relacionaba con aquello. Lo que me faltaba era que me pusieran en una lista negra y no pudiera participar en las operaciones de nuestro cliente más importante en mi primer año en el bufete.

Cuando me volví de nuevo hacia el espejo, vi a una mujer morena extremadamente tonificada y con un bronceado muy trabajado, que tendría veintilargos años, saliendo de un aseo y tirándose de un vestido Hervé Leger ceñido color *nude,* lo justo para que le cubriera cosas que no era conveniente enseñar en público. Respiré aliviada, agradecida de que hubiera alguien más para distender la situación, pero entonces la mujer se acercó sigilosamente a Gary, le echó un brazo por el hombro y le enterró la nariz en el cuello.

—Hola —susurró hacia el espejo, mirándome.

Yo miré de reojo la mano de Gary para ver si tenía la alianza puesta, y así era. La mujer, en cambio, no llevaba.

—Le he preguntado a esta jovencita si querría tomarse una copa con nosotros —dijo Gary, que seguía sin apartar la vista de mí.

—¡Me gusta! —A la mujer se le iluminaron los ojos con un brillo pícaro mientras me miraba de arriba abajo en el espejo.

Me alisé la blusa al tiempo que se me revolvía el estómago. Aunque nunca había tenido un encuentro de semejante naturaleza, las intenciones de ambos eran más que obvias.

—Ah, no, gracias. Estoy comiendo con mi familia —tartamudeé.

Se les cambió la cara.

—Eso no me gusta... —dijo la mujer con un puchero.

—Que pasen buena noche —dije, y acto seguido me despedí de cualquier manera con la mano y salí sin secarme siquiera.

De vuelta en la mesa, me hundí en la silla y entré en trance, con los ojos clavados en la cubertería mientras repetía la escena en la cabeza y mi padre charlaba sobre los planes que tenían para ir a Brasil en febrero.

—¿Estás bien? —me preguntó Sam inclinándose hacia mí y buscándome la mano bajo la mesa, con su enfado rindiéndose al parecer ante la preocupación.

—¡Sí, sí! Todo bien.

Les dediqué a los tres una sonrisa de oreja a oreja mientras intentaba a la desesperada olvidarme de la grima que estaba sintiendo por dentro. Gary Kaplan era un hombre que engañaba a su mujer, hacía proposiciones indecentes a jóvenes, se colaba en la parte que no era de los baños unisex y, en general, me daba escalofríos cada vez que interactuaba con él. Pero era, sin lugar a dudas, el mejor cliente del bufete. ¿Cómo podía basar mi carrera en representar a unos personajes de moral tan reprensible? Me dije que en realidad el cliente era Stag River, no Gary... Podía ser peor...

—Entonces, ¿has ganado el juicio? ¿Se ha acabado? —me preguntó mi madre.

—La niña hace operaciones, no juicios —la corrigió mi padre, que seguramente no comprendía la diferencia tampoco, pero al menos sabía distinguir una cosa de otra.

—Vale, vale. ¿Has ganado tu operación?

Estaba demasiado cansada para explicarles que todo el mundo ganaba en una operación cuando hacía bien nuestro trabajo, así que me limité a sonreír y a asentir.

—Entonces, ¿cómo de tarde sales del trabajo? Y quiero la verdad —me preguntó mi padre.

—Lleva dos noches seguidas sin volver a casa —contestó por mí rotundamente Sam.

Nos quedamos los tres mirándolo.

—Una noche —dije poniendo cara de hastío, como para hacer ver que estaba dramatizando.

Se me quedó mirando unos instantes con gesto airado, y luego vi que volvía a cruzarle por la cara algo parecido a la preocupación.

—Dos —insistió.

Los seis ojos se volvieron hacia mí.

—Ostras, qué fuerte, dos... Tienes razón.

A mi madre se le relajaron los hombros mientras yo le daba un sorbo al vino e intentaba hacer memoria de esa noche perdida. Estábamos a viernes, y la noche anterior había dormido en el despacho. Recordé la reunión de contabilidad, el miércoles por la tarde noche. ¿No me había ido a casa después de eso? Recordaba haber mandado correos desde el piso. ¿O eso había sido el martes? «Entonces sí que puedo pasar una noche en vela trabajando —pensé—, lo que no puedo son dos seguidas. ¡Eso es bueno!»

Sentí que me asomaba una sonrisa a los labios, pero la borré inmediatamente. La energía en la mesa había cambiado, y el silencio se había cargado de expectación.

—¿Qué?

—Que si duermes algo cuando te quedas en el trabajo de noche —me preguntó mi padre, en lo que asumí que era la segunda vez.

—Sí, sí, claro —dije sacudiendo la cabeza aunque asintiendo con mis palabras.

—No —dijo enfadado Sam—. Un par de horas como mucho, en lo que llaman la «sala de respiro», que no es más que una habitación donde se mete la gente para echar una cabezada cuando tienen mucho trabajo.

Me quedé mirándolo.

—Mi pequeño Sammy me echa de menos —bromeé.

Intentó no reaccionar, pero acabó sonriendo.

—Es como tus turnos de urgencias cuando estabas en la Facultad de Medicina —dijo mi madre mirando a mi padre, que asintió.

—Pero eres feliz, ¿verdad? —me preguntó mi padre, tan esperanzado que tuve que apartar los ojos.

—Me encanta —le aseguré.

—Lo que cobran aquí por el pollo es criminal —comentó mi madre mirando la carta en un claro intento por cambiar de tema.

—Es pollo para dos —señalé.

Mierda. Aquel sitio era realmente caro, había sido muy poco considerado por mi parte reservar allí; llevaba tanto tiempo sin salir con gente que no fuera del trabajo que se me había olvidado tener en cuenta los precios.

—¡Ya, pero ni por esas!

—Es que le ponen *foie gras* bajo la piel. —Defendí el plato como si lo hubiera hecho yo misma mientras inspeccionaba la sala en busca de Gary, al que todavía no había visto salir del baño.

—¡Yo lo comparto contigo! —se ofreció mi padre.

—Cuéntanos qué tal el trabajo, Sam. ¿Cómo va? En realidad no entendemos muy bien en qué consiste —dijo mi madre ignorando la propuesta de mi padre.

—Es duro, más de lo que pensaba. Y todavía tengo que poner dinero yo, lo que es bastante duro. —Vi que a mi madre se le tensaba la columna y mi padre se ponía ligeramente nervioso.

—Cuéntales otra vez de qué va —le dije inclinándome hacia él para animarlo—. El concepto es brillante. —Agradecido, Sam me apretó la rodilla bajo la mesa.

—Básicamente consiste en un servicio, una web y una aplicación, para compartir el coste y el uso de artículos de precio elevado. Como la multipropiedad, pero para coches, plazas de aparcamiento, pisos, bicicletas y cosas así. Emparejamos a clientes basándonos en la ubicación, hacemos las debidas comprobaciones sobre la solvencia y los datos personales, perfiles de personalidad. Y nuestra empresa es la que compra el artículo y lo alquila indefinidamente a ambas partes a cambio de un porcentaje, pero ellos comparten los gastos del alquiler con un desconocido, de modo que le viene bien a todo el mundo. Como, por ejemplo, si uno viaja mucho por trabajo, compartes el coche con un vecino mientras está fuera. Imaginaos, es como un Rent the Runway, pero no alquilas, lo tienes en propiedad, y no es para ropa.

—¡Uau! —exclamó mi madre agudizando la voz con un entusiasmo fingido.

Yo sabía que la idea le provocaba escepticismo, seguramente por las mismas razones que a mí: a la gente no le gusta compartir cosas grandes con desconocidos y no tienen problema en gastarse más para evitarlo. Le di un trago bien sediento al vino para ahogar esa voz en la cabeza.

—Ya —dijo Sam, que me cogió la mano con ternura—. Yo creo que va a ir muy bien. Y no podría haberlo hecho sin Alex. Se portó como una campeona cuando estuve montando la empresa en Cambridge. Y todo eso mientras terminaba Derecho.

Rememoré los días en nuestro estrecho estudio en la segunda planta de un bloque de pisos y me costó creer que hubiera sido tan feliz allí. Sam no tenía dinero para sacarme o que nos fuéramos de vacaciones, así que aprendí a cocinar y fingí haber aprendido a disfrutar de los inviernos de Boston. Me pregunté si sería capaz de volver a vivir así. Planté una sonrisa en la cara y aparté la mano con suavidad de la suya.

—Y nos han contado que vas a correr el maratón —se coló la voz de mi padre en mis pensamientos mientras yo le daba otro trago al vino, uno tan ligero que apenas le cogí el sabor.

Le di un manotazo al cosquilleo que sentía en la nariz y choqué contra la mano de Sam. Abrí los ojos y vi que estaba a mi lado en la cama, con uno de mis estuches de colorete en la mano.

—¿Qué haces? —le pregunté adormilada.

Sam cerró de golpe el estuche.

—Estaba poniéndote un espejo bajo la nariz para ver si respirabas —dijo.

Sonreí, él no.

—Estoy viva —dije en tono cantarín, estirando las manos y removiendo los dedos como una zombi, pero no pareció divertirle.

—Son las tres de la tarde —me dijo levantándose.

Estaba vestido como para salir. Miré bajo las sábanas y vi que llevaba la misma ropa interior que la noche de antes.

—¿Qué ha pasado? —conseguí preguntar.

Sam se encogió de hombros.

—Que te emborrachaste como una cuba.

Me llevé la palma de la mano a la cabeza. No sentía resaca, solo somnolencia.

—¿En serio?

—¡Y tanto! —dijo Sam sin disimular el desdén en su voz—. Con dos copas y media de vino, joder. Tu padre supuso que había sido la mezcla de alcohol, el cansancio y el Advil.

Ostras. ¿Por qué no recordaba nada de lo que pasó después de que pidiéramos la comida? ¿Por qué no podía olvidarme de la mirada de Gary y de esa media sonrisa demencial en su cara?

—No digas palabrotas —fue todo lo que conseguí decir antes de hundir la cabeza de vuelta a la almohada y cerrar los ojos—. ¡Sam! —Despegué los ojos como pude y di un bote en la cama—. ¡Nos hemos perdido el cumpleaños de Lucas!

—No, tú te has perdido el cumpleaños —dijo secamente—. Yo me lo he pasado genial.

—¿Por qué no me has despertado? —Le había prometido a su sobrino que iría a su fiesta y había mandado a Anna a cuatro jugueterías distintas para escoger el regalo.

—Te puedo asegurar que lo he intentado. —Se me quedó mirando—. Te he traído un puto trozo de tarta.

Tenía dos opciones, comprendí entonces: podía o bien ignorarlo y capear su humor durante a saber cuántas horas o días... o podía cambiarle de plano el humor.

Arqueé los labios en una sonrisa.

—¿Qué te crees, que eres el único que sabe decir palabrotas? —pregunté, y me mordí el labio inferior.

Se me quedó mirando, intentando interpretar mi tono, y se le tensó el cuerpo al comprenderlo. Incluso después de tantos años juntos, siempre me deseaba, siempre sin falta, daba igual lo enfadado que estuviese. Me aparté un poco más las sábanas.

—¿De qué estás hablando? —dijo mecánicamente.

—De que yo también puedo decir cosas feas...

Me puse de pie en la cama, desplegando los dedos para estabilizarme y contrarrestar el mareo. Me coloqué encima de él, que tuvo que levantar la vista para mirarme. Ya no me rozaban los muslos entre sí cuando juntaba los pies. Por mucho que lo tuviera por alguien a quien le importaba menos el aspecto físico que a la mayoría de los hombres, Sam parecía apreciar la visión de mi cuerpo menguante. Se reajustó el tiro de los pantalones y cambió de postura para hacer hueco.

—Quiero que me folles como si no hubiera un mañana —le dije, y a Sam se le cayó ligeramente la mandíbula.

Solté una carcajada y, antes de darme cuenta, Sam me había hecho un placaje y me tenía contra el colchón. Me dio la vuelta en un único movimiento fluido y me bajó las bragas. Me lo vi encima sin saber todavía dónde estaba el techo y dónde el suelo.

Abracé mi despreocupación lujuriosa y el atontamiento de las quince horas de sueño. Parecía sexo en estado etílico, del que teníamos cuando empezamos a salir, y era justo lo que necesitaba. Me tiró del pelo y me mordió la espalda por debajo del hombro. Disipada la conmoción, regresó el placer, y no en lugar del dolor, sino en paralelo. Gimoteé, animándolo, y me tapó la boca con la mano para silenciarme. Cuando me soltó la cara al sobrevenirle el placer, conseguí meterme un dedo suyo en la boca y lamérselo. Volvió a gemir a su pesar.

Nos quedamos mirando el techo, respirando hondo, hasta que volví a soltar una carcajada.

—Madre mía… —susurró Sam mientras me acariciaba el muslo.

Me giré hacia él y enterré la nariz en su cuello.

—Qué mal que no me acuerde del pollo —dije mirando el techo.

—No te preocupes, no parabas de decir que no sabía a nada. Meneabas la cabeza y le echabas sal diciendo que no sabía a nada. Se lo comentaste incluso a los de la mesa de al lado. Y al camarero le dijiste que era un robo.

Le busqué la cara para ver si bromeaba. No era así.

Arqueé la espalda y volví a reírme, y esa vez rio conmigo y dio por zanjada la pelea. Relajé la columna sobre el colchón mullido.

—Anoche cuando fui al baño me encontré con un cliente —le conté mirando todavía el techo—. Ni siquiera me reconoció, y encima me tiró los trastos. Fue superraro.

Sam se volvió para mirarme, y vi que un fogonazo de celos le oscureció los ojos antes de encogerse de hombros.

—No puedo culparlo, la verdad. —Sonrió y me besó en la mejilla.

Yo me estremecí ligeramente al recordar la cara de Gary y me volví para mirar yo también a Sam y apoyar la cabeza en su hombro y la mano en su pecho, deleitándome en su calidez.

—Quedémonos aquí un rato —me susurró.

—¿Dónde?

—Aquí. —Me miró—. En la cama.

En cuanto lo dijo, pensé en todo lo que tenía que hacer y se me aceleró el corazón. «Tengo un trabajo. Ya no puedo tirarme días enteros en la cama.» Me obligué a sonreír mirándolo y asentí, intentando renegar del cosquilleo en las yemas de los dedos. «Acabo de cerrar una operación. No pasa nada. Es sábado. Nadie me va a estar mandando correos urgentes de nada.» Pero en mi cabeza vi la imagen de un mensaje de Matt sin contestar en la bandeja de correo.

—Nene, necesito un café —dije cargando de somnolencia la voz pese al nudo en la garganta.

—Yo te hago uno. —Me dio un beso en la coronilla y se dio media vuelta para ponerse en pie.

En cuanto salió del cuarto me lancé a por el teléfono, que por suerte estaba al lado de la cama. Tenía la batería al dos por ciento, así que lo enchufé y repasé la bandeja de entrada presa de la locura, sabiendo que no tenía mucho tiempo.

No había nada urgente, pero intervine en un hilo con Matt y Jordan solo para hacer ver que estaba leyendo el correo en fin de semana, como tenía que ser. Para cuando Sam me tendió la taza de café, había puesto el móvil bocabajo en la mesilla, y me bebí lentamente aquella bocanada cálida de energía, con un chorrito de la leche a la que sabía que él se oponía, justo como a mí me gustaba.

—¿Cómo verías si me como mi tarta para desayunar? —le pregunté tímidamente.

Sam sonrió de oreja a oreja cuando sacó la otra mano de detrás de la espalda y reveló un plato con una tarta blanca bien mullida y una gruesa capa de *frosting* también blanco, salpicada con algo verde y negro con rayas marrones. Me había conseguido un buen trozo a pesar de que estaba enfadado conmigo. Dejé el café en la mesilla de noche y cogí el plato.

—¿De las Tortugas Ninja? —pregunté metiéndome un gran bocado de glaseado en la boca.

Sam volvió a colarse en la cama a mi lado.

—¡Sí! Te he traído a Donatello.

—Ay, nene, me tienes consentida.

—A ver que te vea la lengua —me dijo en tono serio.

Obedecí.

—¿Verde? —pregunté como pude, y de pronto sentí su lengua en la mía.

Dejé el plato y me hundí en su beso.

Tercera parte

La manifestación de interés

Expresión de interés supeditado a condiciones
y no vinculante en participar en la compra
o la venta de una empresa.

P: Me gustaría volver a las relaciones con sus compañeros para que podamos hacernos una idea más general de sus relaciones laborales.

R: No entiendo en qué sentido pueden ser relevantes mis relaciones con otras personas. Ya he explicado que en Klasko es habitual socializar tanto con compañeros como con clientes. Mis compañeros de Klasko eran también mis amigos.

P: Le damos la razón en que en un juicio no sería relevante, pero a nosotros nos resultaría muy útil para dilucidar qué información esperar de quién.

R: De acuerdo. ¿Qué quieren saber?

P: Profundice, por favor, en las relaciones profesionales y personales que mantenía con sus compañeros de trabajo Matt Jaskel, Jordan Sellar, Peter Dunn y Vivienne White, así como con su cliente Didier Laurent. Céntrese, por favor, en encuentros celebrados fuera del trabajo, observando en todo momento sus obligaciones para con la confidencialidad con los clientes, por supuesto.

R: La vida del asociado joven es muy agotadora. A menudo la vida personal se mezcla con la profesional en las parcelas del contacto con los clientes y su atención.

P: Precisamente por eso nos interesa.

10

Atravesé las puertas automáticas del Duane Reade veinticuatro horas que había al lado de mi piso, di unos cuantos pasos por el suelo de linóleo blanco, con la mirada entornada por las luces fluorescentes que se me clavaban en las cuencas de los ojos, y me paré en seco. ¿Por qué estaba allí si podía saberse? Había ido con una misión, pero el recado se me había evaporado totalmente de la cabeza. Eran ya las once de la noche, pero era la primera vez que salía del trabajo antes de medianoche en los últimos diez días.

Fui de un pasillo a otro intentando hacer memoria hasta que me harté y compré un paquete de chicles y recorrí los cincuenta metros hasta mi bloque. Sam dormía ya cuando entré con sigilo en el baño y me dejé caer en el váter, donde la porcelana fría me electrocutó los muslos por detrás. Coloqué los codos en las rodillas y la cabeza entre las manos para descansar un momento, y luego, al ir a echar mano del papel higiénico, vi que solo había un cilindro de cartón vacío.

«Mierda.»

Últimamente me veía todo el rato olvidándome de cosas como por qué había bajado al veinticuatro horas o si me había duchado o no la mañana anterior, así como todo plan que hiciera pero no reflejara en un evento de la aplicación del calendario. Pensé en volver corriendo a la tienda solo para evitar la mirada crítica de Sam cuando se despertara y viera que no había conseguido hacer el único recado doméstico que me había pedido en más de un mes. Pero en lugar de eso saqué unas toallitas de papel, las puse en lo alto de la cisterna y me metí bajo la colcha a su lado, prometiéndome que estaría más presente en mi vida privada a partir de esa misma mañana sin falta.

Cuando pocas noches después me desperté de una siesta en el suelo de la oficina con una retahíla de mensajes airados de Sam diciéndome que estaba esperándome en el restaurante, que no podía creer lo tarde que estaba llegando, que estaba furioso porque no le respondía y que estaba comiendo solo y se iría a casa, decidí tomarme un descanso en mi carrera suicida por entrar en F&A.

Para mediados de noviembre había parado de pedirles a Matt y a Peter que me dieran más trabajo y le había dicho a la coordinadora de proyectos que necesitaba aligerar mi carga, y en esos momentos solo tenía asignado un caso activo de F&A. Sabía que pronto tendría que echar más peso en la mochila para seguir siendo competitiva en la carrera por la asignación definitiva en F&A, así que aproveché al máximo los tiempos de ocio. Un mediodía me tomé mi tiempo para ir tranquilamente con Carmen a Bloomingdale's, y por primera vez en la vida no me fui directa a los percheros de ocasión. Otra noche quedé con Sam para cenar fuera y hasta me presenté a la cita. Llevé a mi sobrino Lucas a comer al Ninja, un restaurante de sushi de Tribeca con una cocina tirando a mala y con precios tirando a altos, pero donde los camareros iban vestidos de ninjas y actuaban como tales. Le di un segundo y un tercer regalo de cumpleaños para disculparme, y redisculparme, por haberme quedado dormida y no haber ido a su cumpleaños. «Le has hecho feliz para un año —me dijo la hermana de Sam—. Puedes perderte su cumpleaños siempre que quieras.»

Lo más raro de trabajar tan duro en esos últimos meses era la facilidad con que esas jornadas interminables se habían convertido en mi rutina. Tenía la sensación de estar haciendo trampas o algo parecido cuando «solo» trabajaba de las diez de la mañana a las ocho de la tarde. Empecé a recordar partes de mí que se habían perdido en las interminables anotaciones y los infinitos anexos de nuestros contratos, como los rituales de acicalamiento físico en los que muchas mujeres del género humano participaban, por ejemplo, el depilado de cejas y el corte de pelo. Pero también noté que no me costó volver a estar presente en mis interacciones sociales y que la memoria se me mejoró bastante.

Al parecer no era la única abogada del bufete que estaba trabajando a un ritmo más bajo del habitual. Vivienne había vuelto a concertar nuestro almuerzo mentora/aprendiz... y por una vez no lo había cancelado. Le di un sorbo a mi agua mientras ella dejaba su móvil personal bocabajo sobre el mantel blanco y se concentraba seguidamente en el teléfono del trabajo. Me quedé mirando la funda, donde aparecía una foto de ella con un marido muy atractivo y sus tres hijos varones en la playa; el aire les había volado el pelo hacia la izquierda, mientras que sus sonrisas estaban ligeramente inclinadas hacia la derecha, como preparándose para el viento.

—Bueno, ¿dónde estudiaste Derecho? —me preguntó de la nada.

—En Harvard —respondí.

Mi mentora asintió con displicencia y un ojo todavía puesto en el móvil del trabajo. Llevaba el pelo color platino liso como una cortina y recogido en una cola corta en la nuca, y tenía las uñas largas y pintadas de blanco. Vestía una blusa de seda blanca con raya diplomática gruesa remetida por una falda de tubo azul marino sobre unos tacones de diez centímetros color *nude,* con los que, pese a todo, no sumaba más de metro sesenta y cinco de alto. La piel era de una palidez perfecta e inmaculada. «Tengo que evitar el sol.» El maquillaje era mínimo. «¿Se me habrá corrido el delineador? Siempre se me corre.» No podía pesar más de cuarenta y cinco kilos, tirando por lo alto. «Tengo que dejar de comer carbohidratos.» Si no hubiera sabido su nombre, habría adivinado que se llamaba Vivienne; le pegaba.

—¿Y disfrutaste de esos años allí?

—Muchísimo.

Me miró con escepticismo y comprendí mi error: se suponía que debíamos interpretar en todo momento un personaje que no se inmutaba, contemplativo y escéptico, sereno ante el caos.

—Fue una educación muy buena —dije corrigiéndome.

Pulsó un último botón antes de dejar el móvil del trabajo al lado del personal. Se me quedó mirando unos instantes como si estuviera contemplando la opción de desencajar la mandíbula y comerme de un bocado.

—Eso fueron estudios, la educación es esto —dijo, por fin ya con la atención puesta plenamente en mí.

Pensé por unos instantes que estaba refiriéndose a nuestra comida… y supongo que podía haber sido así. Pero me dio la impresión de que se refería más bien a la vida laboral en general.

—De todas formas, me alegro de que por fin hayamos conseguido quedar. Siento haber tardado tanto. Soy una mentora muy mala, pero se empeñan en seguir asignándome aprendices. —Reí por compromiso, a falta de una reacción más apropiada—. ¿En qué has estado trabajando? —me preguntó cogiendo otra vez el móvil.

—Ahora mismo casi todo lo que estoy haciendo es de F&A. Trabajé en un par de operaciones de Inmobiliario cuando empecé. —Estaba hablando para rellenar el silencio, convencida de que mi interlocutora no estaba oyendo ni una palabra de lo que le decía—. Me gusta F&A. Creo que sintonizo mejor con esa especialidad que con Inmobiliario.

—¿En qué sentido? —Me miró a la cara y detuvo las manos sobre la pantalla.

Se me aceleró el pulso y sentí que las rodillas se me volvían de goma.

—Esto… Bueno, cuando trabajaba en Inmobiliario tenía la impresión de estar más en los márgenes de cómo se fraguaban o se rompían las operaciones.

«Mierda. ¿Ella era abogada de Inmobiliario? No. Mercados de Capitales, seguro. Joder. ¿Le habré ofendido?»

—Aunque también es verdad que se trataba de una adquisición, así que evidentemente yo no estaba en el equipo principal de la parte inmobiliaria de la operación —seguí parloteando—. Pero, bueno, el caso es que disfruto de tener una visión más centrada desde el trampolín de F&A.

Volvió a mirar el teléfono y paró de teclear. Tuve la sensación de que no solo le molestaba tener que hacer de mentora para mí, sino también de que le daba exactamente igual lo que yo hiciera, así sin más.

—Te entiendo perfectamente. A mí me pasa lo mismo, por eso me dedico a Mercados de Capitales —dijo sin levantar la vista—. En realidad me veo muy reflejada en ti… Lo siento mucho, acabo esto y estoy contigo, te lo juro.

Me pregunté cómo estaría yo describiéndome para que esa mujer pensara que nos parecíamos, pero la tranquilicé como mejor supe.

—Por favor, no te disculpes. Lo entiendo perfectamente. Quizá hace un par de meses no lo habría entendido, pero ahora sí.

—Crees entenderlo.

Aquel tono suyo condescendiente me desubicó una vez más, y se me acumularon en el pecho dos sensaciones simultáneas pero dispares: el pánico de que si seguía en un bufete de élite, me convertiría inevitablemente en una mujer fría e inflexible como Vivienne, y la euforia de que si seguía en un bufete de élite, me convertiría en una socia exitosa tan estilosa, guapa e inteligente como Vivienne.

—Vale, ya estoy contigo. —Me miró y volvió a dejar el teléfono—. Por cierto, nadie que no esté en un bufete así lo entiende. Puede que algunos de banca de inversiones, pero ellos son el cliente y pueden darse el lujo de no responder. Nosotros no. Los médicos también echan una barbaridad de horas, pero por lo menos saben cuándo les toca guardia. En nuestro caso no puedes predecir nada, no hay posibilidad de desconectar. ¿Sabes la de vacaciones que he pasado sin poder salir de la habitación del hotel? Llevo dieciséis años sin ir a un sitio sin conexión a internet. Los aviones eran el único lugar donde podía dormir tranquilamente hasta que pusieron el puto wifi a bordo. Lo irónico es que yo llevé la OPI para GoGo, la empresa que suministra esa tecnología. —Se dio una palmada en la cabeza en un gesto teatral—. El que te diga que «lo entiende» te miente. Y probablemente te odie por pasarte la vida mirando el móvil.

Le señalé la funda del suyo.

—Parece que tú has conseguido arreglártelas —dije dorándole la píldora todo lo más que me atreví.

Inspiró con fuerza y me pregunté si había metido la pata, pero acto seguido miró con nostalgia la fotografía de la funda unos segundos antes de sonreír y hacerle un gesto con una mano al camarero mientras guardaba el teléfono en el bolso con la otra.

—Estamos listas para pedir —increpó a otro camarero que pasaba corriendo, pese a que no era el que teníamos asignado a la mesa.

Cogí la carta y la hojeé a la carrera.

—Yo voy a empezar con la ensalada César. Y de segundo, pallarda de pollo —dijo tendiéndole la carta mientras tanto él como yo hacíamos lo que podíamos por seguirle el ritmo.

—Yo empezaré con una *caprese* —dije intentando escoger algo distinto—. Y de segundo, las vieiras, por favor.

—¿Podría sugerirles a las señoras que prueben nuestro pan de la casa? —Un segundo camarero con una cesta de pan y unas pinzas se había acercado a la mesa.

«Es imposible que esta mujer coma carbohidratos.»

—Uno de aceituna y otro blanco, por favor —ladró Vivienne—. ¿Y puede traerme un poco de la mantequilla buena que tienen en cocina, la que es batida? —Volvió a mirarme—. El aluminio le da un regusto metálico, ¿no te parece?

No me lo parecía, pero asentí.

—Para mí de multicereal, por favor —pedí estirando el cuello sobre la cesta.

El bollito estaba recién hecho y unos bucles de vapor se desprendieron del pan cuando partí la corteza crujiente.

—¿Tienes ganas de que llegue el seminario de primer año? —me preguntó Vivienne partiendo a su vez el pan—. Creo que están organizando el retiro en algún sitio cálido en febrero, para intentar compensar que los asociados de primer año tengan que trabajar en Navidad y Año Nuevo.

Bueno, eso ponía el punto y final a las conversaciones que había tenido con Sam sobre adónde ir de vacaciones en Navidad.

—Desde luego —dije.

Aunque sonara raro, no mentía: en teoría, pasarte el día en un salón de actos de un hotel mientras fuera brillaba el sol de California no era el colmo de la diversión, pero lo cierto era que todavía no estaba tan acostumbrada a mi nueva realidad financiera como para no emocionarme por un viaje con todos los gastos pagados a la otra punta del país, en una habitación de un hotel de lujo solo para mí, con sus zapatillas, sus albornoces y sus sábanas de algodón egipcio… y barra libre de alcohol.

Vivienne estaba otra vez leyendo los correos en el móvil.

—Estupendo —masculló por lo bajo con sarcasmo mientras escribía una respuesta rápida—. Este año me toca dar una de las charlas, así que nos veremos por allí. No te pongas bikini.

Tragué el bocado antes de haber masticado del todo el bollito.

—¿Perdón?

—Que no te pongas bikini cuando bajes a la piscina en el tiempo libre que os den —me dijo mirándome, con los ojos de pronto más luminosos y la voz más animada—. Una vez que tus compañeros hombres te ven en bañador, ya solo son capaces de imaginarte en bañador para el resto de las reuniones que tengas con ellos en tu vida. —Debió de ver el escepticismo en mi cara, porque añadió—: Hazme caso.

Asentí, pero deseosa de cambiar de tema.

—Entonces, ¿fuiste socia de Gifford antes de entrar en Klasko?

—Sí. No fue un camino de rosas ser la nueva del bufete. Tenía la sensación de que debía demostrar quién era a cada paso. Y dar el pego. Tú tienes suerte: has empezado de cero aquí, y además ya das el pego. —Me dedicó una breve sonrisa para hacerme ver que lo decía como un cumplido, y tuve la sensación de que de pronto disfrutaba de mi compañía.

Intenté imaginarme a Vivienne con algo que no fuera sus ropas profesionales estilosas, perfectamente a medida, y me pregunté qué se ponía antes de «dar el pego».

El ayudante de camarero me despejó el platillo con las migas y el de ella con dos bollos enteros, abiertos, pero en su integridad, así como el cuenquecito sin tocar de la mantequilla.

Tuve la sensación de que me había engañado adrede para que fuera yo quien comiera carbohidratos.

Me estuvo hablando del trabajo en Mercados de Capitales mientras nos comíamos las ensaladas, y en los segundos se ofreció a asignarme a alguna de sus operaciones. Yo le sonreí obsequiosamente y se lo agradecí, a pesar de que por dentro me aterrara la perspectiva de trabajar para ella. Le tendió al camarero la tarjeta de crédito cuando nos trajo la cuenta y firmó sin revisarla y, casi con toda seguridad, sin añadir el «mag.».

Volvimos al despacho caminando en silencio mientras ella respondía correos sobre la marcha en el móvil del trabajo. Una vez en el vestíbulo, nos cruzamos con Carmen y Roxanne, que parecían ir a comer juntas. La primera me saludó con la mano y la segunda me la chocó antes de perderse por la puerta giratoria sin mediar palabra.

Vivienne levantó la vista del teléfono.

—¿Tus amigas?

Asentí.

—Mi promoción es estupenda. Me ha venido muy bien tener amigos de verdad mientras me ajusto a la vida en un bufete grande.

Vivienne me miró fijamente.

—Hum... —Por fin soltó el móvil y lo guardó en el bolso—. Erich Fromm decía que la inteligencia es la herramienta que tenemos más a mano para manipular con éxito el mundo. No sé si sabes por dónde voy... —Empecé a asentir lentamente antes de permitirme negar con la cabeza; ella rio como si se lo imaginara—. Lo único que digo es que te andes con ojo. Si metes en un mismo saco a mucha gente inteligente y ambiciosa que compite por un mismo fin, el resultado es..., bueno, que rara vez en este mundo la gente es lo que parece. —Esbozó una sonrisa amplia—. Ha estado muy bien, Alex. Espero que repitamos pronto.

Yo no tenía nada claro si me lo había pasado bien o no. No lo había pasado mal. Tenía la ligera sensación de acabar de perder un duelo de egos, aunque no porque sintiera que Vivienne me había atacado en modo alguno. Solté el aire mientras ella se despedía con un gesto vago, casi como si acariciara el aire tras ella, y se alejaba hacia los ascensores del fondo.

De: Peter Dunn
Para: Alexandra Vogel
Asunto: RV: Goldshore
Hola, Alex:

Lee el hilo de más abajo. La reunión con Goldshore para el pistoletazo de salida es mañana. Añádelo a tu agenda, por favor. Los plazos son apretados, y como el asociado sénior de esta operación tenía programadas unas vacaciones, tú serás la única asociada dedicada a la operación en las próximas semanas. Sé que va a coincidir con Acción de Gracias, pero haremos lo que esté en nuestras manos para asegurarnos de que al menos disfrutes del jueves. Va a ser una gran oportunidad para ti. Y mucho trabajo. ¡Confío en que estarás a la altura!
Peter

De: Alexandra Vogel
Para: Peter Dunn
Asunto: RE: RV: Goldshore

Hola, Peter:
Gracias. Ahora mismo anoto la reunión en la agenda. ¡Por supuesto que estaré a la altura! Muchas ganas.
Saludos,
Alex

11

—Nena, de verdad, ya está bien, que es Acción de Gracias —me dijo Sam con un ligero quejido en la voz.

Iba al volante del coche que habíamos alquilado para ir a casa de mis padres en Connecticut, poniendo las largas cada dos por tres para iluminar la embarrada carretera entre zonas residenciales que serpenteaba ante nosotros en la noche sin luna. Yo iba escribiendo como loca en el móvil, con el portátil abierto en el regazo, haciendo cambios para poder guardarlos en el sistema en cuanto consiguiera wifi. Mi plan de intentar pasar desapercibida para los socios no había durado más de una semana. Había otro asociados séniores que se habían pedido los días para ir a casa de sus padres en Acción de Gracias y a los de primer año nos tocaba cubrirlos. Me vi camino del puente de cuatro días metida en tres operaciones, la última de Peter y dos nuevas de Matt.

—¡Lo sé, lo sé! ¡Perdona! Es que estoy intentando hacer esto ahora para poder pasar más tiempo con vosotros cuando llegue. —Sam asintió, pero no lo vi muy convencido—. ¡Lo siento! —supliqué.

—Ya.

—De verdad —repetí derrotada.

Me puso la mano derecha en la rodilla y, cuando contorsioné el brazo por el codo para no rozarle mientras escribía, noté que ponía cara de hastío y volvía a colocar la mano en el volante.

—¡Bichito! ¡Mi bichito en casa! —Mi madre corrió a la entrada en cuanto abrimos la puerta.

Antes incluso que ella me llegó una gustosa bocanada a asado y a algo dulce con canela. Sentí una calma instantánea y dejé las maletas en el suelo para lanzarme a sus brazos.

—¡La casa huele de maravilla!

Cerré los ojos e inspiré. Cuando los abrí, se me cayó el alma a los pies. No había cambiado absolutamente nada en la casa en la que me había criado: el mismo mantel de flores vestía la mesa de formica; el mismo cojín con el «El hogar está donde tenemos el corazón» en croché ocupaba un lugar destacado en el sillón reclinable... Supongo que no me había fijado en lo desfasada que estaba la decoración hasta que había tenido que decorar un piso de adulta propio. Y en cierto modo la casa parecía haber encogido, porque las paredes se me venían encima.

Empezó a darme calor y me tiré del cuello del jersey.

—¿Hace calor o soy yo? —Me abaniqué con los faldones de la camisa.

—Puede que un poco, por el horno. Voy a abrir una ventana. —Mi madre siguió charlando mientras iba a la ventana y dejaba entrar un poco de aire fresco—. Estoy haciendo coles de Bruselas, *cornbread* con jalapeños y *cheddar,* judías verdes con crema de setas gratinadas, *chutney* de arándanos y naranja, redondo de cerdo y el pavo, por supuesto. Sam, tu madre va a traer una tartaleta de verduras y dos empanadas. La tía Sue trae la ensalada y la macedonia. ¿Me falta algo?

—¿Cómo quieres que lo sepa? —pregunté con más brusquedad de lo que pretendía; a mi madre se le cambió la cara y dejó caer las manos a ambos lados y en el acto me sobrevino una punzada de culpabilidad—. Es que ¡acabo de llegar! ¿Te importa si hago una cosa de nada del trabajo y luego repasamos el menú completo?

—¡Claro! Tienes el ordenador preparado en el sótano, todo para ti.

—Traigo el mío. —Saqué el portátil de Klasko de la funda.

—Por cierto, estamos sin wifi. Se nos vino abajo con la última tormenta. Hemos intentado arreglarlo, pero ¡se empeñan en darnos un plazo de seis horas para concertar la cita! ¿Quién tiene tanto tiempo para estar esperando? Utiliza nuestro ordenador y ya está.

Me quedé mirándola: yo desde luego no tenía tanto tiempo, pero tampoco sabía muy bien en qué más ocupaba ella sus días.

—Mamá, es que necesito internet en mi portátil. Tengo archivos guardados en local… —Respiré hondo y me llevé el índice a la sien—. ¿Tenéis el ordenador en red? ¿Lo único que está caído es la wifi? Supongo que podría utilizar el vuestro si está conectado a la red —dije, pensando que solo tenía que volver a hacer el trabajo que había hecho en el coche si no conseguía conectarme con el portátil.

—No hay internet —repitió mi madre como un robot.

Miré a mi novio en busca de ayuda.

—A lo mejor hay un Starbuck de los que abren veinticuatro horas —propuso él.

Ladeé la cabeza esperando verlo reír… Pero hablaba en serio. Me había acostumbrado a las impresoras de alta velocidad, a las pantallas de ordenador del doble de ancho y a las sillas de oficina ergonómicas. Trabajar desde casa de mis padres ya era de por sí un engorro. Me negaba a verme castigada sentándome en un Starbuck remoto de un barrio residencial de Connecticut porque mis padres todavía no hubieran llegado al siglo veintiuno. Tenía que haber una solución, pero estaba claro que tendría que buscarla y encontrarla yo.

—Madre mía. —Saqué el móvil y avancé por la casa mientras ellos dos se quedaban en la entrada y yo empezaba a redactar la lista mental de todas las cosas para las que necesitaba internet en el puente. «Número 1: Todo.»—. No sé cómo podéis vivir así —refunfuñé.

Mi madre me siguió mientras daba vueltas por la casa buscando el número del soporte técnico de la empresa.

—Centro de ayuda tecnológica de Klasko & Fitch. Le atiende Arthur, ¿en qué puedo serle de ayuda?

—Hola, Arthur. Soy Alex Vogel de la oficina de Nueva York. Estoy en Connecticut, a un par de horas de la capital, de puente, y estoy sin wifi.

—¿Y qué van a poder hacer ellos? —preguntó Sam, más para mi madre que para mí, y ella asintió, como si yo estuviera fatal de la cabeza.

—Ah, ¿que me podéis mandar un mensajero con un rúter 4G? A las once es estupendo. —Le guiñé un ojo a Sam en un gesto algo exagerado—. No, no sabía que fuera posible... Sí, lo tengo aquí... No, te llamo desde mi terminal personal, tengo el teléfono del trabajo en la otra mano... Vale..., vale..., okey. Perdona, ¿qué?... ¡¿De verdad?! No tenía ni idea. Eres un genio. Espera, déjame ver si funciona. —Abrí el ordenador y puse el móvil al lado.

—¿Qué haces? —susurró mi madre.

Odiaba cuando susurraba solo porque estaba hablando por el móvil, como si así me molestase menos con su pregunta.

—Estoy utilizando el móvil de trabajo como punto de acceso personal. No me había dado cuenta de que podía hacer eso. —Mi madre asintió, como si lo entendiera, y luego se dedicó a ofrecerle comida a Sam.

—¡Lo tengo! Cuatro rayas. Gracias otra vez. Eres el mejor. Igualmente, un buen puente para ti también. —Colgué con una sonrisa.

—¡Fiu! —suspiró mi madre—. ¿Qué quieres que te prepare para cenar? Sam va a tomar una ensalada y un poco de pollo.

—No tengo hambre —dije sin levantar la vista de la pantalla; en realidad estaba muerta de hambre, pero pocas cosas le daban más placer a mi madre que darle de comer a la gente, y negarle ese placer era la forma de castigarla por mi frustración con lo de internet—. ¿Y papá?

—En la bodega del sótano, escogiendo las botellas para el fin de semana. Ya mismo está...

Como si le hubieran dado el pie para entrar en escena, mi padre apareció por la puerta con una caja de madera con botellas de vino que soltó en la isla de la cocina antes de atraparme en su abrazo. Enterré la cabeza contra su pecho y respiré hondo.

—¿Qué pasa? —Mi padre me apartó un poco y se me quedó mirando.

Yo no pude evitar fijarme al instante en el cuello deshilachado de su camiseta, así como en los vaqueros, que le quedaban grandes, y en sus calcetines desparejados. Aunque me habría gustado que no me molestaran esos detalles, contraje ligeramente la cara.

—¡Nada! Es solo que estoy cansada. Tengo el cerebro fundido.

Cuando volví ante el portátil, mantuve los ojos centrados con una precisión de láser en mi trabajo para no tener que ver las miradas de soslayo que intercambiaban Sam y mis padres mientras mi madre preparaba una cena con sobras y lo primero que pilló. A mí me apetecía una ensalada fresca, un plato ligero que no me diera sueño mientras trabajaba o algo de pescado, pero nos puso unos medallones de pollo precocinados y una lechuga empapada en salsa barbacoa. Los tenedores de Sam y mi padre a punto estuvieron de chocar cuando ambos se abalanzaron sobre el pollo, pero yo me excusé para levantarme sin tomar nada.

—¡Yo te preparo lo que te apetezca! —me dijo mi madre—. Es que no tenía fuerzas para ponerme a hacer una comida en condiciones teniendo mañana que darle de comer a treinta personas.

—He dicho que no tengo hambre —dije sin volverme.

Necesitaba inventarme una excusa para volver a la ciudad, a la civilización, después de la cena del día siguiente. No podía pasar allí todo el puente. ¿Cómo había podido vivir dieciocho años en aquella casa? La animada conversación entre Sam y mis padres se volvió un susurro vago, seguramente hablando de mí. Cuando me metí en el sistema de Klasko, tenía cuarenta y un mensajes sin leer, todos relacionados con la operación de Peter.

Apagué el ordenador a una hora decente, sería medianoche, aunque se me olvidó mirar el reloj de la pantalla. Desde que me fui de casa para estudiar fuera, nunca me acordaba de cuáles eran los relojes de casa de mis padres que estaban en hora; algunos iban una hora retrasados para ahorrar en luz, otros, quince minutos adelantados para animar a mi madre a llegar a tiempo, y otros parecían ir más despacio de lo normal. Cuando acabé por esa noche, lo único que sabía era que debía de ser bastante tarde porque Sam ya había subido a acostarse en mi antiguo cuarto. Recorrí las escaleras sigilosamente en medio de la casa en penumbra, evitando el escalón que crujía con el grácil saltito que tan bien había perfeccionado durante los años del instituto: por mucha cerveza que consumiera, no lo pisaba. Con todo, mi padre salió de la habitación principal y fue a mi encuentro en el rellano.

—Hola, papá.

—Concédele un segundo a tu anciano padre. —Señaló a las escaleras y lo seguí hasta la cocina, donde nos sentamos a la mesa de comer—. ¿Cómo estás, cielo?

Me miró detenidamente, con cara de padre protector. Tenía la camiseta de Klasko & Fitch que le había regalado cuando me hicieron la oferta para trabajar en el bufete dada de sí por el cuello, y la llevaba con los pantalones del uniforme del hospital que siempre se ponía para dormir.

—¡Estoy bien! Solo me he agobiado un poco porque no tenía internet.

Miré la cocina a mi alrededor, los armarios pasados de moda y la pintura ligeramente desconchada en la que nunca antes había reparado. De pronto me vinieron ganas de llorar, no tanto por esas cosas, sino porque las veía y ahora me importaban. Me hurgué en un padrastro imaginario.

—No tienes por qué ponerte esa camiseta solo porque es regalada.

Mi padre se miró el pecho.

—No me la pongo porque sea regalada, sino porque estoy orgulloso de ti. —No quería llorar, de verdad que no, pero se me humedecieron los ojos—. Sabemos que estás trabajando muy duro y que estás estresada. —Me puso la mano sobre la mía y miré su gruesa palma y luego a sus cálidos ojos castaños.

Se me saltaron las lágrimas y me rodaron por la cara. ¿Estaba perdiéndome a mí misma por este trabajo?

—Estoy estresada, no triste —intenté tranquilizarlo, enjugándome la mejilla y serenando la respiración; tenía la palma mojada…, quizá sí que estaba triste—. Estoy deseando no trabajar mañana.

—Nosotros te queremos y estamos orgullosos de ti. Y también preocupados. Anda, ve a dormir un poco.

Se inclinó para darme un beso en la coronilla y salí corriendo de nuevo escaleras arriba para acurrucarme bajo las mantas al lado de Sam. Sentí el colchón abultado y viejo y eché de menos mi cama de Nueva York, la que yo había escogido con el sobrecolchón mullido. Supe por la respiración de Sam que seguía despierto, y suspiré complacida para hacerle ver que estaba a punto de dormirme y acabar así con cualquier deseo que tuviera de hablar conmigo.

—¿Nena?

«Mierda.»

—Ey, cariño —le dije acurrucándome contra él y con la esperanza de que apreciara la suavidad en mi voz y me dejara tranquila.

Pero inspiró hondo. «Por favor, no empieces una pelea ahora. Por favor.» De pronto recordé que tenía una cosa para distraerlo y salté de la cama.

—¡Tengo una sorpresa! —Encendí una lámpara y rebusqué en la bolsa de viaje hasta que saqué una cajita azul celeste—. Casi se me olvida. Es una tontería, una cosa de nada. Pero los vi y me acordé de ti. —Le tendí el estuche de Tiffany y él se incorporó en la cama, confundido pero sonriente, y lo abrió, pero al instante se le borró la sonrisa y se le frunció el ceño—. ¡Son gemelos! —le expliqué, y luego añadí—: Se pueden devolver.

Sam forzó una sonrisa y asintió.

—¡No voy a devolverlos! Me encantan. Gracias.

Capté el entusiasmo artificioso en su tono y se me hizo un pequeño nudo en la garganta. Él nunca llevaba gemelos. Era un regalo absurdo. Ni siquiera se ponía camisas de cuello rígido. Apagué la luz para que no me viera la expresión y me quedé unos instantes con la mano en el interruptor, mientras se me hacían los ojos a la oscuridad, antes de volverme a la cama.

Me di cuenta, en aquella oscuridad tranquila y cálida de pueblo residencial, que me decepcionaba menos el hecho de que no le gustara mi regalo que el que él no fuera la clase de hombre que se pone gemelos. Supe que era una ridiculez, pero lo sentí así. Quería que Sam tuviera reuniones importantes y que le apeteciera ir bien vestido. Y no tenía nada que ver con el éxito; tenía que ver con que yo estaba rodeada de gente que se los ponía, a la que le apetecía ponérselos. El mundo tecnológico y de las *startups* veía con malos ojos los trajes y los zapatos brillantes, las etiquetas de marca y todo aquello con lo que yo había empezado a familiarizarme y por lo que me sentía atraída.

Me permití unos instantes más de pie junto a la cama y luego me metí a su lado de nuevo.

—Gracias por los gemelos —me dijo para intentar tranquilizarme.

Apoyé la cabeza en su hombro. Aunque odiara el regalo, esperaba haber tenido éxito en mi maniobra de distracción para no hablar de los horarios que tenía últimamente.

—Tenemos que intentar llevarlo mejor —me susurró.

«No caería esa breva.»

Se quedó mirando al techo mientras me rodeaba con un brazo y me dibujaba un círculo en el hombro con el pulgar.

¿Llevar qué mejor?

—Ya lo sé —dije, aunque no era cierto—. Siento mucho haber tenido que trabajar esta noche. ¡Pero mañana tengo el día libre! —Fingí un bostezo.

—No es justo ni para tu familia, ni para ti ni para nadie que pases tanto tiempo en el trabajo y que, cuando no estás en el bufete, estés o trabajando o agobiada porque tendrías que estar trabajando.

«Es justo para mis clientes.»

—Sam, no sé si te acuerdas, pero esto era en parte el trato: unos años de trabajo duro.

—Pero esto no es trabajar duro, esto es una locura.

Me incorporé, con las piernas todavía bajo las mantas, y abrí la boca, preparada para preguntarle cómo creía él que podíamos permitirnos el piso donde vivíamos o los miles de dólares que cargaba en mi tarjeta de crédito cuando se compraba en JackRabbit su ropa para el maratón o alquilaba salas de reuniones en WeWork todos los meses. En lugar de eso, me obligué a apretar la mandíbula y relajarla luego.

—No es una locura, es la élite de la abogacía. Son gajes del oficio. Ahora mismo nuestra relación no puede girar solo en torno a ti. —Sentí el peso de la colcha de *patchwork* sobre las piernas y la tiré al suelo.

—Eso es superinjusto, Alex, y lo sabes. No todo tiene que girar en torno a mí, y nunca ha sido así, para el caso. Pero sí debería girar a medias en torno a mí. Así funcionan las relaciones.

—Sí, tienes razón. Pero debería ser de media, no todos los días. Yo tuve mucha paciencia cuando tú empezaste con tu empresa y te ibas a congresos tecnológicos y a reuniones con inversores siete noches a la semana. Te metías maratones de programar que duraban días. Y yo no me quejé ni una sola vez cuando estábamos en Cambridge y tenía que limpiar lo que tú dejabas a tu paso, lavar los platos o hacer todas las noches la cena porque no podíamos permitirnos comer fuera. Y todo eso mientras estudiaba hasta reventarme los codos. ¿Y sabes por qué? —Estaba callado, y opté por no sacar a relucir que en realidad no me había quejado entonces porque tampoco lo llevaba tan mal—. Porque te quiero, y la gente que se quiere se apoya entre sí. Y da más cuando la otra persona necesita más. Porque con el tiempo la balanza se compensa.

Volví a apoyar la cabeza en la almohada y lo oí respirar enfadado.

—Ostras, ahora sí que hablas como una abogada.

Giré la cabeza como un resorte y luego abrí la boca y la cerré.

—Tienes razón, amor —repliqué—. Me aseguraré de decirles a mis clientes que no puedo trabajar pasadas las cinco porque tú necesitas tu cena y tu masaje de pies. Lo entenderán. Y en cuanto tengamos hijos dejaré mi trabajo, así que, total, ¿qué sentido tiene trabajar tanto?

—Madre mía, Alex —gruñó, y luego se volvió de costado en la cama para apartarse de mí.

Yo no dije nada, y a los pocos minutos, cuando sentí que la respiración se le hacía más profunda, me hirvió la sangre al ver que era capaz de dormirse tan tranquilo en medio de una pelea. Yo me removí a su lado en un vano intento por hacerle la noche tan insomne como la mía.

A pesar de que solo había dormido unas horas, la luz relajante de la mañana me ayudó a calmar la crispación. Era Acción de Gracias, nuestras familias iban a juntarse y podíamos dar la pelea por zanjada. Mientras me lavaba la cara y me sentía dispuesta ya a aceptar sus disculpas, Sam entró en el baño al otro lado del pasillo, pasó a mi lado sin decirme una palabra, abrió la ducha y se metió dentro.

«Vale, si eso es lo que quiere… Vale.»

Pusimos la mejor cara que pudimos para nuestras familias, gravitando por la misma zona como dos nortes magnéticos sin acercarnos nunca demasiado el uno al otro. Me entretuve ofreciéndoles bebida a sus parientes, sonriendo con sus historias. Lucas se había apuntado a kárate, y me reí demasiado fuerte cuando me enseñó la patada circular que había aprendido, convencida de que nadie más de los presentes notaba la tensión entre ambos.

En esos años, nuestras familias se habían visto en un par de ocasiones, pero eran las primeras fiestas que íbamos a pasar juntos, y todos los demás parecían estar disfrutando de la compañía. No era de extrañar: ambos veníamos de hogares que privilegiaban los logros académicos. Siempre me había reconfortado lo parecidas que habían sido nuestra infancia y educación, pero ese día, allí sentada a la mesa de aquella cena de Acción de Gracias, se me ocurrió pensar que, en cierto modo, elegir a alguien tan similar a mí delataba estrechez de miras y una cosmovisión reducida. Había trabado amistad con el hijo de un diplomático y con una mujer que se había criado en Singapur, así como con algunos de los abogados más poderosos de Manhattan: no podía evitar imaginar que sus conversaciones de Acción de Gracias serían mucho más interesantes y avanzadas.

La sobrina de ocho años de Sam, Sari, me sacó de mis pensamientos cuando preguntó si los veintidós comensales allí reunidos pensábamos hacer la ronda de la mesa diciendo cada uno por qué estaba agradecido y qué deseaba para el año siguiente. Me pareció una petición tan tierna que puse en pausa el centrifugado del cerebro. Escuché a mi padre dar las gracias por lo que cocinaba mi madre y desear que dejara de ponerlo a dieta. Mi madre agradeció que mi padre por fin hubiera perdido cinco kilos y, en consecuencia, hubiera parado de roncar, y deseó que eso significara que ese año que entraba iba a dormir más.

Sam fue el siguiente.

—Yo le estoy agradecido a Alex por lo duro que trabaja todos los días para dejarme perseguir mi sueño de montar mi propia empresa.

Me puso la mano sobre la rodilla bajo la mesa y, cuando levanté la vista, vi lo que me parecieron expresiones de expectación en las caras alrededor de la mesa. ¿Qué estaban esperando? «Ay, Dios, por favor, no te declares. Por favor, no me pidas matrimonio.» De pronto sentí que estaba en una jaula, atrapada sin remedio y a perpetuidad en un mundo de pintura desconchada, cojines de croché y conexiones de internet que iban y venían. «Ay, Dios, por favor, no me hagas esto.»

—Eso es todo —dijo Sam alegremente—. ¡Vamos a comer!

Sentí que la vena de la sien derecha se me vaciaba de sangre y liberaba algo de presión. Solté aire lentamente, y aunque el corazón me seguía martilleando a una velocidad de pánico, al menos se me disipó la tensión del cuello.

Todo el mundo seguía con la vista puesta en Sam, pero por fin mi padre rompió el silencio.

—¡Bueno! —anunció casi a regañadientes—. Me encargaré del pajarraco.

Por toda la mesa empezaron a parlotear nerviosos, y crucé una mirada con Sam y me obligué a sonreír. Se saltaron mi turno sin más. No tuve oportunidad de decir por qué estaba agradecida o qué deseaba, pero me vino bastante bien porque en realidad no tenía ni idea de qué decir.

Cuando volvimos el domingo por la noche a la ciudad, esperé a que Sam estuviera en el baño para hurgar en su bolsa. No tardé en encontrar lo que estaba buscando: una cajita pequeña de terciopelo. El corazón me dio un vuelco cuando me lo acerqué a la cara y lo abrí.

Era un anillo impresionante —talla de esmeralda con *baguette* cónica—, y comprendí que mi madre debía de haberle ayudado a escogerlo. Y era enorme, y pensé que mi padre debía de haberlo ayudado a pagarlo.

Todas las cualidades que siempre me habían enamorado de Sam pasaron a un primer plano. Me centré en su amabilidad, su rectitud moral, su franqueza. Cuando no pensaba en el futuro, me daba igual que no tuviera dinero y me daba igual si no llegaba a tenerlo nunca. Me importaba poco que no encajara con mis amigos de Klasko o que nunca se le hubiera ocurrido planear una cena divertida para dos. Intenté coger las riendas de mi mente galopante. Cerré los ojos mientras los acontecimientos de Acción de Gracias volvían corriendo a mí y contraje el gesto al recordar esas caras expectantes.

¿Por qué no había querido que Sam me pidiera matrimonio? Era un hombre bueno. E inteligente. Todavía disfrutábamos mucho con el sexo. ¿No es eso lo que quieren la mayoría de las chicas? ¿Casarse?

No hacía falta que me empeñara en analizar mis sentimientos. Al final no se había declarado, de modo que no tenía por qué pensar en eso ahora. Eché mano de mi teléfono del trabajo como si fuera un trago bien cargado y leí rápidamente los mensajes sin leer hasta que noté un líquido cálido en los dedos. Me quedé mirando horrorizada los surcos rojos que me había hecho en el antebrazo y que empezaban a sangrar, así como los trozos de piel bajo las uñas. Me miré el brazo sin dar crédito, como desligada de la realidad por un momento, antes de ir a la cocina a limpiarme. Me deleité con el escozor del jabón.

—Ostras, qué movida. —Carmen se llevó la mano a la frente cuando terminé de contarle lo ocurrido, en una versión acelerada, antes de que empezara el diluvio matutino de correos ese lunes después de Acción de Gracias—. No es poca cosa.

—Desde luego: el anillo era enorme.

Mi amiga se levantó de la silla y empezó a ir de una punta a otra de la habitación, aunque solo podía dar un par de pasos antes de tener que dar media vuelta.

—Entonces, la verdadera cuestión aquí es: ¿crees que querrás casarte con él algún día?

—¿Esa es realmente la pregunta? ¿La cuestión no es por qué no quiero casarme con él ahora?

Carmen se detuvo y se quedó mirándome.

—Porque no crees que sea el definitivo para ti. Al menos, de momento —respondió con cierto tono de disculpa por ser tan franca mientras yo me dejaba caer en la silla al comprender que tenía razón—. Y la cuestión no es si lo quieres o no, porque ambas sabemos que la respuesta es que sí —dijo con tacto.

Tenía razón, a qué negarlo. Eché la cabeza hacia atrás y fijé la vista en el techo.

—Es que no sé... Antes hacíamos una pareja estupenda. Tenía unas ganas locas de casarme con él. O quizá disfrutaba del consuelo de saber que ese era el plan. Pero desde que he empezado a trabajar aquí... —Entrelacé las palmas de las manos con fuerza y luego las separé, cada una hacia un lado—. A lo mejor es solo una fase de reajuste.

—Puede ser.

—A veces tengo la sensación de que no encaja en este mundo —dije señalando el despacho—. Y creo que a mí me gusta este mundo.

Un timbre metálico proveniente del ordenador me recordó que me esperaban dentro de cinco minutos en el despacho de Peter.

—Continuará —me aseguró Carmen.

Unos días más tarde, estaba volviendo a mi oficina a las ocho de la tarde, en la que era la primera vez que la pisaba desde que había salido esa mañana para una reunión tras otra en la planta 45, cuando Anna me anunció desde su cubículo:

—Ha llamado Jordan. Tres veces.

Asentí mientras entraba corriendo a la oficina y cerraba la puerta a mi paso. Marqué su número antes incluso de sentarme a la mesa.

—¿Cómo va tu operación con Peter? —me preguntó Jordan a modo de saludo.

—Bien. —Resucité el ordenador e introduje la contraseña mientras me regodeaba en lo territoriales que Matt y él se habían vuelto conmigo: ojalá eso significara que iban a ponerme en lo alto de la lista de elegidos cuando llegara el día de asignarme a un departamento—. ¿Qué pasa?

—Esta noche hay fiesta en el sótano de casa de mi madre —anunció Jordan.

—¿Cómo?

—En la planta cincuenta y seis. «El sótano de casa de mi madre» es la temática de la fiesta. Un barril de cerveza, birrapong y hiphop noventero. Es el último adiós antes de que mañana instalen las cámaras de seguridad.

Me imaginé por un momento la banda sonora de mis años de instituto sonando a todo trapo en un espacio que pronto se reservaría para almuerzos de empresa y reuniones telefónicas de altos vuelos.

—Qué buena. Me encanta la idea.

—¡Yo subo ya! Vente.

—No puedo. Anoche me quedé aquí a dormir. Estoy agotada y se supone que hoy me toca hacerle la cena a Sam... —No me gustó cómo había sonado eso último al salir de mi boca.

Habría preferido subir y tomarme unas cuantas con Biggie y Tupac sonando de fondo. La idea de pasar una noche tranquila con Sam en casa mientras comíamos algo que yo hubiera preparado y escuchaba la historia del último impedimento para conseguir financiar su empresa me pareció imposiblemente tediosa en esos instantes. Pero le había prometido que iría a casa a cenar.

—Dile a tu novio que se venga. Seguro que pedimos comida tarde o temprano.

Me debatí contra la imagen mental de Sam con sus vaqueros anchos y su jersey gastado al lado de Jordan en su traje a medida perfecto. No tendrían nada de que hablar, nada.

—Jugar al birra-pong en mi trabajo no es la idea que tiene Sam de divertirse.

—Vale, tú verás, no es problema mío que el chaval no sepa lo que es divertirse. Tengo que irme. Peter y Matt están ya arriba con Carmen y como veinte personas más. —Dejó que la última frase me calara para hacerme ver que mi compañera estaría estrechando lazos con los socios que eran los guardianes de nuestra carrera profesional en F&A.

—¿Carmen ha subido? —pregunté, demasiado cansada para no picar el anzuelo.

Jordan soltó una risa sádica.

—Sí, allí está asegurándose su plaza en la cincuenta y seis. Va a subir todo el equipo en cuanto termine.

—Te odio.

—Me quieres. Nos vemos dentro de diez minutos. —Colgó.

Le mandé a Sam un mensaje disculpándome porque mi operación había estallado por los aires en el último minuto y tenía que quedarme en la oficina, pero le prometí que lo compensaría por ello. Me tiré del cuello de la camisa hacia fuera y agaché la cabeza para ver si olía muy mal. No recordaba la última vez que le había robado tiempo al trabajo para ducharme, pero, desde luego, no había sido en las últimas veinticuatro horas. Miré el reloj: las ocho de la tarde. Cerré la puerta, me desvestí y me puse la última blusa limpia de las que había empezado a guardar en el despacho y metí la ropa sucia en la bolsa de la tintorería de Klasko que estaba marcada con mi número de empleada. Salí disparada de la oficina justo cuando el hombre corpulento del bigote grande de Limpiezas Paradigma con el que tantas noches me cruzaba terminaba su ronda por la planta.

—¡Perdone! ¿Podría añadir esta bolsa al servicio de veinticuatro horas? —grité corriendo tras él.

Se volvió, me miró de arriba abajo y dejó caer la mandíbula. Enderecé la columna, en un intento por parecer más compuesta. Pero se me quedó mirando con un brillo de ligera estupefacción en la mirada, de modo que opté por volver a mi oficina con un «gracias» seco. Me puse el abrigo, convencida de que todavía no habrían instalado calefacción en la planta deshabitada, y me encaminé a la fiesta.

El suelo seguía siendo de cemento visto y tenía cinta pegada para marcar por dónde iban a levantar las paredes de cristal de las oficinas, pero el techo estaba acabado, y las ventanas, selladas y destapadas, dejando a la vista un espectacular panorama de Manhattan de 360 grados. Por unos altavoces atronaba *No Diggity* mientras veinte o más asociados, secundados por Matt y Peter, rodeaban un barril y Jordan colocaba vasos de plástico rojo en triángulos perfectos a ambos lados de una mesa de pimpón. Hacía algo de corriente, pero el ambiente no estaba tan frío como para seguir con el plumífero puesto, así que empecé a bajarme la cremallera.

Hasta que vi de pronto que Carmen venía hacia mí a todo correr. En cuanto llegó a mi altura, me envolvió en un abrazo feroz y fuerte que me dejó paralizada y con las palmas contra los muslos.

—No te quites el abrigo —me ordenó en voz baja mientras me subía la cremallera y se apartaba unos centímetros.

La miré de hito en hito, algo molesta.

—¿Qué te pasa?

Miró hacia atrás y luego volvió conmigo y dejó que se le dibujara una sonrisa por la cara.

—¿Qué mierda pasa? —exigí saber de nuevo.

—Que no llevas falda —susurró intentando a la desesperada contener la risa con un puño contra los labios.

Me metí las manos en los bolsillos del abrigo y me palpé las caderas, tanteándome como loca en un intento por demostrarle que se equivocaba, pero solo sentí la parte de arriba de las medias. Carmen estaba ya empezando a reírse como una loca, y yo también solté unas risitas, pero contraje el gesto al recordar cómo me había mirado el de la limpieza y lo seca que yo había sido con él.

—Ay, Dios. ¡No me queda más ropa! Acabo de darlo todo para lavar.

Carmen se enjugó el rabillo del ojo.

—En mi despacho —consiguió decir.

Dejé allí a mi amiga, todavía doblada en dos de la risa, y me fui hacia el ascensor, donde apreté el botón y lo dejé pulsado hasta que se abrieron las puertas.

—¡Gracias! —le grité desde la seguridad de la cabina del ascensor, y ella se limitó a levantar una mano, incapaz de responder nada más.

Sonreí para mis adentros, impresionada de que el código de lealtad entre chicas se hubiera impuesto sobre cualquier asomo de competitividad que hubiera podido sentir Carmen entre nosotras. Me pregunté por un momento si yo hubiera hecho lo mismo por ella antes de convencerme de que sí.

Las puertas del ascensor se abrieron en la planta 30 y entró Kevin con el abrigo puesto y pinta de irse ya a su casa.

—¡Hola! ¿Adónde vas? —preguntó.

—Nada, a coger una cosa del despacho de Carmen. Hay un puñado de gente de F&A jugando al birra-pong en la planta nueva, la cincuenta y seis —le dije, más que orgullosa de que me hubieran incluido.

Kevin resopló con desdén.

—Vaya, todo por la causa y eso... —Lo miré con el ceño fruncido mientras el ascensor me dejaba ya en la planta de Carmen—. Cuídate, Alex. —Se despidió con la mano en un gesto amistoso, aunque sus palabras me habían sonado con un retintín de advertencia.

Al cabo de cinco minutos volví a aparecer en la planta 56 con una falda de Carmen. A mí el dobladillo me rozaba las pantorrillas, cuando a ella, si no recordaba mal, le llegaba a las rodillas, pero por lo demás me quedaba perfecta. Fui directa al barril de cerveza.

—¿Birra? —El asociado pelirrojo al que había visto durmiendo en pleno bufé de ensaladas me tendió un vaso de plástico.

—Gracias. Salud. —Alargué el vaso hacia él.

—Salud —dijo con las manos pegadas a los costados—. No estoy bebiendo, tengo una reunión telefónica dentro de media hora.

Asentí, aprobando lo responsable de su decisión, para acto seguido verlo enrollar un billete de dólar y esnifarse una raya de coca que había sobre la mesa plegable. Escruté la sala, pero nadie parecía haberse fijado.

—¡Pippy! Peter y tú contra Carmen y yo —me gritó Jordan.

Asentí y volví a mirar al pelirrojo, que estaba mirando al techo y humedeciéndose los labios, antes de acercarme a Jordan.

Carmen me guiñó un ojo, aprobando mi falda.

—Te queda ideal.

—El que gane se queda el último despacho de la 56 para la chica de su equipo —le dijo Peter a Jordan con una sonrisa burlona.

¿Sería cierto que solo quedaba una oficina sin dueño en la planta de F&A? ¿Y realmente un juego de beber podía establecer quién se la quedaba? Carmen y yo nos miramos y cambiamos la cara a modo competición.

—Era broma —dijo Peter, que se rio entonces—. Deberíais haber visto la cara que habéis puesto.

Carmen y yo sonreímos, intentando ignorar las miradas que acabábamos de lanzarnos mientras en los altavoces atronaba *Mo' Money, Mo' Problems*. Matt se fue tan campante hasta la mitad de la mesa para hacer de árbitro, con el vaso de plástico hundiéndose en pequeños hoyuelos bajo sus dedos cortos y regordetes. Yo tomé posiciones en la otra punta de la mesa, al lado de Peter, y miré de reojo la fila de pequeños conos naranjas que había todo a lo largo del suelo de cemento a mis espaldas.

—¿Qué es todo eso? —le pregunté a Peter, pero Matt intervino antes de que el otro pudiera responder.

—Ha sido la única forma de que Jordan me convenciera de que hiciéramos una fiesta aquí arriba. Le dije que nadie podía acercarse a esa mitad de la planta con el hueco del ascensor abierto. Esa línea no la traspasa nadie. Zona peligrosa. —Matt meneó la cabeza a cámara lenta mientras apuraba ya la cerveza que acababa de verle rellenar.

Más allá de los conos, vi un espacio todavía en obras y con iluminación industrial, y en el centro, un agujero cuadrado en el suelo con precinto de seguridad alrededor. Aunque estaba a varias decenas de metros del hueco, la idea de una caída de 56 plantas me dio vértigo.

—He ido a todas las ferreterías del centro a buscar los dichosos conos, a todas —dijo Jordan.

—Habrá ido tu asistente —lo corrigió Peter.

—Lo mismo da. ¿He supervisado la misión por correo sí o no? —Jordan rio.

Matt tiró una moneda al aire.

—¿Cara o cruz?

—¡Cara! —chillé sin pensar.

Matt miró la moneda en el dorso de la palma y me tiró las pelotas de pimpón.

—Mi talismán de la suerte —dijo radiante Peter, que me echó entonces el brazo por el hombro.

Carmen se me quedó mirando, y no supe si lo que le molestó fue la competición por la oficina o por la atención que estaba dedicándome un socio tan veterano, pero el caso es que me fulminó con la mirada mientras Peter me tendía una pelota de pimpón.

Peter y yo acertamos nuestros primeros tiros y yo hice otro tanto con el tercero cuando las pelotas volvieron a nuestras manos.

—¡Madre mía! ¡Esta chica sí que sabe jugar! —chilló Peter, que falló por fin rompiendo así nuestra buena racha.

Nos quedamos hombro con hombro, rozándonos las mangas, deseando que Jordan fallara su primer tiro, pero encestó.

—No pasa nada, lo tenemos controlado —me dijo Peter.

Se inclinó hacia mí y, en el acto, una corriente eléctrica pasó de su brazo al mío. La combinación de la cerveza recorriéndome las venas y los grandes éxitos del instituto resonando en los oídos amplificaron lo que normalmente, cuando estábamos en la planta 41, no era más que un cuelgue laboral. Me obligué a hablar para centrarme en algo que no fuera la energía que discurría entre ambos.

—Esta planta es enorme. Y parece mucho más grande sin paredes que dividan los despachos.

—Esta planta tiene quinientos metros cuadrados ¡menos! que el piso de Gary Kaplan —comentó Peter.

Levanté la vista para asegurarme de que hablaba en serio y él arqueó una ceja para hacerme ver que sí.

Carmen parecía cada vez más colorada, aunque no supe decidir si era por la frustración de no acertar ni un tiro o porque no dejaba de beber mientras nosotros acertábamos los nuestros. Vi que cada vez se clavaba los dientes con más fuerza en el labio inferior, tanto que casi dolía verla. Se quedó mirándome la falda, y me pregunté si estaría arrepintiéndose de haber impedido que me pusiera en evidencia. La partida siguió hasta que a Matt se le cayó un vaso entero de cerveza encima del teléfono de Jordan y se cortó la música. Creí que a Jordan iba a darle algo, pero apenas reaccionó y encestó un último tiro antes de ir a enganchar su viejo «teléfono de repuesto» para poner música mientras Matt mandaba un correo al soporte técnico para que tuviera un móvil nuevo esperándolo en su mesa a las nueve del día siguiente. Cogí el vaso donde había desaparecido la pelota de Jordan, se lo pasé a Peter y luego lo miré.

—Está lleno de espuma —gimoteé antes de hundir el índice en la cerveza y rescatarla de la baba blanca.

Sabía que todo lo que salía por mi boca sonaba a coqueteo y estaba muy lejos de ser profesional. Pero Peter me sonrió, animándome a seguir. Nuestras miradas se encontraron y colisionaron, y oí que se le caía la pelota de pimpón de la mano y rebotaba a nuestras espaldas. Esbocé una sonrisa de diablilla mientras corría tras ella, con la cerveza chapoteándome en la barriga.

—¡Lo he visto! —exclamó Matt, y me di la vuelta como un resorte para ver que estaba señalándome con el dedo—. Te estás extralimitando.

Sonreía burlón, y yo no podía creer que hubiera sido tan idiota. ¡Coquetear con un socio en público! ¡Y además casado! Pero entonces me señaló los pies, y miré hacia abajo y vi que me había pasado de los conos. Recogí la pelota de Peter, solté el aire aliviada y le di un sorbo largo a la cerveza.

En cuanto acabó la partida, Matt y Peter empezaron a ponerse los abrigos mientras miraban con cara de nostalgia la escena que estaban a punto de dejar. Me fijé en que cada uno pedía por su cuenta un coche con chófer, aunque estaba convencida de que ambos vivían en el mismo pueblo de Westchester.

—Llamad a un coche de la empresa para volver a casa —gritó Peter por encima de la música—. Y hacedme el favor de dejarlo todo recogido.

—Y pedid algo de comer, por lo que más queráis —añadió Matt mientras entraban en el ascensor.

Cuando se fueron los socios veteranos, los graves de la música subieron de volumen, las luces bajaron, los asociados séniores empezaron a sacar bolsitas con polvos blancos del bolsillo de las chaquetas y a mí empezó a entrarme el sueño. Mientras Jordan le cortaba educadamente una raya pequeña a Carmen con su American Express platino sobre la mesa de pimpón, me fijé en que éramos las únicas mujeres que quedábamos (las otras dos se habían perdido hacía tiempo). Mi compañera se agachó para esnifársela y se incorporó al punto con cara de satisfacción.

—Debería mandarle un mensaje a Derrick —dije, más para mí que otra cosa, y saqué el móvil.

—No lo invites —dijo Jordan, casi escupiendo la orden—. Los de Procesal me han contado que ayer se puso más ciego que la hostia en una cena de clientes. No dio muy buena imagen.

Asentí. «Nada buena, no». Lo llamaría mejor por la mañana.

—¿Quieres? —me preguntó el mismo asociado que me había ofrecido antes la cerveza con una bolsita en la mano y la misma naturalidad con la que los niños me ofrecían chicle en el colegio.

Sacudí la cabeza.

—¿Cómo ha ido esa reunión?

—Ha ido. ¿Quieres una cerveza? —probó de nuevo.

Volví a sacudir la cabeza y miré el móvil en un esfuerzo por distraer el cerebro y dejar de preocuparme por Derrick. Sam me había mandado una retahíla de mensajes en esas últimas dos horas:

¿Cómo va el curro?
¿Estás bien?
O te están machacando o te has dormido.
Te echo de menos.
Me voy a la cama.

Levanté la vista del móvil.

—Venga, sí, me lo he pensado mejor —le dije al asociado, que cerró los ojos y se pasó el dedo por la encía superior.

Por un momento creí que no me había oído, pero quince lentos segundos después me dijo:

—Toma. —Me tendió el billete enrollado y me hizo una raya con mucho esmero.

Hice una pausa breve, preguntándome si debía decirle que no me había metido coca en la vida y no sabía si necesitaba alguna instrucción concreta. Sin embargo, avergonzada por mi ingenuidad, me incliné, me acerqué el billete a una narina y me tapé la otra con un dedo antes de aspirar con fuerza, intentando imitar los movimientos glamurosos de Carmen. Sentí que me quemaba por unos instantes antes de provocarme un cosquilleo. Estaba demasiado borracha para saber si era todo efecto de la cocaína, pero de pronto me sentí más despierta, más sobria y sexy. Relajé los hombros y sonreí por la euforia entumecida que se me extendió de la nariz al cerebro y por la base del cráneo. Enderecé la cabeza y crucé la mirada con Jordan, que me dedicó una sonrisita de aprobación.

—¡Vamos a pedir al Wolfgang! ¿Todo el mundo quiere carnaza? —gritó el asociado que me había dado la coca.

—¡Estamos en el sótano de casa de mi madre! ¡Pidamos al Domino's! —chilló Jordan, y su propuesta fue acogida con vítores y aplausos rotundos mientras seguía haciendo el pedido con los ojos entornados para poder leer la carta en la pantalla resquebrajada de su teléfono de repuesto y se me acercaba para añadir en tono serio—: Comer como el populacho es lo mejor. Aunque solo cuando es por elección, claro.

Tres horas más tardé, me metí casi a gatas en uno de los coches negros de Quality que nos esperaban a lo largo de la Quinta Avenida y le di mi dirección al chófer como buenamente pude. Las rodillas me iban rebotando en los asientos traseros del coche mientras cogía el teléfono y escribía «Gray Kaplwe Sag Rider piso NYC» a una velocidad de récord. Google tuvo la amabilidad de preguntarme si quería decir «Gary Kaplan Stag River piso NYC».

Eché un vistazo por los resultados antes de pinchar en el segundo, titulado «Dónde vivir cuando el dinero no es un impedimento». En tercer lugar, después de la isla de las Bahamas de Jay-Z y Beyoncé y de la propiedad en Beverly Hills de Elton John, aparecía el ático de 38,4 millones de dólares que tenía Gary R. Kaplan en Manhattan. Fui pulsando una foto tras otra y viendo los suelos de madera oscura y los cuadros de arte moderno de las paredes antes de detenerme en una instantánea de la fachada del edificio, donde un toldo azul marino que no parecía decir gran cosa y tenía el número de la calle medio borrado sobresalía por encima de la acera. Algo en un lateral me llamó la atención, y ensanché la fotografía con el pulgar y el índice para ir haciendo *zoom* sobre el cartel donde se leía Starlight Diner, justo a la derecha del toldo. Me quedé mirándolo unos instantes, intentando averiguar cómo encajar mentalmente las piezas de aquel rompecabezas borroso, hasta que me rendí y me recosté en el asiento de cuero negro mientras el coche aceleraba por las calles vacías.

P: ¿Viajaba con frecuencia por trabajo?

R: No, con frecuencia no. Un par de veces por trimestre.

P: ¿Viajó sola en su primer año?

R: Casi nunca. No. En realidad, nunca.

P: ¿Se exigía el mismo nivel de decoro cuando se viajaba con clientes y compañeros?

R: Sí.

P: ¿Se comportaba usted del mismo modo cuando estaba en otras ciudades y países que cuando estaba en Nueva York?

R: Es posible que me vistiera con ropa menos arreglada. Sí, yo diría que, entre los viajes y que luego se comparten momentos de ocio, la etiqueta es más desenfadada. Pero, aparte de eso, el comportamiento es en gran medida el mismo.

P: ¿Podría, por favor, contarnos su primera experiencia de viaje en calidad de abogada de Klasko?

12

Cuando entré en el despacho de Matt, me lo encontré a él sentado a la mesa y a Jordan de pie al lado de la pizarra, con un rotulador verde en la mano. Me había llamado para hablar del congreso anual de Fusiones y Adquisiciones Lionhead que se celebraba en Miami a mediados de diciembre y para el que solo faltaban dos semanas. Jordan me había encargado la misión típica de los de primer año, que consistía en hacerles el borrador de la presentación y quedarme en Nueva York mientras ellos presentaban mi trabajo como propio.

—¿Deborah Tate? —preguntó Matt.

—Iuu. No. —Jordan sacudió la cabeza.

—¿Avery Klein? —preguntó Matt.

Jordan hojeó los papeles que tenía en la mano y luego asintió y apuntó su apellido en una lista que se hacía cada vez más grande en la pizarra.

—Está buena.

Miré por encima los apellidos y un mal presentimiento me obligó a sentarme en el sofá. Ya había visto antes la lista, y creía que era una lista de los asociados interesados en F&A. Nunca se me había ocurrido pensar que solo fueran nombres de mujeres de primer año.

Yo había estado en la lista de esa pizarra.

—Ya estamos casi, Pip. Tenemos que elegir a los que van a hacer las prácticas aquí este verano —me explicó Matt.

Me quedé mirando la pizarra.

—Yo estaba en esa lista cuando elegisteis a los de primer año.

—¡Es la primera vez que hay una chica presente para el proceso de elección! —exclamó Matt riendo, como si debiera sentirme halagada—. Eres libre de elegir a algún tío con el que quieras trabajar, Pip.

—¿Por qué mierda iba yo a escoger a un tío con el que trabajar basándome en su foto? —Me di cuenta de que la voz me había subido hasta un registro de pito y me palpé las mejillas para confirmar que estaba acalorándome.

Los dos se me quedaron mirando, totalmente desconcertados.

—No era consciente de que... —Matt dejó la frase sin terminar y se quedó unos instantes pensativo—. Pero las socias hacen lo mismo, ¿sabes? —Lo miré con escepticismo—. O lo harían, si hubiera más... El poder corrompe.

—Yo creo que más bien el poder te da vía libre para sacar a la luz quién realmente eres —solté.

—Bórrala —le dijo Matt a Jordan para mi sorpresa, y me guiñó el ojo en lo que posiblemente era una disculpa de pacotilla—. Cuando se tiene razón, se tiene razón.

Asentí agradecida, a pesar de que sabía que seguramente volverían a hacer la lista en cuanto saliera por la puerta.

—Didier se viene con nosotros. Quiere que hagamos planes para el jueves por la noche en Miami —dijo Matt, al parecer deseoso de cambiar de tema.

Me obligué a hablar con más tranquilidad.

—Puedo encargarme yo. —Se miraron incrédulos—. ¿Qué? —pregunté a la defensiva—. Conozco Miami. —Volvieron a intercambiar una mirada—. Ah, ya veo, que queréis ir a un club de estriptis.

—Tú jamás nos acompañarías a un club así, ¿verdad? —me preguntó Matt, que parecía nervioso—. ¿Ni siquiera si Didier te lo pidiera?

¿Y qué más daba si iría o no iría? Aquello no iba conmigo. A los de primer año no nos invitaban a Miami. Solo hacíamos las presentaciones, eso era todo. Pero no perdía nada por preguntar:

—¿Acaso estoy invitada al club?

Matt miró a Jordan, que asintió mirándome.

—Estás invitada al congreso entero —anunció el más veterano con una sonrisa de oreja a oreja—. Te hemos apuntado. Te mereces venir con nosotros. Y le caes bien a Didier, y a él nunca le cae bien nadie.

Al instante esbocé una sonrisa que me ocupó media cara y los carrillos se me subieron hasta los ojos. Mis bromas con Didier habían resultado, aunque en su momento me hubiera dado un poco de grima. Y lo que era más importante: comprendí que la invitación a Miami suponía que casi seguro había conseguido hacerme un hueco en F&A para el futuro.

—¡Gracias! Muchísimas gracias. ¡Contad conmigo! ¡Si hace falta, voy hasta al club de estriptis! —Cuando oí mis propias palabras, hice una pausa—. Aunque, bien pensado, ¿me podría saltar esa parte?

Estallaron en risas.

—Sí —me tranquilizó Matt.

—¡Pero si nosotros ni siquiera queremos ir, Pip! Es todo cosa de Didier —insistió Jordan.

—No hace falta que me mientas, no soy tu mujer. —Le guiñé un ojo.

Matt dio una palmada con las manos en alto.

—Mi asistente acaba de recibir a Didier. Podemos hablarlo con él ahora cuando llegue.

—¿Está aquí? —le pregunté a Matt justo cuando Didier entraba atronándole un «gracias» a la ayudante que lo había acompañado desde la recepción de la planta 45.

El francés cerró la puerta de cualquier manera y se dejó caer en la silla que quedaba libre. Mis dos superiores empezaron a bailarle el agua hablando de la semana de desenfreno que iban a pegarse, pero entonces vi que Jordan miraba el móvil y se hundía más en el asiento.

—Mi mujer se muere de ganas de ve... —masculló.

—Prohibido esposas —lo interrumpió Matt, a lo que Jordan asintió sin levantar la vista, y luego, mirándome a mí, añadió—: Y novios. Mi esposa intenta venir todos los años. Vamos solo los cuatro.

—¿Tú te apuntas, Pippy? —me preguntó feliz Didier.

—Me apunto —corroboré, permitiéndome paladear por un momento el haberme ganado un sitio y deseosa de contar la noticia.

Carmen era la única persona que podía entender lo importante que era aquella invitación, pero también a la que más envidia le daría que me hubiesen invitado a mí y a ella no. Me paré a pensar: quizá no la habían invitado porque no había cedido a la idea del estriptis; a lo mejor era más profesional que yo: confiaba más en ganarse un puesto en F&A solo por méritos. Un sentimiento de vergüenza vino a mezclarse con la emoción, aunque no logró empañarla del todo.

Andaba en mi despacho enfrascada en la presentación que tenía que preparar para el congreso cuando me interrumpió un alegre «¿Qué tal, pequeña?» de Peter, al que vi entonces apoyado contra el marco de la puerta, con los brazos cruzados sobre su almidonada camisa azul y una pierna delante de la otra.

—¡Buenas! —Levanté la vista de la pila de papeles que formaban ya un fortín a mi alrededor.

Acababa de cerrar una operación con Matt y Jordan, solo dos horas después de lo programado. En cuanto había colgado el teléfono tras la reunión para el cierre, mi cuerpo había dicho basta. La presentación de Miami podía esperar a que echara una cabezada. Eran solo las cinco de la tarde, pero se me cerraban los párpados, el mareo superaba al hambre y a las extremidades les costaba seguir las órdenes que les mandaba desde el cerebro. Viendo el estado en que me encontraba, Anna ya me había pedido un coche para que me llevara a casa a dormir.

Peter entró en la oficina, pasando del gris del pasillo al azul grisáceo de mi alfombra.

—Vienes esta noche a la fiesta de Stag River, ¿no?

Levanté la cabeza de golpe y reviví el calendario de Outlook en el ordenador. Había olvidado apuntar la fiesta y, en consecuencia, había caído en el más absoluto de los olvidos.

—No me acordaba —me disculpé—. Tengo tanto lío…

—Mira, sé que últimamente te están exprimiendo bien, pero va a ir toda la gente que trabaja para ellos, y ahora tú formas parte de ese grupo. Por supuesto, tú tienes la última palabra, yo solo te digo que es un acto importante al que deberías asistir. Me harías un favor. —Era lo más cercano a lo que llegaría Peter Dunn de pedirle a un asociado que hiciera algo y no ordenárselo—. A las seis y media en el Rainbow Room. —Se volvió para irse, pero se detuvo en el umbral—. Pareces… estresada.

—Gracias —mascullé.

—Ya sabes a lo que me refiero.

—Ya —dije somnolienta y me eché un brazo por el hombro contrario, en un medio abrazo, para intentar contrarrestar la sensación de que estaba a punto de venirme abajo.

—Mira, este fin de semana me voy a México con mi mujer, a la boda de su hermana. Va ya por la cuarta..., mejor no te cuento. Pero el caso es que el chalé de montaña que tenemos en Killington está libre. Estás invitada a irte allí un puente con tu novio. Escápate el jueves por la tarde y tendrás la casa lista para trabajar desde allí el viernes. Wifi, impresora, de todo. —Esperó a ver mi reacción.

«Di que no. Te lo dice solo por compromiso, por ser amable.»

—Muchísimas gracias, Peter, es un detalle por tu parte. Pero en febrero tenemos el seminario de los de primer año, ya descansaré entonces.

—¿Estás de broma? Ir a charlas de trabajo con compañeros de trabajo no es relajarse. Podéis hasta llevaros a unos amigos si queréis..., la casa tiene cinco dormitorios. No hay comida en la nevera, pero, por lo demás, tiene de todo. Está en plena montaña. Y si no hay buena nieve, tienes *spa* y *jacuzzi*. ¿Qué te parece?

Quizá aquello fuera justo lo que Sam y yo necesitábamos para reconducir nuestra relación por el buen camino, para reconectar.

—¿Alex?

—Sí. —Levanté la vista para mirarlo—. Sí. Suena increíble. La verdad es que me vendría bien un descanso. No sabes cómo te lo agradezco.

Peter se sacó un juego de llaves del bolsillo y trasteó con el llavero para sacar una. Luego me la lanzó, seguida de un mando electrónico.

—El mando es de la casa. La llave es del armario de los esquís de fuera. ¡Disfrútala!

—Peter, es muy generoso de tu...

—Es un placer, pequeña. Has estado trabajando muy duro y muy bien. Y a mí esas cosas no me pasan desapercibidas y me gusta saber agradecerlo. Considéralo una muestra de gratitud.

Sonreí.

—Yo creía que la muestra de gratitud venía con la nómina.

Rio.

—Alex, si divides tu sueldo por las horas que trabajas, estás más cerca del salario mínimo de lo que te imaginas. —Solté un gemido en protesta—. Nos vemos en la fiesta.

Volví al trabajo, pero no lograba concentrarme. ¿Y si un fin de semana a solas con Sam solo servía para demostrar lo mucho que nos habíamos distanciado? No. Sería estupendo, yo haría que lo fuese. Consulté mi correo personal, que estaba lleno de basura, salvo por un mensaje de Sam sugiriendo unas vacaciones de Navidad en Vermont. Le respondí que lo sentía mucho porque ese año no me dejarían coger vacaciones en esas fechas, pero que se lo compensaría con un puente en Vermont.

Cada vez más molesta por lo que presumía con su correo —¿se suponía que yo tenía que pagar unas vacaciones para dos en una isla del Caribe?—, y en un intento de calmar los ánimos de cara a la escapada a Vermont, procrastiné aún más y me metí a consultar mi cuenta del banco. Me quedé mirando el saldo total, que seguía subiendo a pesar de lo mucho que estaba guardando para la jubilación, a salvo con mi plan de pensiones Roth, y de lo que tiraba cada mes por el sumidero con el alquiler astronómico que pagaba en pleno centro de Manhattan. Volví a mirar la hora y sonreí ligeramente al darme cuenta de que tenía el tiempo justo para ir a comprarme un traje nuevo para la fiesta de esa noche.

Después de meter las bolsas de Bloomingdale's de papel marrón en la papelera de al lado de la puerta del Rainbow Room y de pasarme las manos por los costados del vestido de organdí blanco y rojo de Alice and Olivia para asegurarme de haberle quitado todas las etiquetas, llegué solo media hora tarde al cóctel de Stag River. Nunca me había gastado más de un par de cientos de dólares en una prenda de ropa, pero acababa de fundirme más de seiscientos dólares en menos de tres cuartos de hora, y el subidón me hizo sentir no solo que estaba guapa, sino que aquella sala llena de titanes inmobiliarios y magnates de Wall Street era mi sitio en la vida.

—¡Uau, Pip! —Jordan llegó a mi altura justo cuando alcancé la barra—. Estás guapísima. —Tosió incómodo, como si no tuviera muy claro qué debía o no decir después del incidente de la pizarra.

Le sonreí para hacerle ver que estaba todo perdonado.

—Tú tampoco estás nada mal —le dije enderezándole la corbata.

Un conjunto de *jazz* compuesto de músicos vestidos como miembros del Rat Pack daban al ambiente un toque década de los cincuenta, mientras que la tenue iluminación arcoíris hacía que todos pareciéramos envueltos en rizos de algodón de caramelo. Conforme Jordan me señalaba a los mandamases de los bancos y de las firmas de *private equity,* saludé a Vivienne White, que estaba al otro lado de la sala. Mi mentora se limitó a sonreír, sin por lo visto perder puntada de su conversación con un recio asiático.

Peter apareció de la nada a nuestro lado.

—Bueno, ¿qué te parece tu primer evento de Stag River? —me preguntó.

—Maravilloso —le dije, y no mentía.

Era la sala más bonita que había visto en mi vida. El perfil de la ciudad centelleaba en las ventanas, sin dejar ver nada de la mugre y la suciedad y sí toda la magia.

—Un poco soso —bromeó Jordan.

—¡Dunn! ¡Me alegro de que hayas podido venir! —Gary Kaplan le dio una palmada en la espalda que casi le tira la copa de la mano, y me pareció bastante animado, eufórico incluso, y de todo menos sobrio; luego se me quedó mirando y me dijo—: Vaya, vaya, menuda belleza. —Me cogió la mano y la sostuvo en su palma sudorosa.

—A Alex ya la conoces, es una de nuestras asociadas —anunció Peter con una pátina protectora en su tono de voz—. Y este es Jordan Sellar, asociado sénior. Trabaja con Jaskel y casi en exclusiva con tus operaciones.

Gary siguió mirándome de hito en hito, sin molestarse en apartar los ojos de mi cuerpo, pero por fin pude liberar la mano de la suya.

—Perdonadme, voy a ver si como un poco. ¿Os traigo algo? —le pregunté al grupo, pero, antes de que pudieran responder, me encaminé a la mesa con fuentes de ostras y gambas al infierno que había en la otra punta de la sala.

Le di el último trago a mi vino mientras esperaba a que el camarero me sirviera el plato. Iba a echarme salsa rosa y pasta de rábano picante cuando de pronto sentí que un brazo me rozaba el pecho. Me di la vuelta como un resorte y me quedé mirando a Gary, mortificada por haber chocado el pecho contra su brazo al inclinarme para servirme las salsas.

—Lo siento —farfullé, intentando desesperadamente borrar de la mente el que posiblemente había sido el encuentro más incómodo que podía imaginar con el cliente más importante del bufete.

Me sonrió, al parecer sin inmutarse un ápice, y las pozas negras que tenía por ojos me hicieron sentir un ligero vahído. No había sido un error mío. Y tampoco de él. El muy pervertido me había tocado adrede.

—Por favor, Alex. —Gary me guiñó el ojo como para tranquilizarme—. No hay nada que sentir —dijo, y alargó la mano para ponerme la palma con cuidado sobre el corazón al tiempo que hundía el meñique más abajo en busca de mi pezón.

Me quedé helada. Los timbales de la banda se desvanecieron, y lo único que escuchaba eran los latidos del corazón retumbando en los oídos. Hasta que apartó la mano y cogió una ostra. Yo no conseguí mover las piernas para escapar. Cuando se volvió de nuevo, tenía los ojos puestos más allá de mí y animó la voz cuando dijo:

—¡Peter! Alex y yo estábamos aquí charlando. ¡Qué ambiciosa es esta chica! Me encantaría que vinierais los dos como invitados especiales a la gala que presido esta primavera, la de las Private Equity Contra el Hambre. Le diré a mi ayudante que os envíe los detalles.

Sentí a Peter a mi lado, pero no podía apartar los ojos de Gary, intentando discernir si pretendía que la invitación pagase por su transgresión o, peor aún, le diera permiso para otras futuras. Mientras Peter le contestaba a Gary en tono amistoso, yo hice lo posible por recobrar la compostura y, en cuanto pude mover las piernas, dejé el plato y volví con Jordan.

—Peter me ha contado que aquel japonés que está allí con su mujer acaba de tirarse a su ayudante en el baño. —Jordan soltó una carcajada, pero yo estaba mirando al frente, temblando—. ¿Pip? ¿Estás bien? —Se inclinó y ladeó la cabeza para aparecer en mi campo de visión.

Fruncí el ceño.

—Gary acaba de cogerme la teta…, el pecho…, como se diga. Me ha manoseado. Aquí en medio de la fiesta.

No sabía cómo decirlo, porque nunca había tenido que contar nada parecido. Era la cosa más inesperada y perturbadora que podía haberme pasado, y que hubiera ocurrido tan flagrantemente, con mis compañeros alrededor, me hacía preguntarme si realmente había ocurrido.

—Y luego ha cogido y me ha invitado a la gala de las Private Equity Contra el Hambre en el Metropolitano.

—¡Joder, Pip! —A Jordan se le desencajó la mandíbula—. Va todo el mundo. O más bien, todo el mundo quiere ir. Para alguien que, como yo, está en la carrera por la sociatura, es el acontecimiento más importante del año para hacer contactos. ¡Si yo tuviera tetas, le dejaría que me cogiera las dos con tal de conseguir una invitación! —Sacudió la cabeza y fue hasta la barra para recargar el escocés mientras yo me quedaba allí petrificada.

Fui a refugiarme al baño de señoras, donde me senté en una otomana redonda almohadillada y me alisé la tela del vestido por encima de los muslos. Había creído que era un vestido discreto. ¿Me hacía parecer una guarra? No debería haberme puesto brillo de labios..., a lo mejor me había pasado con el delineador. Me pasé el dedo bajo los ojos para difuminármelo.

—Eh, ¿estás bien? —Vivienne White se sentó a mi lado mientras yo asentía como un robot—. Me encantan estos zapatos, pero son la cosa más incómoda y menos práctica del mundo. —Se quitó un modelo de salón de satén negro con tiras de pedrería que era una maravilla, dejando a la vista el logo de Giuseppe Zanotti, y luego se aplicó presión en el arco de cada pie con los ojos cerrados—. ¿Seguro que estás bien?

Cogí aire y me obligué a hablar de nuevo.

—Gary Kaplan me ha... Como que me ha cogido el pecho. Y luego me ha invitado a la gala de las Private Equity Contra el Hambre... Una especie de pago por dejar que me meta mano.

Vivienne suspiró y puso cara de hastío.

—Ese hombre es un sobón. —Esperé algo más, una demostración de ira por su parte, una señal de que estaba horrorizada por lo ocurrido..., pero no llegó—. Esa gala es una buena oportunidad para ti. Deberías ir. Sería una muestra de tu estatus en el Departamento de F&A. Cuando te asignen a un área, ya podrás declinar esas invitaciones. Aguanta el tirón hasta entonces. —Me dio una palmada en la rodilla y volvió a calzarse los zapatos—. Verás, es que no trabaja para el bufete, así que tampoco es que... —Extendió las palmas, como diciendo «No está en mis manos», y acto seguido chasqueó la lengua en el paladar y salió por la puerta.

Me quedé un rato más allí sentada mientras dos rubias con una piernas de una longitud imposible y unas faldas de un tamaño absurdo surgían de un solo cubículo del baño, una de ellas frotándose la encía superior con el índice. Me quedé mirando cómo dejaban la copa para lavarse las manos: ambas llevaban sendos anillos de compromiso casi idénticos e igual de deslumbrantes.

—¡Ay! ¡Perdone! Tiene usted... —le dije a la más alta, restregándome la nariz para sugerirle que hiciera lo mismo con el polvo blanco que tenía en la suya.

—¡Ups! —Soltó una risita—. ¿Mejor? —Se agachó para acercar la cara y que pudiera juzgarlo mejor, y de pronto sentí algo mojado en la pierna cuando me vació la copa de tinto encima del vestido nuevo.

—Ay, Dios. ¡Perdón, lo siento mucho! —gimió cuando me puse en pie de un bote.

Su amiga se tapó la boca con la mano para disimular la risa.

—Lo siento de veras. —La chica me cogió del brazo mientras repetía sus disculpas.

La asistenta del baño corrió en mi ayuda.

—Venga, déjeme a mí.

La chica cogió la toalla de las manos de la asistenta y fue al lavabo para mojarla. Volvió y me frotó el vestido sobre el muslo, lo que no hizo sino incrustar aún más el líquido rojo en la tela blanca y hacerme parecer una víctima de asesinato.

—No, mejor déjalo, no pasa nada —dije, y la agarré de la mano antes de que lo empeorara aún más con la toalla y la aparté de mi cintura.

—¡Tengo que pagártelo! ¡Me siento fatal! ¡Y con lo bonito que es! —Hablaba acelerada, claramente bajo los efectos de la cocaína—. ¿Es de la última temporada de Marchesa Notte? ¿O es de Oscar? ¡Ay, Dios, dime que no es de Oscar de la Renta!

—No, es de Alice and Olivia —dije mirándolo abatida.

—Uf, gracias a Dios, creía que era de alta costura. —Se llevó la mano al corazón y respiró hondo—. ¡Lo siento de nuevo! Por lo menos no era caro —dijo volviéndose ya y saliendo con su amiga de vuelta a la hora del cóctel, con el saxo del *jazz* colándose tras ella por un momento antes de que la puerta se cerrara y amortiguara todo sonido.

Rompí a llorar y llamé a un coche para volver a casa, y no me costó mucho escabullirme de la fiesta sin que me vieran mis compañeros, que estaban dándose quehacer charlando con los clientes. Cuando entré en el piso, Sam estaba ya dormido. Pensé en despertarlo, a sabiendas de que me abrazaría con fuerza para consolarme y de que a él sí que le parecería horrible mi encontronazo con Gary. Pero parecía tan a gusto... Se lo contaría en Vermont, decidí. De pronto me moría de ganas de pasar un fin de semana a solas con él, lejos del trabajo y la ciudad, sin otra cosa que hacer que recordar todas las razones por las que lo quería.

13

Hice justo lo que me había sugerido Peter y me fui directa a su chalé de montaña el jueves por la tarde después de una jornada laboral casi entera y, por suerte, tranquila. La casa era tan espectacular como había imaginado: el prototipo soñado de chalé de montaña, salpicado de tapices orientales y cuero color chocolate, con una moqueta mullida que servía para compensar la imponente escala de las habitaciones. Una chimenea de piedra abierta nos dio la bienvenida al salón principal, donde nos esperaban unas vistas de 180 grados a las montañas. Había dormido cuatro de las cinco horas y media de camino mientras Sam conducía, y seguía medio grogui mientras lo explorábamos.

—Ni en broma, se me haría superraro —dije, de pie en el umbral del dormitorio principal, mirando una fotografía de Peter y su hermosa mujer rubia que había en la mesilla de noche junto a una cama de al menos uno ochenta de ancho—. ¡Tenemos otras cuatro habitaciones para elegir!

—¿Estás diciendo que quieres que durmamos en literas? —Sam sonrió.

—Bueno, otras tres habitaciones —dije, y puse cara de hastío, todavía somnolienta.

Sam le dio a un botón de la pared y las ventanas soltaron un pequeño suspiro cuando las persianas completamente opacas retrocedieron y dejaron a la vista una enorme terraza acristalada con estufas de exterior, sillones descomunales y una mesa de cristal. Al otro lado, el monte Killington estaba pintado de rayos de luna que rebotaban contra los senderos recubiertos de nieve. Dejé la bolsa en el suelo y abrí la puerta de la terraza, donde Sam encendió las estufas y luego me pasó los brazos por la cintura y me apoyó la barbilla en el hombro por detrás.

—¿Podemos quedarnos en este cuarto? ¿Porfa, porfa? —gimoteó.

Reí y me volví para mirarlo.

—¿Sam? —dije contra su pecho—. ¿Y si este trabajo estuviera cambiándome? —Hasta a mí me sorprendió la pregunta mientras se la hacía.

Me besó en la mejilla.

—Yo te quería antes de este trabajo y te quiero ahora. Y te querré después —dijo haciendo un gesto de barrido circular por mi cuerpo—. Entretanto, no me queda más remedio que sonreír y soportar las cosas buenas de tu carrera.

Respiré hondo, creyendo sus palabras y permitiéndome apreciar su bondad por primera vez en mucho tiempo, así como ver todas las cosas que me habían enamorado de él. Clavé la vista en sus ojos amables y supe que él nunca manosearía a una mujer en público, que nunca me engañaría con otra. Lo arrastré hasta la cama de Peter.

Llegó un momento en que la necesidad animal de alimento desbancó a la del sexo, de modo que nos vestimos rápidamente y nos montamos en el coche. Como sabíamos que todos los bares del pueblo cerraban a las diez y media, nos metimos en el primer italiano acogedor que vimos. Mientras esperábamos al jefe de sala, Sam se me repegó contra la espalda y yo le colé una mano por detrás del muslo para atraerlo aún más cerca.

—¿Cuántos van a ser esta noche? —preguntó educadamente el jefe de sala.

Sentí que Sam se apoyaba contra mí y me volví entonces para proponerle:

—¿Y si pedimos para llevárnoslo a la casa? —Le guiñé un ojo.

Íbamos por la segunda botella de tinto, y la pizza estaba casi helada mientras cabeceábamos por encima del agua del *jacuzzi* para darle bocados antes de volver a sumergirnos. Pensé por un momento en contarle lo ocurrido en la fiesta de Navidad de Stag River, pero la noche era tan perfecta que no quise empañarla, así que me puse a darle una perorata sobre la política interna del bufete.

—... y todos los de primer año solo se juntan entre sí. Es una cosa rarísima. Y lo saben todo sobre los demás.

—¿Cómo lo saben? —Sam estaba borracho, pero parecía divertido.

Yo estaba más borracha aún.

—No tengo ni idea. Yo solo lo sé porque Carmen me lo cuenta.

—Carmen —repitió Sam.

—Solo da miedo hasta que la conoces. ¡Te la presentaré en la fiesta de vacaciones de Klasko!

Le di otro sorbo al vino y me deslicé en el agua para pegarme más a Sam, que alargó el cuello para ver las estrellas.

—Odias que trabaje en un bufete de élite —dije haciendo un puchero y pasando los dedos por el chorro a la altura de la lumbar.

Sam siguió con la vista clavada en las estrellas.

—Estás convirtiéndote en Ícaro —musitó.

—¿Cómo? —Fruncí el ceño y le di otro buen sorbo al vino.

Sam levantó la cabeza.

—¡Mira que dices tonterías! Yo no odio que trabajes en un gran bufete, lo que no soporto es que estés tan estresada. —Miró hacia la casa que se imponía sobre nosotros—. ¿Cuánto crees que gana Peter al año?

Pensé por un momento en mentirle antes de ceder a la tentación de ver cómo reaccionaba a la verdad.

—De cuatro a seis. Según lo bien que se dé el año.

—¿Millones? —preguntó, aunque sabía la respuesta, y después de coger una bocanada de aquel aire frío y penetrante, se puso a refunfuñar—: Pero, de verdad, ¿quién necesita tanto dinero? Es…, no sé…, absurdo. Se puede vivir perfectamente con mucho menos. —«Si eso te parece mucho, deberías ver lo que se embolsan nuestros clientes al año.»—. Y, por supuesto, eso no te garantiza la felicidad. Dices que nunca viene aquí. Fijo que no quiere estar aquí aislado en medio de la montaña con su familia. —Resopló—. Seis millones al año… ¡No me jodas!

Pero hice todo lo contrario. En parte porque me lo estaba pidiendo, en parte para demostrarle que me ponía a cien incluso sin un penique a su nombre, y finalmente para demostrármelo a mí misma.

Esa primera noche en Vermont fue mágica: como si nos hubieran transportado de vuelta a nuestros primeros días en Cambridge, en la época en la que disfrutábamos de ir conociendo al otro. Cuando Sam se despertó a la mañana siguiente, vi una lujuria y un amor en sus ojos que, comprendí entonces, habían estado ausentes en los últimos meses. Me odié por el triunfo de ganármelo en solo un día después de meses de descuidarlo. Sabía que, con una victoria tan fácil, acabaría hartándome de hacer las paces una y otra vez.

Con el viernes por delante y una agenda de trabajo poco cargada, Sam me atrapó en sus brazos y me acercó en la cama, de la que todavía no habíamos salido. Cedí a su capricho por obligación, pero me provocó cierto repelús. Intuí cómo sería el resto del fin de semana: que se me haría eterno; que él no querría pasar por el engorro de alquilar un equipo de esquí solo para un fin de semana; que pensaría que los masajes eran demasiado caros, y que entendería mi sugerencia del jueves de llevarnos la cena a casa como una muestra de que yo sería feliz vagueando en albornoz y comiendo pizza en el sofá durante las siguientes cuarenta y ocho horas. Empezó a entrarme la ansiedad y racioné el tiempo que pasaba con el crucigrama del *The New York Times* para que me durase todo el trayecto de vuelta en coche. Echaba de menos la rutina del trabajo constante a la que estaba ya tan habituada y con la que me sentía tan a gusto.

Sam se entregó con entusiasmo a un maratón de *Breaking Bad,* una serie que ninguno habíamos visto cuando la pusieron en su momento, mientras yo trabajaba en la presentación de Miami unas horas del viernes y buena parte del sábado, aparte de escribir a borrador varios correos de mantenimiento y limpieza tras el cierre de la operación que acabábamos de firmar.

—Al, ¡esta serie es la leche! ¡Ven a verla! —Sam iba andando como un pato mareado cuando fue a rellenar el vaso de agua entre episodio y episodio.

—Más quisiera —dije señalando el ordenador, aunque sabía que seguramente podría haber sacado algo de tiempo para verla con él.

«Ya me divertiré en Miami.» Me obligué a relajarme y a disfrutar de las semanas más tranquilas de trabajo mientras fuera posible.

—Vamos a dar una vuelta rápida y luego nos vemos con Didier en la entrada para ir a cenar —me dijo Jordan, pulsando el botón de la V, que hizo que las puertas se cerraran y, al unirse, formaran la F de Fontainebleau dentro del ascensor revestido de cuero.

—¿Dónde es la cena? —preguntó Matt sin levantar la vista del móvil.

—En el Joe's —respondí, con una mano en el teléfono y tirándome con la otra del vestido rojo que había elegido con mucho cuidado para que fuera conservador a la par que liviano, una combinación más insólita de lo que cabría pensar, y además estuviera lo bastante mona para salir después de la hora del cóctel de negocios.

El ascensor dio un pequeño respingo cuando terminó el descenso, y la voz enlatada anunció que estábamos en el vestíbulo. Los tres escribimos en los teléfonos como locos en esos últimos momentos en la jaula de hierro antes de guardarlos por fin.

—Cara de póquer, amigos —dijo Matt crujiéndose el cuello.

Las puertas cromadas desaparecieron con un movimiento fluido entre las paredes del ascensor y nos liberaron en un mar de hombres con copas en ristre y muy pocas mujeres, la mayoría camareras. Las corbatas Ferragamo y los trajes de Zegna de Nueva York se vieron sustituidos por los mocasines Tod's y los pantalones de lino de Ralph Lauren de Miami: era como la versión Me voy de Resort de Wall Street. El aire acondicionado salía a toda potencia del techo y casi conseguía invalidar la noche bochornosa que hacía al otro lado de nuestra crisálida protectora. Una mujer con un iPad le dijo algo a Matt y luego nos entregó a todos los pases con nuestros nombres, que mis jefes se colgaron sobre el pecho. Vacilé unos instantes y luego me ajusté el mío bajo el cuello del vestido y me lo pegué a la garganta por incómodo que resultara, para no alentar vistazos inapropiados.

—Vodka con hielo. Escocés solo —confirmó Jordan, señalando de Matt a mí—. ¿Pip?

—Hum... Un vodka con zumo de arándanos.

Jordan sacudió la cabeza.

—Solo bebidas transparentes, por favor. —Esperé para ver si estaba de broma—. ¿Un vodka con soda? —me preguntó.

Me encogí de hombros y asentí mientras nos adentrábamos en el ruedo. Jordan agarró al primer camarero que vio y pidió por los tres.

—Mira y aprende —me dijo luego al oído—. Matt es un maestro: se convierte justo en quien la persona con la que está hablando quiere que sea.

—¡Señor Jaskel! —Una voz estruendosa surgió a nuestra izquierda.

Matt le dio un firme apretón de manos a un hombre corpulento sin dejar de mirarlo a los ojos.

—Una gran presentación la de hoy —dijo de corazón el hombre.

—Ni siquiera había visto las diapositivas antes de llegar. Ha sido todo cosa de estos chicos —Matt nos señaló a Jordan y a mí—: Alex Vogel, Jordan Sellar... —Y luego, presentándonoslo, añadió—: John Dornan.

Miré su identificación: «Gerente general y socio codirector de F&A en J.P.Morgan».

—¡Jaskel! —El socio director de la *private equity* De Roble nos interrumpió justo cuando el camarero volvía con nuestras bebidas.

Los tres les dimos tragos voraces, ansiosos de lubricación etílica, y yo me dediqué a empaparme de las conversaciones que me rodeaban.

—A los grandes bancos les vendrán bien sus políticas.

—Los tipos de interés van a subir. Yo jamás lo votaría, pero en parte tampoco me importaría que saliera elegido.

—Hay que invertir con la estrategia bipolar.

—No, estoy bien, gracias. Es solo agua. No bebo mucho. Y mi mujer lo prefiere así. —Matt le dedicó una sonrisa servil a Margaret Nichols, directora de la división de F&A del banco Wells Fargo, mientras le daba un sorbo al vodka con hielo.

«De ahí las bebidas transparentes...» Jordan y yo le dedicamos también la mejor de nuestras sonrisas.

—Una mujer lista, su esposa —dijo.

—Me rodeo de ellas. ¿Conoce a Alex Vogel? —le preguntó Matt, que me lanzó contra mi homóloga de genitales.

Sonreí educada y saqué algo de conversación sobre Boston, la ciudad donde se había criado Margaret.

—Estaría muy bien quedar para almorzar cuando estemos de vuelta en Nueva York —me dijo con un gesto de aprobación, e intercambiamos tarjetas de visita antes de que ella siguiera con su ronda de saludos.

Suspiré aliviada, harta de fingir que estaba sobria. Matt y Jordan se turnaron para rellenarme la copa mientras pegaban la hebra con la enorme cantidad de personas que parecían conocer.

—Vente mañana al yate.

—Quedaos con nosotros el fin de semana.

—Veníos esta noche al Prime 112 —propuso un hombre calvo.

—Me encantaría si no tuviera reserva en el Joe's —rechazó cortésmente la invitación Jordan.

—Pero si en el Joe's no dejan reservar —contestó el tipo recolocándose los gemelos.

—Será que no te dejan reservar a ti —lo corrigió Matt, a lo que el hombre rio y se despidió dándole la mano—. Comamos un día en Nueva York.

—Hemos hecho más fusiones en los últimos tres años que ningún otro bufete del mundo. Aquí tiene mi tarjeta.

Jordan sonrió a modo de disculpa.

—No creo que esta noche haya muchas ganas de salir de fiesta. Tenemos un vuelo a primera hora de la mañana. Mejor comemos un día en Nueva York.

El hombre delgado y moreno de piel con el que hablaba me miró poco convencido, pero asentí y le aseguré:

—Esto es agua.

Jordan me guiñó un ojo.

—Aprendes rápido —me susurró cuando el otro se hubo ido.

Sonreí radiante; estaba disfrutando de cada segundo del congreso.

—Claro, yo se los doy. Y lo mismo digo para su marido. Me la habría traído, pero odia Miami —le dijo Matt a una mujer menuda, que parecía realmente abatida.

—Yo esta noche solo agua —estaba diciendo Jordan con el vaso en alto mientras hablaba con la mujer del secretario del Tesoro.

—Mis hijos son mi mundo. Los echo de menos hasta cuando estoy de puente, como hoy. —Matt le enseñó fotos en su teléfono a la mujer menuda.

—Creo que he llegado ya a mi límite de chorradas —nos susurró por fin Jordan a Matt y a mí.

—¿Alguien ha visto a Gary Kaplan? —preguntó Matt.

Se me erizó hasta el último pelo de la nuca. Jordan sacudió la cabeza y yo me obligué a menear mínimamente la mía.

—Pippy, pide un coche. Ya he visto a todos los que tenía que ver. Solo me falta el director financiero de Oculus.

—Me molestó que Gary me tocara en la fiesta de Stag River —me volví para decirle, envalentonada por los cuatro vodkas con soda que me había tomado.

Jordan me miró atentamente.

—Mira a tu alrededor, Pip. ¿Ves a muchas mujeres jóvenes? No. No invitan a muchas. Y los tipos jóvenes que ves están llevándoles las copas a sus jefes. A la mayoría ni los han invitado. Cuando seas la jefa, pondrás tú las normas. Por ahora, todos los jóvenes, hombres y mujeres, tienen que tragar con toda la mierda que les echen. —Hablaba con naturalidad, pero lo que decía con sus palabras era duro.

Apreté la mandíbula, le hice señas a una camarera que pasaba y le pedí que me buscara un coche para llevarnos al Joe's Stone Crab. Empezó a decirme que preguntara en recepción, pero pareció pensárselo mejor.

—¿Número de habitación? —me preguntó.

Sabía que esa chica no se encargaba de buscarle transporte a nadie, pero, desde que me había unido a las filas de Klasko, me había acostumbrado a esperar que los profesionales del sector servicios, fueran quienes fuesen, cumplieran mis exigencias.

—La 1430.

—Ah, la señorita Vogel —dijo después de introducir el número en el iPad—. Ahora mismo le ponemos en la puerta un coche del hotel. Es mucho más rápido que un taxi. Lo encontraran fuera cuando quieran ustedes salir.

Nunca antes había estado en un hotel donde me hubieran buscado en el registro y me hubieran dado mejor trato solo por mi nombre. Me habría gustado mucho sentirme por encima de todo eso, resistirme a maravillarme con todo en aquel bello hotel y con la mirada de deferencia que estaba dedicándome esa camarera. Quise mostrarme displicente con los nombres que colgaban del pecho de las personas que pasaban a mi lado. Pero, allí en medio de la fiesta de cóctel, no conseguía borrarme la sonrisa de la cara.

Me senté embutida entre Didier y Jordan en la parte trasera del Rolls-Royce Phantom que nos había proporcionado el hotel mientras esperábamos a Matt, que había visto al director financiero de Oculus en el último momento y se había acercado a saludarlo. Se notaba que Didier había estado calentando motores con algo más que bebida: alternaba entre frotarse la pernera del pantalón y quitarse el sudor del labio superior mientras escrutaba el camino de entrada por la ventanilla tintada y se comía con los ojos a las mujeres que pasaban sin percatarse de nada. Entretanto, Jordan miraba con el ceño fruncido la pantalla del móvil. El vodka que me había tomado me daba la sensación de estar entre iguales. Aunque uno fuera un coquero y el otro un adicto al trabajo, nos entendíamos en lo profesional y disfrutábamos mutuamente de la compañía en lo personal. Justo cuando me volví para buscar a Matt por la luna trasera, abrió la puerta delantera y se montó en el asiento del copiloto.

—Al Joe's Stone, caballero.

El chófer asintió y partimos por fin.

—¿Dónde mierda te habías metido? —atronó Didier.

Matt se volvió y puso cara de hastío ante el exabrupto del francés.

—Tengo buenas y malas noticias —anunció, y Jordan dejó de teclear y levantó la vista de la pantalla—. Las malas noticias son que no vamos a ir al club de estriptis después de cenar. —Suspiré aliviada.

—Yo pienso ir, así que que te den —soltó Didier, al que se le marcaba más el acento francés cuando bebía.

—Lo que tú quieras. No vamos a ir porque la buena noticia es que Doug Capshaw se viene esta noche con nosotros, y no pienso llevarlo a un club de estriptis.

Los tres nos pusimos firmes, todo oídos.

—¿El director ejecutivo de Oculus? —quiso saber Jordan mirando a Matt.

—El mismo. —Yo solo le veía la nuca, pero supe que sonreía—. El director financiero es colega mío de toda la vida. Y me lo ha presentado.

Didier se adelantó en el sitio y le cogió los hombros a Matt por detrás.

—¡Me vas a hacer rico! ¡Más rico! —aulló.

—Primero hay que enseñarle lo que es una gran noche —respondió con calma.

—¿Es enrollado? ¿Lo llevamos a un bar? ¿O quedamos en el bar del hotel? —pregunté emocionada, a sabiendas de que, como la júnior del equipo, tendría que encargarme yo de planear los actos sociales de la noche.

—Es enrollado. Es joven. Consigue una mesa en algún bar de copas —me ordenó Matt.

—Allá voy. —Estaba ya escribiéndole un correo al conserje—. ¡Va a ser una noche larga!

Como si se lo hubiera pedido, Didier sacó una bolsita con autocierre del bolsillo de la chaqueta y se hizo una raya pequeña de coca sobre la parte plana de su enorme mano, entre el pulgar y el índice, y me ofreció. Cuando la rechacé cortésmente con la cabeza, se encogió de hombros y se la esnifó.

—Yo quiero —le dijo Matt a Didier, que le tendió la bolsita; mi jefe se volcó un poco en la mano, sin reacción visible por parte del chófer—. ¿Jordan?

—Tengo —respondió este sin levantar la vista y metiéndose la mano en el bolsillo.

El chófer tenía la mirada clavada en la avenida Collins, atascada por el tráfico de toda la gente que salía de fiesta a esas horas.

—No puedo creerme que alguien pueda esperar horas para comer aquí —comentó Matt mirando a los turistas que pululaban al otro lado de la ventana junto a nuestra mesa—. La comida no es para tanto, en realidad. A mí me gusta venir más que nada porque me salto la cola.

Jordan resopló, de acuerdo con lo dicho, pero yo me limité a succionar con gran determinación el caparazón blanquinegro de las pinzas de mi cangrejo moro, intentando liberar el dulce tendón de la concha. Didier me miraba como un baboso por encima de su vaso de escocés. Me pregunté si la cara estaba escurriéndoseme hacia la barbilla tanto como me lo parecía y conjeturé que posiblemente las demás mesas empezaban a reparar en nuestro estado, de todo menos sobrio.

—Qué daría por ser esa pinza de cangrejo —me dijo Didier arrastrando las palabras.

—Eres un ser despreciable —le dije secamente al tiempo que le dedicaba una sonrisa casi imperceptible y conseguía partir un trozo de caparazón.

—¿Sabías que la hembra del cangrejo moro tiene que mudar el exoesqueleto antes de poder aparearse con el macho? Al principio es todo púas, pero al final las muda. Así es la naturaleza. Y eso es lo que está pasando aquí: yo me limito a esperar a que te rindas a la naturaleza y dejes de pinchar.

Me quedé mirándolo.

—¿Es eso cierto?

—Que sea imbécil no quiere decir que sea imbécil.

—Es que eres imbécil —le dije con cara de hastío.

Matt y Jordan rieron, pero Didier pareció afligido.

—Desde luego, mi mujer piensa lo mismo. Y a ella también le parezco despreciable, ni que decir tiene —dijo, y cuando los tres nos quedamos mirándolo, nos devolvió la mirada y sacudió la cabeza con una sonrisa—. Nos vamos a divorciar.

Miré a Matt y a Jordan, intentando calibrar si ellos ya lo sabían, pero vi en sus rostros mi misma confusión. Los tres nos quedamos escrutando la cara de Didier, deseando que soltara una de sus carcajadas. Pero nada.

—Joder —dijo Matt, que le dio un trago a su copa.

—¿Estás bien? —Le puse una mano en el antebrazo y, todavía sin decir nada, él puso la suya de oso encima de la mía.

—Me alegro de estar de fiesta con vosotros, chicos. Me viene muy bien la distracción.

—¿Les puedo...? —Acababa de aparecer la camarera.

—Otra ronda —se apresuró a pedir Jordan.

—¿Cuándo? —le preguntó Matt a Didier.

—¿Qué ha pasado? —quise saber yo, algo que nunca le habría preguntado si no hubiese sido porque el vodka me había soltado la lengua.

—Hace unas semanas. Justo después del cierre de lo de Falcon —contestó Didier mirando a Matt—. Nunca estaba en casa —prosiguió, esa vez mirándome a mí.

—¿Teníais acuerdo prematrimonial? —indagó Jordan.

Cuando Didier asintió, mis compañeros exhalaron al unísono.

—Pero da igual, le daré lo que quiera —mascculló el banquero.

Se me hizo un nudo en la garganta al verlo tan vulnerable.

—Mira, vamos a cancelar la historia esta de Oculus y nos vamos de juerga —propuso Matt—. Adonde tú quieras. Los cuatro solos.

Didier sacudió la cabeza mientras llegaba nuestra siguiente ronda.

—No, no. Es una oportunidad de la leche. Hacer dinero me hace feliz. Es de lo poco que me queda... —Dejó la frase sin terminar y se quedó mirando al vacío.

Le apreté el brazo con afecto.

—Lo siento —susurré.

—Gracias, Pip. —Me sonrió—. Esta noche nos lo tenemos que pasar en grande, lo necesito de verdad.

—Sí.

—Claro.

—Eso está hecho.

Fue lo que respondimos a la vez Jordan, Matt y yo.

—Voy a ver si me pongo más a tono —dijo Didier retirando la silla.

—¿Hablas de... «sube-sube»? —preguntó Jordan.

Didier asintió y mi jefe lo acompañó al baño de caballeros mientras Matt y yo nos quedamos mirándonos de un extremo de la mesa al otro.

—Qué pena —dije dándole un buen sorbo al vodka—. Ni siquiera sabía que estuviese casado...

—¡Ni yo! —Me quedé mirándolo sin dar crédito—. Es broma, sí que lo sabía, pero solo porque surgió una vez hablando de otra cosa. Nunca habla de ella ni lleva alianza. Voy a escribirle a Doug Capshaw. ¿Dónde le digo que nos veamos?

—En el Basement del hotel Edition. Tenemos una mesa a tu nombre. Lo encontrará fácil —dije dando otro sorbo y disfrutando del escozor del vodka por el esófago.

—¡Esto está conectado con una bolera y una pista de patinaje sobre hielo! —chilló Doug por encima de la música, inclinándose hacia mí y rozándome sin querer la mejilla con sus rizos rubios.

Llevaba unos vaqueros claros, una sudadera fina de capucha gris mezcla y zapatillas de deporte. Tenía la piel punteada de marcas, seguramente restos de acné adolescente, pero el caso era que le favorecía, igual que a algunos hombres les sienta bien la barba de la tarde. Me pasó un vaso de un líquido transparente que me acerqué a la nariz.

—¿Tequila? —pregunté a gritos.

—Mezcal. El tequila es solo de Jalisco. Todo el tequila es mezcal, pero no todo el mezcal es tequila.

Mientras recitaba esos datos, me lo imaginé levantando la mano en tercero de primaria y utilizando ese mismo tono. Mantenía el cuerpo ladeado a una distancia prudencial. Ese aire patoso y su falta de sordidez le daban cierto encanto.

—Como el champán y el vino espumoso —grité.

Asintió con entusiasmo. Me llevé el vaso a los labios y eché la cabeza hacia atrás antes de dejarlo con un golpe en la mesa, que estaba ya pegajosa de tanto zumo y tanto licor. Me restregué con el dorso de la mano el mezcal que me bajaba por la mejilla mientras succionaba la rodaja de lima en la boca y esperaba con impaciencia a que me quitara el sabor ahumado de la boca.

Doug estaba mirándome con los ojos como platos.

—¿Qué pasa? —le grité en cuanto terminé con la lima.

—¡Eso no era un chupito! ¡Era una copa de tequila de sesenta dólares! —me respondió a voces.

—¡Es mezcal! —Le saqué la lengua y se rio—. Aunque sabe a tequila, ¡y yo odio el tequila! Necesitaba bajarlo rápido —le dije sintiendo el calor que se me extendía por el pecho y el abdomen—. Y, de todas formas, pagamos nosotros, así que ¡qué importa lo rápido que me lo tome!

—¿Por qué te lo bebes si lo odias? —Estaba gritándome a la oreja, pero aun así apenas lo oía.

Me quedé mirándolo. «Porque es parte de mi trabajo hacerte feliz.»

—¡Porque me lo has ordenado tú! —dije sonriendo con ganas.

Miró por detrás de mí a Matt, Jordan y Didier, que estaba ahora hablando con nuestra camarera, y seguí su mirada.

—Vaya panda con la que te juntas.

—Los mejores del oficio. Yo no soy más que una acoplada.

—¿Sabes que a Matt se le considera uno de los mejores abogados de F&A del país? —preguntó Doug.

Me puse un dedo en los labios como para hacerle callar, señalé a Matt y me llevé las manos a la cabeza y separé mucho los dedos, como si a mi jefe fuera a explotarle el cráneo si oía ese cumplido.

Doug rio y asentí. Él no estaba la mitad de borracho que todos nosotros.

—No parece sorprenderte que me haya documentado sobre abogados de F&A.

—Parte de nuestro trabajo consiste en conocer el mercado potencial —añadí ya seria, aunque sin parar de mover la cabeza al ritmo de la música—. Nos encantaría tener la oportunidad de representar a Oculus.

Asintió y dijo:

—Voy a ir a conocer a esos tíos de los que tan bien hablas.

Lo vi acercarse a Matt, que estaba sentado en el taburete acolchado en el otro extremo de la mesa y que me miró sonriendo cuando seguramente Doug le dijo algo halagador sobre mí.

Yo fui a sentarme al lado de Didier, que estaba mirando el espectáculo de luces que salía de la cabina del DJ, pero no pareció reparar en mi presencia. Me levanté y empecé a servirme otro vodka con arándanos cuando sentí que me tocaban en el hombro.

—Hola, guapa.

Tenía a mi lado a una voluptuosa camarera con una larga melena rubia y sedosa y a una pequeña duendecilla con un moño azabache bien apretado en la coronilla. Iban las dos con vestidos negros cortos y ceñidos y escotes que casi les rebosaban por arriba.

—Ah, no, estamos servidos —les dije señalando el surtido de licores que teníamos en la mesa.

—¿Quiénes son esos hombres con los que estás? —preguntó la morena señalando al grupo.

—¿Cuál es su rollo? —quiso saber la rubia, que parecía algo achispada.

Me eché un vaso de agua para calmar la garganta, escocida de tanto chillar por encima de la música.

—¿A qué te refieres? —chillé.

—¿Están solteros?

—¿Estás con ellos? —preguntaron una detrás de otra.

Asentí antes de aclarar:

—No. A ver, estoy con ellos porque trabajamos juntos. Más o menos.

—¿A qué os dedicáis?

Seguía con la garganta irritada.

—Somos abogados. Él es banquero. —Señalé a mi derecha, a Didier, que todavía tenía la mirada perdida en la pista de baile.

—¡No jodas! ¡Bien hecho, chica! —dijo la alta dándome una palmadita en el hombro.

—El que tiene entradas y el del pelazo están casados. De ese no tengo claro cuál es su rollo, pero me da la sensación de que tiene pareja —dije señalando con discreción a Doug, y luego, apuntando hacia Didier, añadí—: Él está soltero.

Me dije que la situación exigía una pequeña licencia poética. Ambas parecieron desanimadas al saber que Jordan estaba casado, pero ladeé la cabeza hacia el francés.

—Ese banquero es el mejor partido. Su ex es tonta. La de regalos... Y es un encanto de hombre...

Se alejaron sin apenas una palabra más para ir a abordar a Didier. Yo me volví y me abrí camino como pude entre el gentío hasta el baño de señoras.

—Muy buenas —me dijo un hombre alto y rubio muy bronceado que se interpuso en mi camino, y me choqué con él antes de poder frenar.

Al llevarse la copa a los labios, la luz le iluminó el reloj. Le cogí la mano y me acerqué la muñeca a la cara, con un ojo guiñado y el ceño fruncido.

—¡¿Esta hora está bien?! —Hizo lo posible por no reírse al tiempo que asentía—. Mierda.

Volví corriendo a la mesa.

—¡Faltan solo tres horas para nuestro vuelo! —gimoteé tirando del brazo de Matt, que me ignoró por completo, se metió otra raya que había pintada en la mesa y dejó un rastro de blanco a su paso.

Busqué ayuda en Jordan. Doug Capshaw le tenía el brazo echado por los hombros a Didier y estaba hablándole mientras el francés asentía con los ojos puestos en las camareras con las que había hablado yo antes y que estaban bailando muy pegadas entre sí delante de él.

—¡Chicos! ¿Eo? ¡Que hay que irse! —grité por encima de la música, y todos me miraron unos segundos antes de volver a ignorarme—. No tiene gracia, vamos a perder el vuelo. —Yo no había perdido un vuelo en mi vida.

—Mi ayudante nos los cambia —dijo Matt sin mirarme, y las luces rojas que salían de la cabina del DJ le iluminaron la cara.

—Un momento... ¡Yo tengo avión! —anunció Doug, como si acabara de caer en la cuenta.

El resto paró lo que estaba haciendo para mirarlo unos segundos antes de abalanzarse sobre él para darle palmaditas en la espalda y besos babosos. Era alucinante lo mucho que podía reducirse tu lista de preocupaciones cuando el dinero dejaba de ser un problema.

Me abrí paso hasta Didier.

—Sube-sube —exigí, a lo que él, encantado, me hizo una raya con la tarjeta de crédito.

A partir de ahí no recuerdo nada más.

Me desperté en mi piso con el susurro del agua corriendo en la ducha y los ruidos de Sam en el baño. Estaba tendida encima de la colcha con solo unas bragas negras puestas. Me sentía como si hubiera sufrido un accidente o algo parecido. Me limpié la baba que me había caído por la mejilla pegada a la almohada. «Debería levantarme», me dije, pero no podía moverme.

Sam salió del baño entre una nube de vaho fragante y con la toalla a la cintura.

—Hola —dijo secándose el pelo mojado con otra toalla.

Mascullé como pude un buenos días mientras me maldecía por no ser capaz de recordar mi primer y seguramente último viaje en avión particular. Me volví a quedar dormida.

Cuando abrí de nuevo los ojos, me vi bocabajo en la cama, con la mejilla enrojecida contra el colchón, y a Sam encima de mí con una taza de café en la mano, con los vaqueros ya puestos, una camisa de vestir azul y una americana, era de suponer que para una reunión. Cerré un ojo para poder verlo mejor y luego abrí los dos.

—¿Qué?

—¿Qué tal Miami? —preguntó en un tono ligeramente desafiante.

—Bien. Es que estoy muy cansada —dije cerrando otra vez los ojos.

—Seguro que te lo has pasado bien.

Estaba enfadado por algo, pero yo andaba terriblemente indecisa entre seguir borracha o tener ya resaca, de modo que saber por qué estaba molesto era la última de mis preocupaciones en esos momentos. Por la cabeza me dieron vueltas unos fogonazos del aterrizaje, de un Uber de lujo y de trastear con la llave del piso para abrir. Recordé ir de puntillas al dormitorio y desvestirme antes de derrumbarme en la cama al lado de Sam. «No lo desperté al llegar», pensé. Podía fingir que había sido solo un viaje de trabajo, sin fiesta. No podía enfadarse por algo así.

—No te creas, he trabajado una barbaridad. Estoy agotada. —Recé para mis adentros para que me dejara volver a dormir y me llevé la mano a la frente, sintiendo que, de lo contrario, me explotaría el cerebro—. ¿Qué tal te ha ido a ti el trabajo estos días?

Le supliqué mentalmente que se centrara en lo que fuera menos en la pinta de acabada que debía de tener. Respiré contra la almohada y me vino una bocanada de mi propio aliento al coger aire: no era aliento matutino; olía directamente a vodka. Contraje el gesto y empecé a respirar por la nariz.

—Bien. Tengo que prepararme para la reunión final con los inversores de la semana que viene. Voy a darles a todos un cursillo acelerado sobre cómo conseguir que nos financie un fondo de capital riesgo y sobre el efecto dilución, algo de lo que, como comprenderás, hay que hablar sin falta. Es una historia bastante…

Tuve que cerrar los ojos por unos instantes, deseando que siguiera hablando sin más, pero no fue así. Despegué los párpados para demostrarle que seguía escuchando, pero meneó la cabeza, soltó una risa decepcionada y salió del cuarto.

Justo cuando volví a cerrar los ojos, asomó otra vez la cabeza por la puerta del dormitorio.

—Ah, por cierto, tienes escrito «Soy lo peor», con un dibujo muy detallado de un pene y unos huevos en rotulador negro por toda la espalda.

Y con esas dio media vuelta y salió del cuarto, y al minuto oí que se cerraba la puerta de la calle.

—Mierda —susurré.

«Jordan.» Me permití hundir algo más la cabeza en la almohada. A pesar de la sensación de tener una broca horadándome los lóbulos cerebrales, me partí de risa. Me llevé las manos al abdomen y sentí que los músculos convulsionaban antes de dejar escapar un suspiro prolongado para calmarme.

Sentí un momento fugaz de pánico cuando me pregunté si mi móvil habría vuelto conmigo desde Miami, pero estaba cargándose, como debía, en la mesilla de noche. Lo cogí y marqué el teléfono de Jordan.

—Pippyyyyy —croó en la línea.

—Uuh… —Intercambiamos gruñidos por unos minutos—. Eres un capullo, ¿lo sabías? Me has pintado en la espalda con permanente.

Hizo una pausa.

—Me niego a disculparme por cosas de las que no conservo recuerdo alguno.

—Pone «Soy lo peor», con un dibujo de un pene que me ocupa toda la espalda.

Jordan se partió de risa.

—Ostras, sí. Eso sí que recuerdo haberlo hecho. Lo siento, Pip.

—Sam lo ha visto esta mañana —le dije riéndome yo también.

—¡Te jodes, amiga! Yo a Jessica la tengo bien engañada y se cree que no hago otra cosa que trabajar.

—¿Piensas ir hoy a la oficina? —le pregunté con la esperanza de que me dijera que no y pudiera pasarme el viernes en la cama; sabía que Matt no se daría el paseo desde Westchester ni loco.

—Va a ser que no. ¿Podrías mirar tú la hoja de condiciones que ha mandado Matt esta mañana?

—Sí, hecho —dije y colgué.

Me pasé con eso las dos horas siguientes, antes de devolvérselo a Jordan para que lo revisara, y luego me quedé mirando la bandeja de entrada, que estaba bastante tranquila ese día. Me tendí de costado para echar otra cabezada, pero la adrenalina del viaje me hizo levantarme y meterme en la ducha. Salí limpia y mareada por el calor y volví a mirar el correo para ver que solo me había entrado un ligero goteo de correos administrativos del bufete. Matt y Jordan debían de haberse vuelto también a la cama.

El día se extendía ante mí como un lienzo en blanco imposiblemente largo. Sentada en una esquina de la cama, busqué polvo entre los tablones del parqué y telarañas en el techo, pero no vi nada. Además, la asistenta que teníamos una vez por semana vendría el lunes y también me echaría a lavar toda la ropa que me había llevado a Miami. Ir a comprar comida no tenía sentido porque almorzaría toda la semana en el trabajo, no había otra, y a Sam le gustaba comprarse su propia comida. Estaba demasiado resacosa para ir al gimnasio. Miré el móvil para repasar los mensajes de mis chats: los primeros veinte eran todos de y para Sam, mis padres y gente de Klasko. Llevaba semanas sin tener noticias de mis amigos de la facultad: se habían hartado de que les respondiera a los días. Era tan fácil no responder a personas que estaban en otras ciudades, sobre todo cuando sus preguntas no eran tan urgentes como las del trabajo... Cogí aire y respiré hondo, intentando apartar de la cabeza la incómoda sensación de que no tenía vida más allá del bufete, y volví a actualizar el correo del trabajo.

Esa vez me sentí aliviada al ver unos cuantos mensajes nuevos de Matt pidiendo que hiciera tareas de seguimiento con clientes con los que nos habíamos reunido en Miami, así como con varios clientes potenciales que habíamos conocido allí. La tensión del pecho se me disipó en cuanto abrí el portátil y me enfrasqué en las tareas pendientes, recibiendo con agrado la calma de tener un objetivo y vivir para la productividad.

Cuarta parte

El intento de cierre

Intento de concluir el proceso de fusión y transferir legalmente la propiedad tras la firma y el registro de todos los documentos.

P: ¿Mantuvo alguna relación de carácter sexual con algún compañero de trabajo?

R: *[Interviene el señor Abramowitz.]* Esa pregunta sobrepasa el propósito de esta vista preliminar. La única relación relevante es la de mi clienta con Gary Kaplan.

P: La cuestión de su interacción con clientes y compañeros es más que relevante para el propósito de esta vista y nos proporciona información valiosa sobre la veracidad de sus acusaciones, así como sus motivaciones para ser o no fiel a la verdad.

R: El de Klasko, como todos los despachos legales de gran tamaño, es un entorno de mucho estrés. Cuando los abogados no están trabajando, no es infrecuente que busquen válvulas de escape para el estrés. A menudo con el consumo de sustancias... y, a veces, entre ellos.

P: ¿Podría, por favor, ser más concreta?

R: Las relaciones con muchos de mis compañeros cambiaron a lo largo de mis primeros meses en el bufete: hubo algunas que evolucionaron a una relación de amistad normal, otras propiciaron rumores sobre una relación sexual y, en un único caso, sí que mantuve una relación de naturaleza sexual con uno de ellos.

P: ¿Podría, por favor, dar ejemplos concretos de estos dos últimos casos, los rumores sobre una relación sexual y la relación de naturaleza sexual real?

14

—¡Vente esta noche a la *happy hour* de los asociados! ¡Será divertido! —Carmen estaba plantada en mi despacho con los brazos cruzados sobre el pecho mientras yo intentaba idear una excusa sin quedar muy mal, pero insistió—: ¡Alcohol gratis! Eso no se puede rechazar.

El bufete tenía la creencia de que debíamos conocernos personalmente para poder trabajar bien juntos, de ahí que nos pagaran la cuenta todos los jueves en el bar de la acera de enfrente, para animarnos a emborracharnos juntos.

—Además —prosiguió—, los asociados séniores son superenrollados. ¡Deberías conocerlos! Con los que no hayas socializado ya en Miami...

Se excedió en su intento por sonreír, e incluso dejó entrever los dientes un momento. «Debería haberle dicho que iba a Miami», pensé, para que no se hubiera enterado por terceros.

—Iba a contártelo...

Carmen sacudió la cabeza para interrumpirme.

—Me alegro por ti —me aseguró, y me pareció convincente—. ¡Vente esta noche!

Me resultaba llamativo la rapidez con la que la gente me perdonaba sin necesidad siquiera de disculparme. No vi que traicionara en su cara plácida ningún rencor latente. Quizá estaba más enfadada porque no se lo hubiera dicho que porque hubiera ido. Me quedé observándola e intentando confiar en ella, por mucho que en cierto modo supiera que Carmen tenía una habilidad magistral para presentarse justo como pretendía.

—Iré a la primera que hagan el año que viene. Te lo juro, será mi propósito de Año Nuevo, ir a estas cosas de una vez. Es que esta semana tenemos la fiesta de vacaciones también, y no puedo...

—No digas tonterías. ¡A saber lo ocupada que estarás la semana que viene, por no hablar del año que viene!

Abrí el calendario del Outlook y luego levanté la vista y le dediqué una sonrisa de claudicación.

—Venga.

Pasé como pude entre dos hombres trajeados y corpulentos, apostados justo a la entrada del bar, que estaban demasiado enfrascados en una acalorada conversación sobre una posible guerra comercial para hacerme caso.

—¡Eeeh! ¡Has venido! —dijo Carmen dándome un abrazo; estaba con Kevin y otros dos tipos que había visto alguna vez por el bufete—. Pensaba que te ibas a rajar fijo. Chicos, esta es Alex —les dijo a los hombres que la rodeaban—, justo estaba hablándoos de ella. —Y luego a mí—: ¡Les he dicho que eras mi mejor amiga del bufete! —Sonreí a mi vez, a mi amiga y a los demás.

Los dos séniores, que debían de ser de cuarto año o así, parecían unos gemelos a los que la madre vestía con camisas de colores distintos para ayudar a diferenciarlos. Uno la llevaba azul, y el otro, rosa. Aparte de eso, eran idénticos: piel clara, pectorales que hablaban de largas horas en el gimnasio («¿De dónde sacaban el tiempo?»), pelo moreno y casi rapado y caras tersas y bien apuradas. Eran guapos, pero con un guapo de esos que no llaman nada la atención: apenas se distinguían de los otros hombres del bar.

Mientras yo les tomaba las medidas, ambos me dieron el repaso de arriba abajo. Me asqueé por dentro, pero sonreí.

Después volví mi atención a Kevin, que acababa de unirse al grupo. El pelo, que ya no llevaba engominado, le caía con naturalidad por la frente y se le metía por sus grandes ojos castaños de personaje de dibujitos (pero de esos hombres atractivos de las películas de Disney). La corbata rosa le quedaba natural sobre el pecho, que estaba mucho más definido que en septiembre. Tampoco sabía de dónde había sacado el tiempo para ir al gimnasio, pero tenía buen aspecto.

—¡Hola!

Le di un abrazo. Verlo me había disparado la nostalgia por los nervios del primer día, que parecían ahora tan lejanos. Cuando nos separamos del abrazo, esbozó una sonrisa cálida.

—Entonces, ¿qué, trabajas para Jaskel? —preguntó Camisa Rosa mientras Camisa Azul bebía de su copa.

Ambos me dieron la sensación de despedir un aura extraña. ¿Por qué estaban mirándome así? ¿Estaban intentando ligar conmigo? ¿O les había contado Carmen que Matt me había invitado a Miami? Ni siquiera habría sabido decir si estaban impresionados o juzgándome. «¿O es que tengo algo en los dientes?» Los pelillos de la nuca se me erizaron cuando me pasé la lengua por los dientes.

—¡Pues sí!

Que les dieran. Me daba igual lo que pensaran de mí: sabía cómo lidiar con tipos así, cómo ganármelos; si algo había aprendido en esos últimos meses, era precisamente eso.

—Chicos, tengo que ponerme a la altura. ¡Hay que emborracharme! —ordené blandiendo un dedo en alto.

—Yeaaah. —Carmen levantó el puño ella sola hacia el techo mientras los tres chicos sonreían.

Escruté sus vasos bajos.

—¿Qué se bebe por aquí?

—Johnnie Walker azul —respondió Camisa Rosa.

—Ah, no, no, no —dije, antes de sacudir la cabeza y hacer un mohín—. Qué asco, yo voy a dedicarme al vodka.

Camisa Azul protestó.

—¡Está rico! ¡Prueba! —me dijo plantándome el vaso en la cara y mirándome por un momento el pecho, que por suerte llevaba tapado con una camisa abotonada hasta el cuello.

Sentí que Kevin se ponía tenso y estuvo a punto de intervenir, pero me incliné sobre el vaso de Camisa Azul con cara de pícara, aspiré y luego arrugué la nariz.

—Ni de coña. Eso huele a ácido de batería.

Los encamisados rieron mientras Kevin volvía a relajarse en su taburete.

—El ácido de batería más delicioso del mundo —dijo Camisa Rosa levantando el vaso en alto hacia mí y dando un buen sorbo.

—No me habéis dicho cómo os llamáis.

—Scott.

—James.

—Scott. James —repetí, señalándolos por turnos y sabiendo que jamás los recordaría.

—¡Perdone! —le dijo Kevin a una camarera que pasaba—. ¿Le puedo pedir para mi amiga?

—Un vodka con hielo, por favor —dije, y me miró la muñeca.

—¿Trabajas en Klasko? —Asentí—. Entonces te falta la pulsera, cielo. Te traigo una con la copa. ¿Qué vodka quieres?

—Tito's, por favor.

La chica se fue hacia la barra mientras yo echaba un vistazo alrededor.

Era un bar cuidado y desenfadado, con suelos de madera oscura y reservados con sillones de cuero granate, mesas altas y taburetes metálicos. Más allá del barman, el personal estaba compuesto en exclusiva por mujeres, y todas iban enfundadas en licra negra. Le di un repaso a la gente, unas cuarenta personas, y reconocí vagamente casi todas las caras, aunque nunca había cruzado una palabra con la amplia mayoría. Había unas cuantas excepciones: vi a Derrick, que les sacaba varias cabezas a sus camaradas más bajos, tomándose unos chupitos en la barra, y a Jordan encaramado a un taburete, rodeado de otros asociados séniores de F&A. Como siempre, estaba escribiendo en el teléfono a toda máquina y con el ceño fruncido.

Cuando la camarera volvió a aparecer con mi bebida, me desvió la atención de vuelta a mi entorno inmediato.

—Salud —brindó Kevin alzando el vaso.

Entrechoqué el vodka con los otros cuatro y luego le di un trago largo y lento con los ojos cerrados.

Sonreí con timidez.

—Allá vamos, chicos —dije riendo.

—Me cae bien —dijo Camisa Azul a nadie en concreto.

«Eso es porque te gusta cualquier ser vivo que coquetee contigo.» Sentí que el licor caliente me pegaba en la barriga vacía —no había tenido tiempo de comer desde el desayuno— e intenté dirigirlo hacia mi torrente sanguíneo. Saqué el teléfono para consultar el correo del trabajo una última vez, con la sensación acuciante de que, si contestaba algún mensaje más después de pimplarme esa copa, estaría cometiendo mala praxis. Vi un mensaje de Sam en la pantalla de inicio.

Hola, nena! Sales tarde?

—¿Le digo a Sam que se venga? —le pregunté a Carmen, que frunció el ceño.

—¡Prohibido novios!

Acabo de terminar! Pero me han liado para beber con los del trabajo. No me mates! Nos vemos ahora!

—¿Tienes novio? —preguntó Camisa Rosa.

Levanté la vista del teléfono y asentí mientras me fijaba en una mirada de reojo casi imperceptible entre los tres chicos. Estaban perdiendo el interés por momentos. El problema de coquetear para congraciarse con los hombres era que daban por hecho que estabas libre. Pero ¿qué más me daba a mí? Ni que fueran clientes.

Le di otro buen sorbo al vodka y lo dejé en la mesa con fuerza.

—¡Pues menos mal que hoy no bebías! —Carmen me echó un brazo por encima del hombro y se inclinó sobre mí.

Empezaba a sentir el licor por las venas, pero pedí otra copa, y para cuando llevaba la tercera por la mitad, Carmen y yo estábamos apoyadas la una con la otra para conservar la verticalidad en la medida de lo posible.

—Tú acabarás siendo socia, fijo —me dijo arrastrando las palabras y clavándome el hombro en el mío.

Los chicos habían desviado la atención hacía rato al partido de baloncesto que estaban echando en el televisor sobre nuestra cabeza.

—Noooo. —Sacudí la cabeza con vehemencia, y hasta ahí llegó mi alegato en contra.

Volví la cabeza y vi que Derrick no se había movido del sitio, pero estaba charlando ahora con el barman. A Jordan empezaban a amustiársele los rasgos faciales y tenía los ojos clavados en alguien al otro lado del bar, a quien vi que le guiñaba un ojo. Seguí su mirada… Nancy. ¿Nancy? ¿Desde cuándo trabajaban juntos? Ella le devolvió el gesto con una expresión que no fui capaz de calificar.

De pronto me entraron ganas de ir al baño, así que aparté con suavidad el peso de Carmen del mío y me aseguré de que tuviera la mano apoyada en la mesa antes de alejarme. Me tambaleé ligeramente en el parqué encerado camino del baño. Había dedos metidos en unos canales auditivos, mientras que en los otros atronaba el auricular del móvil. Había iPads encendidos en mesas donde la gente gritaba al aire con pequeñas bolitas blancas en los oídos. Trajes. Y faldas de tubo por la rodilla. Y algún que otro vestido demasiado corto, pegado y colorido para pertenecer al mundo de las grandes corporaciones. Pasé por delante de un ligue no tan ocasional al que un asociado de Klasko había invitado a la *happy hour*. Todas a las que vi estaban radiantes por haber sido honradas con la invitación. Mis compañeros, que habían traído a sus ligues, parecían complacidos de que el bufete estuviera pagando copas que, de lo contrario, tendrían que haber costeado ellos. Palmadas en las rodillas y billetes sacados de fajos en pinzas. Corbatas Ferragamo de perritos. Corbatas Ferragamo de florecitas. Corbatas Ferragamo de elefantitos. Discusiones sobre quién era el mejor sastre de Hong Kong y cuándo haría su visita anual a Nueva York. El inevitable cachondeo del tipo que iba siempre con trajes de confección.

Entré en el pequeño baño de señoras y a punto estuve de escurrirme con las baldosas, que estaban resbaladizas por lo que esperaba que fuera una fuga del lavabo. Me subí la falda y me dejé caer en la taza resquebrajada justo cuando la puerta de fuera se abría y oí entrar a varias mujeres.

—Yo ni siquiera le veo el atractivo.

Agucé el oído y me arrodillé aún más para pegarme a la puerta del cubículo.

—Yo tampoco. No sé qué le ven los tíos. Es un callo. En el mundo real no pasaría del cinco, pero en el mundo de los bufetes es un ocho. Y está totalmente pillada por Jordan, pero él no la tocaría ni con un palo.

Seguramente hablaban de Nancy, y hasta la compadecí y todo.

—Es penosa, solo se junta con abogados tíos. No sé cómo puede vivir consigo misma acostándose con todos para conseguir ser socia. —La voz de Nancy...

Entonces, ¡¿de quién estaban hablando?!

—Ya ves. Y encima se las da de guay porque Jaskel le haya puesto un mote.

Me quedé paralizada allí mismo en la taza del váter, con los codos apoyados en las rodillas, que me temblaban. Clavé la vista en los zapatos de salón de charol negros y la falda de tubo y de pronto sentí que tenía edad y talento de sobra para no permitir que me intimidaran o me afectara. Me incorporé, me remetí la camisa por la falda y salí del cubículo para encontrarme con un plantel de bocas abiertas y ojos desencajados.

—Alex... Esto... —farfulló Nancy.

—Por favor, llamadme Pippy. Porque me creo suuuperguay. —Me lavé las manos deprisa y me fui dejándolas pasmadas tras de mí.

Fui directa a la mesa alta de Jordan, donde estaba de pie con unos cuantos que no conocía, y me quedé mirándolo.

Me dio un abrazo, sin reparar en la expresión de mi cara.

—¡Mira quién ha venido! —Forcé una sonrisa: tenía ganas de descargarme con él, pero dominé el impulso—. Darren, Sarah, Charles, esta es Alex. —Fue señalando alrededor de la mesa mientras yo iba olvidando los nombres en el acto.

—¿Trabajas en F&A? —preguntó la chica.

—Sí, me encanta.

—¿Con quién estás trabajando?

—¡Puff! ¡Trabajo no! —exclamó un asociado.

—Llevo aquí tres horas, así que creo que puedo permitirme ya hablar un poco de trabajo —repliqué con toda la naturalidad que pude, y luego, para responderle a la chica, seguí—: Sobre todo con este. —Lancé el pulgar hacia Jordan.

—Necesito fumar —dijo este—. ¿Pippy?

—Te acompaño y así me aireo.

—¿Tú eres Pippy? —preguntó uno de los tipos, pero no respondí.

Volví a forzar una sonrisa y me di la vuelta para seguir a Jordan hasta la calle antes de ver las miradas que estarían cruzándose. «Es paranoia mía —pensé—. Se están comportando de lo más normal.»

El rigor invernal me pegó en las mejillas y me di cuenta de que mi abrigo seguía dentro calentando un taburete, aunque de todas formas tenía los sentidos demasiado entumecidos por el alcohol para notar de verdad el frío. Me apoyé en la pared de ladrillos junto al bar y cerré un momento los ojos mientras Jordan se encendía un cigarro. Me dio la sensación de que estaba mirándome y los abrí entonces.

Desvió la nube de humo que le salía por la boca para que no me llegara mientras meneaba la cabeza.

—Estás borracha, Pip.

El ruido de una sirena se hizo más fuerte, y la cara de Jordan parpadeó por un momento con las luces rojas antes de que todo indicio de urgencia se perdiera por Madison Avenue y volviera a reinar la tranquilidad.

—Tú más —repliqué sin importarme que sonara infantil.

Me miró.

—A mí se me permite estar borracho. Mi mujer pronunció ayer la palabra maldita: «divorcio». —Lo dijo casi en un susurro.

Sentí que se me caía la mandíbula al suelo y le busqué la mirada con la esperanza de que hubiera sido un chiste malo. No era ningún chiste.

—Mierda, lo siento mucho.

—Gracias. —Se le hundieron los hombros.

—¿Lo sabe Matt?

—Claro que lo sabe. Matt es mi primer contacto.

—¿De qué hablas?

Jordan sonrió burlón.

—Significa que, tarde o temprano, todo el mundo se despierta al volante de un coche estrellado, con una puta muerta en el asiento de al lado, sin recordar nada de cómo ha llegado hasta allí. Metafóricamente hablando, claro —añadió—. Tienes que tener a alguien a quien poder llamar en una situación así. —Tiró el cigarro al suelo y lo pisó para apagarlo—. ¿Tú a quién llamarías primero? —Miré hacia el cielo nocturno y abrí la boca para responder—. Si me dices alguien con quien te acuestas, es que no eres muy lista. O con quien te acostabas. O querrías hacerlo —me dijo como para provocarme.

Cerré la boca y me puse a pensar, con una angustia creciente al ver que mi listín rotatorio mental no me devolvía resultados.

¿Cómo era posible que no tuviera a nadie a quien llamar? Podía llamar a mi madre o a mi padre… ¿A quién quería engañar? No, no era posible. Ellos nunca habían cometido un error en su vida. Una vez mi madre escribió un «No volverá a pasar» seguido de una carita sonriente en las líneas de notas del recibo para pagar una multa de aparcamiento. Debería tener un amigo a quien llamar. A Sam no, me acostaba con él… y además me lo echaría en cara. A una amiga. Carmen no estaría mal. Seguramente conseguiría librarme de cualquier cosa con su labia. Pero no me fiaba del todo de ella.

Me quedé mirando a Jordan por unos instantes al comprender que en realidad lo llamaría a él. Siempre compuesto y disponible. Pero se me hacía muy raro reconocerlo en voz alta.

—Yo creo que simplemente no soy la clase de persona que se vería en una situación así —dije encogiéndome de hombros.

—Ese es tu problema. —Jordan me señaló con un ojo cerrado y apuntó la mira de su índice en mi dirección.

—¿El qué? ¿Ser buena gente? —Me salió una voz más de pito de lo que pretendía.

—Tu superioridad moral.

Se me hizo un nudo en la garganta y lo miré de hito en hito. No lo había dicho por crueldad, o al menos no había sido esa su intención.

—Yo quiero que me metas en tu lista de contactos —dije con un puchero.

—Para eso tienes que ganarte el puesto, Pippy. Pero vas por buen camino. —Inspiró hondo el aire frío—. ¿Sabes que Carmen ha estado haciendo un trabajo alucinante con nosotros desde que volvimos de Miami? Está poniendo toda la carne en el asador.

Sentí que se me llenaba la vena de la sien, pero me negué a dar muestras externas de envidia, que seguramente era lo que pretendía inspirarme.

—Carmen es la caña. Es muy inteligente —dije tranquilamente.

—Ah, y me he enterado de que últimamente estás trabajando mucho para Peter —comentó cambiando de tema—. Mientras seas asociada júnior, no está mal trabajar para socios distintos, pero no pierdas el norte. Al final tienes que elegir un bando.

—¿A qué te refieres? ¿No es bueno demostrarles tu valía a todos los socios posibles?

—No con Peter y Matt. Esos dos nunca comparten asociados. Pero todavía te quedan unos años para decantarte por uno u otro.

Me quedé mirándolo.

—¿Por qué no los comparten?

—Si quieres saber la verdad, no se caen muy bien, eso es lo que pasa. La cosa viene de lejos. Los dos estudiaron Derecho juntos en Yale. Creo que a Matt no le hace gracia que él trabajara duro y supiera abrirse camino, mientras que Peter se limitó a... casarse con una Fitch.

—¿Casarse con quién?

—Su mujer es una Fitch, de los Klasko & Fitch —explicó Jordan—. ¿No lo sabías? —Sacudí la cabeza—. Bueno, Matt y yo esperamos que te unas al lado luminoso de la fuerza con nosotros. Carmen está trabajando conmigo en una operación que cerramos dentro de tres días. Es buena, pero no tanto como tú. Que se quede Peter con Carmen. Nosotros te queremos a ti.

Sabía que debía tomármelo como un cumplido, pero no lograba contener la oleada de celos por que estuviera trabajando tan de cerca con mi compañera. Noté que el alcohol volvía a pegarme y sentí la necesidad urgente de cambiar de tema.

—¿Tú te emborrachas linealmente? Yo me emborracho así —dije rebotando el índice de arriba abajo. —Jordan se limitó a sonreír—. ¿Cómo coño se dice? Ostras... Tengo el cerebro... ¡oscilante! —chillé, y Jordan soltó una risa con resoplido—. ¡Tú no lo entiendes!

—Que sí lo entiendo, mujer —me aseguró—. Yo me emborracho así. —Extendió el dedo y trazó una línea horizontal estable seguida de una cuesta muy empinada—. Así siete copas, y entonces me pega todo de golpe.

—Exponencialmente. —De pronto la palabra me pareció el colmo de la risa, y me doblé en dos cogiéndome la barriga para luego intentar recuperar el aliento cuando la negrura intentó apoderarse de mí—. Yo antes creía que la gente se enamoraba igual que te emborrachas tú. —Deslicé el dedo lentamente por el aire frío de la noche y luego lo lancé hacia arriba—. Ahora creo que se enamoran como me emborracho yo —proseguí rebotando el dedo en el aire.

Había empezado a reconcomerme una punzada de culpabilidad por que Sam estuviera solo en casa y yo me hubiera dejado el móvil en el bar.

—Vamos dentro, Pip, y cogemos tus cosas, ¿vale? —me dijo con tacto Jordan—. Y te ayudo a buscar un taxi o un Uber.

Antes de darme cuenta, se me escaparon las palabras de la boca.

—¡Sube-sube!—exigí.

Jordan sacudió la cabeza.

—Ya está bien por hoy.

—Pero es que necesito espabilarme antes de llegar a casa y hablar con Sam.

—Un poquito y ya está, Pip —dijo cediendo—. Y solo porque no me apetece que me llores y me comas la cabeza.

Nos apartamos del portero del bar y él apoyó la espalda contra la pared. Me acerqué mientras sacaba un frasquito del bolsillo de la chaqueta y se echaba una montañita de polvo en el dorso de la mano.

Hundí la cabeza y me llevé un dedo a una narina, esnifé por la otra y eché la cabeza hacia atrás. Al hacerlo sentí un hormigueo por la punta de la nariz, que en el acto se me entumeció por completo. Esa vez la coca me pareció más inmediata y poderosa. Un regusto metálico me bajó por la garganta y me asaltó la base de la lengua, pero lo tragué hacia abajo. Un desapego eufórico se me extendió por el cuerpo y comprendí en ese momento por qué la gente podía llegar a engancharse. Sentí la mente sobria y despejada y el cuerpo más dispuesto a responder a mis órdenes.

—Madre mía, Pip. —Puso cara de hastío al ver cómo cambiaba mi comportamiento.

—¿Cuántas te has tomado? —pregunté intentando parecer seria—. ¡De copas, digo! —aclaré.

—Seis —dijo.

—¡Entonces te falta una! —anuncié.

Jordan rio y me hizo señas para que fuera en cabeza hacia el bar.

—Por cierto, Carmen está bastante buena —me dijo por detrás, a lo que yo di la vuelta como un resorte—. Solo lo comento... —dijo riendo y poniendo las manos en alto.

—Eres un guarro —mascullé abriendo camino hasta el bar.

—¡Necesito una toallita húmeda! —gimoteé en voz alta a nadie en concreto.

Carmen asintió, masticando. Jordan reía a cámara lenta, con el brazo echado encima de ella, mientras yo los fulminaba con la mirada. Cuando la aparté, vi ante mí unas alitas de pollo que no recordaba haber pedido o consumido. Había otro vaso en la mesa delante de mí, vacío más allá de unos hielos a medio derretir. Pulsé el botón de inicio del móvil, dejando un rastro grasiento en la pantalla, y cerré los ojos cuando vi la hora.

«La una de la mañana. Y siete mensajes de Sam. Mierda.»

Tenía que llamarlo. Pero antes necesitaba una toallita. Fui hasta la barra y me incliné en la caoba reluciente para captar la atención del barman.

—Bueno, bueno, bueno, mira quién nos honra con su presencia. —Miré a Derrick, que estaba sonriéndome desde su taburete—. ¿Otra copa, milady? —me propuso—. Esta noche todo el mundo ha estado hablando de Pippy la de F&A. Eres la comidilla del bufete, la primera asociada de primer año que consigue que la inviten a Miami. ¿Cómo lo has logrado, si puede saberse?

Lo ignoré sin más.

—Perdone, por favor, ¿me puede dar una toallita? —le pregunté al barman, consciente de que se me trababa la lengua.

—¿Qué diría Matt si te viera así? —El tono de Derrick se había vuelto casi hostil.

—Sam —lo corregí.

—¿Cómo?

—Mi novio se llama Sam, no Matt. ¡Perdone! ¿Tiene una toallita? —grité al barman levantando los dedos pringados de la mantequilla de la salsa búfalo.

—¿Novio? ¿Y qué opina Matt de todo eso? —me preguntó riendo.

Miré de reojo los vasos de chupito que tenía alineados delante y conté hasta seis. Volví a mirarlo y me di cuenta de que seguramente estaba más borracho que yo.

El barman me tendió un sobrecito de aluminio, que abrí con la boca después de darle las gracias. Me limpié los dedos viendo cómo la toallita perfumada se volvía naranja azafrán y luego la metí en un vaso de chupito vacío.

Por fin entendí lo que había querido preguntarme Derrick.

—¿Jaskel? ¿Por qué le iba a importar a Matt?

Derrick le dio un sorbo a su copa.

—Porque te lo estás follando. —Se me tensó el cuerpo—. Venga, no hagas como si fuera mentira. ¡Y yo que creía que éramos amigos! ¡Tendrías que habérmelo contado! —Se llevó la mano al pecho fingiendo estar ofendido.

Me quedé mirándolo y deseando que rompiera a reír para hacerme ver que estaba de broma, pero no fue así. Las rodillas se me aflojaron y se me volvieron de goma mientras todas las miradas de reojo que habían estado lanzándome esa noche formaban una película en mi mente.

—No es verdad —susurré meneando la cabeza.

—¿Estás bien? Joder, Alex, estaba de broma. Soy gilipollas. Te has puesto muy pálida. ¿Al? ¿Hola?

Me apretó el brazo, pero me zafé y corrí al baño, donde vomité la piel naranja y grasienta del pollo y el vodka solo en el lavabo. Las especias de la salsa búfalo me subieron por las narinas descarnadas y me llegaron al cerebro. Boqueé y volví a vomitar, y luego vi en el espejo el pegote cobrizo que me bajaba por la barbilla. Abrí el grifo del otro lavabo para limpiarme mientras dejaba que el primero burbujeara y eructara al tiempo que iba tragando lentamente el vómito.

—Iuu. A ver si maduras un poco, joder —me dijo al pasar por mi lado una mujer que salió de un cubículo y que acto seguido desapareció por la puerta de vuelta al bar.

«Dios mío, por favor, te lo suplico: no dejes que recuerde esto por la mañana.»

Cuando a Sam le saltó la alarma a las seis y media de la mañana del día siguiente, dejó que el pitido siguiera un rato después de abrir los ojos, seguramente con la única idea de fastidiarme. Mientras yo seguía inmóvil como una piedra y con los ojos cerrados, negándome a entrar al trapo, me vinieron los recuerdos de la noche como una avalancha y sentí que me rodaban unas lágrimas por el rabillo de los ojos cerrados. Sam por fin le dio con el puño al botón de arriba del despertador y se metió en el baño. Todavía no me dolía la cabeza a reventar por la resaca, pero el cerebro se me movía como en arenas movedizas, lo que significaba que seguramente seguía borracha. Intenté a la desesperada volver a dormirme, pero la imagen de Derrick esperándome a la puerta del baño y metiéndome en un taxi no paraba de atizarme el cerebro. No recordaba en cambio haber vuelto a casa, saludado al portero o haberme desvestido. Me olí el pelo y me eché el aliento en la palma de la mano. No olía mal. «Por lo menos me lavé los dientes.» Empezó a acelerárseme el corazón. «Voy a potar.» Descarté la opción de correr al fregadero de la cocina: no teníamos triturabasuras, y además era demasiado penoso vomitar dos veces en un lavabo en menos de seis horas. Le di un sorbito al vaso de agua de la mesilla de noche y respiré hondo, deseando poder esperar hasta que Sam terminara con la ducha. Por fin salió con la toalla enrollada a la cintura y se me quedó mirando, como si le costara encontrar las palabras.

Decidí hablar antes de que él pudiera hacerlo.

—Hoy voy a trabajar desde casa, así que si acabas pronto... —dejé la frase sin terminar, dulcificando el tono todo lo posible.

Sam destensó la espalda y, con la luz del baño iluminándole el cuerpo por detrás, me sonrió contento.

—¡Creía que se te habría olvidado! —Parecía tan conmovido que pensé que iba a echarse a llorar.

Me alegré de que la habitación estuviera en penumbra y ocultara mi confusión. «¿Olvidar el qué?»

—No hace falta —prosiguió—. Esta reunión me da muy buenas vibraciones. Pero, en serio, es... un... detalle.

«Reunión. Mierda, la reunión final con los inversores. Es hoy. No puedo creer que anoche volviera tan tarde...»

—Yo también tengo una buena corazonada. Pero estaré aquí. Y luego podemos cenar en casa o salir, lo que prefieras. Podemos pasar el rato juntos y ya está.

—Muchas gracias, de verdad —dijo Sam, viniendo hacia mi lado de la cama y agachándose para despedirse con un beso—. Deséame suerte —susurró, sus labios todavía tan pegados a los míos que pude oler la pasta de dientes.

—¡Buena suerte! ¡Te quiero! —dije cuando ya se iba, y sentí que aliñaba mi tono con una pizca de desesperación.

Aparté la colcha antes incluso de que la puerta de la calle se cerrara y logré ir hasta el baño, que no hasta el váter, y vomité la bilis del estómago. Me quedé un rato hecha un ovillo en el suelo antes de reunir el aplomo suficiente para levantarme. Limpié los azulejos con lejía, frotando para que la lechada volviera a ser blanca y viendo de reojo en el espejo mi cara ligeramente verde, y volví a echarme otro rato mientras contestaba correos intermitentemente.

Hacia las diez de la mañana pensé que Jordan estaría ya en su despacho, así que cogí el teléfono y lo llamé.

Lo cogió al primer tono.

—¡Pippyyyy!

Se me resbaló una lágrima salada desde la mejilla hasta una comisura de los labios entreabiertos.

—Voy a trabajar hoy desde casa —fue la única afirmación que logré formular.

—¡Ya me imaginaba! Me han contado que potaste. Vaya aparición estelar la tuya ayer en la *happy hour,* Pippy. —Empecé a llorar en silencio—. ¿Pip? ¿Estás bien? —No podía hablar—. ¿Hola? —Noté un asomo de preocupación en su voz.

—¿Todo el mundo cree que me estoy acostando con Matt? —susurré.

Silencio. Y más silencio.

—Espérate que cierre la puerta. Ya está. Buenas. Em... ¿Por qué? —Yo tenía el corazón hecho un nudo en la garganta—. ¿A quién se lo has oído decir? —me insistió.

—Da igual. No me acuerdo.

Mentía. Me quedé helada en medio del suelo de mi cuarto, intentando decidir si tenía que volver a correr al baño. Cogí aire, tragué saliva y me relajé.

Jordan por fin habló:

—Creo que pudo ser Nancy. Yo le dije que era mentira. Y, vamos a ver…, cualquiera que te conozca sabría que es mentira.

—¡Pero es que en el bufete solo hay unas cinco personas que me conocen de verdad! —Mi voz era casi un chillido, un registro totalmente nuevo para mí.

—Mira, Pip, no pretendo ser duro contigo, pero todavía tienes que curtir la piel. Cuando empiezan a dispararse los rumores sobre ti, es que algo estás haciendo bien. ¿A quién le importa lo que piense esa gente? Tú eres de los nuestros, y eso también supone que te van a echar mucha mierda encima.

Me permití una sonrisita, aunque él no pudiera verla.

—Ya —dije sorbiendo por la nariz.

—Dedícate al trabajo. Este sitio es una cárcel, pero a veces uno prefiere estar aislado de todo lo demás. Es lo que yo hago siempre que mi vida es una mierda. Y me ha llevado hasta donde estoy.

—Ya —dije, y serené la respiración—. Es una buena distracción.

Colgué, me di una ducha y resucité el ordenador y el correo, sintiendo que de algún modo estaba preparada para afrontar el día.

De: Peter Dunn
Para: Alexandra Vogel
Asunto: RV: Stag River

Alex, sigue el hilo de más abajo. Gary Kaplan ha pedido expresamente que te metamos en el equipo que va a llevar la adquisición de Tremor S.A. ¡Puedes estar orgullosa!
Peter

Se me cayó el alma a los pies. Barajé la posibilidad de decirle que ya tenía demasiado volumen de trabajo para ese mes, pero todos los encargos de primer año pasaban por Courtney, la coordinadora de proyectos, así que ella sabría perfectamente si podía coger más volumen de trabajo o no, y a Peter tampoco le costaría averiguarlo. A lo más a lo que podía aspirar era a que no hubiera reuniones en persona con él durante la operación. Me estremecí asqueada y mandé la sensación tan lejos de mi cabeza que apenas la noté.

De: Alexandra Vogel
Para: Peter Dunn
Asunto: RE: RV: Stag River

Peter:
¡Muchas gracias por pensar en mí, qué halago! Por favor, hazme saber cuándo quieres que empiece.
Alex

Vi cómo la bandeja de entrada empezaba a inundarse de mensajes: Anna recordándome que estaba tardando en fichar; Mike Baccard anunciando que a Klasko le habían concedido otro premio humanitario; Howard Kravitz, el jefe de RR.PP., advirtiéndonos de que no respondiéramos a llamadas de ningún periodista que pidiera nuestra opinión sobre el hijo de un socio que supuestamente había pagado a otro estudiante para que hiciera por él el examen de ingreso a la Universidad; docenas de correos entre Jordan y yo elucubrando sobre a qué socio se estarían refiriendo; y, mientras tanto, cientos de mensajes relacionados con mis operaciones activas que me engullían la atención. Aquel diluvio tuvo a bien exprimirme la angustia de la consciencia. Después de unas horas así, la pantalla de mi portátil, demasiado pequeña, estaba haciéndome forzar la vista. Estiré la espalda y los brazos y abrí el grifo del agua fría de la ducha.

Pegué un *post-it* en la nevera:

He tenido que salir para una historia. Vuelvo a las seis como muy tarde. Estaré mandándote buenas vibraciones todo el día. Me muero por saber qué ha pasado.
Bss, A.

Me encaminé hacia el centro y no salí de la oficina en las siguientes sesenta y dos horas.

15

Tres días después, por fin conseguí tener un respiro en medio de la oleada de trabajo, y el breve paréntesis en medio de una mañana de llamadas concatenadas me permitió volver mentalmente a los acontecimientos de aquella última *happy hour*. Necesitaba saber quién había iniciado ese rumor. Le escribí rápidamente a Carmen, aunque sabía que al día siguiente tenía un cierre de una operación con Jordan.

De: Alexandra Vogel
Para: Carmen Greyson
Asunto: FAVORAZO

Necesito hablar con alguien. ¿Estás por ahí? Sé que estás hasta arriba, pero PORFA. Seguiré aquí en el despacho varias horas.

Carmen entró tan campante en mi despacho tres minutos después de que yo le diera al botón de enviar, con una piel clara y tersa y sus ojos azul intenso bien despiertos, pese a habérmela imaginado estresada. Cerró la puerta y tomó asiento.

—Tienes un aspecto maravilloso para tener un cierre mañana —le dije, pero comprendí que no había sonado bien—. Vamos, que estás muy guapa, y punto. ¡Y es impresionante teniendo en cuenta que mañana tienes un cierre!

Sonrió con una leve inclinación de cabeza. La notaba distinta. Tenía un aspecto realmente... Debía de estar saliendo con alguien. Todos tenemos mejor aspecto cuando tenemos a alguien para quien tenerlo. ¡Pero ella además tenía mejor aspecto en el trabajo! ¿Estaría viéndose con algún compañero?

—Supongo que disimulo muy bien el estrés. En realidad es que Jordan me está haciendo muy fácil este cierre. Digamos que es una operación bastante compleja y en gran medida Jordan me ha llevado de la mano.

Había repetido su nombre dos veces en tres frases, pero lo más importante era que lo había dicho como paladeándolo, y parecía morirse de ganas de decirlo mil veces más. «Es para Jordan para quien ha estado poniéndose guapa últimamente», pensé. Me pregunté si sería recíproco.

—Pero tengo que volver con eso pronto. ¿Qué ha pasado?

Aparté de la cabeza las ideas sobre Jordan y ella sabiendo que no tenía mucho tiempo y pasé a afrontar mi caso.

—¿Tú has oído algún rumor sobre mí?

Se le desencajaron los ojos en lo que pareció pánico antes de que la cara le volviera a la expresión inescrutable tan típica de ella y sacudiera acto seguido la cabeza.

—¿Cómo? No. ¿Por qué? ¿Tú has oído alguno sobre mí?

No supe decir si pretendía desviar la cuestión con mucho arte o si se lo preguntaba legítimamente, pero me pareció realmente preocupada.

—No. ¿Por qué iba a haber oído nada sobre ti? —«Entonces está acostándose con Jordan, está claro ya.» No esperé a que respondiera para añadir—: Todo el mundo me estaba mirando raro el otro día en la *happy hour*.

Resopló con desdén.

—¿Eso es todo? Pero si eso es la forma de mirar que tienen los abogados, solo eso. ¡La torpeza social es endémica en esta profesión! No seas tonta.

—Y luego Derrick me acusó de estar acostándome con Matt.

Carmen tosió en mi última palabra.

—¿Cómo? ¿Con Matt Jaskel? —Miró de reojo hacia atrás para confirmar que la puerta no estuviese abierta—. ¿Y es verdad? —me preguntó en un susurro a pesar de que estaba cerrada.

O era una gran actriz o estaba realmente perpleja.

—¡No! Por Dios, no.

—Solo quería confirmarlo antes de decir lo que iba a decir, que es que ¡es una ridiculez! Nadie está diciendo eso. —Estaba casi riéndose.

—¡Lo está diciendo todo el mundo! Nancy, Derrick, Jordan. Y no es paranoia mía. Todo el mundo me miraba sospechosamente. Quería morirme. Pero, si te soy sincera, entre Stag River y el National, estoy demasiado ocupada para comprar arsénico. Dime la verdad... ¿Necesito cambiar de bufete?

—Al, no digas eso ni en broma. No puedes irte de Klasko. Te necesito aquí. Y eso no se lo cree nadie. Jamás. De esa tal Nancy no te puedes fiar ni un pelo. Es muy rara, y está descaradamente colada por Jordan. —Aunque su respuesta era el típico intento de desviar el tema, también tenía en parte razón. Vi cómo se le nublaba la expresión—. ¿Tú te acostarías con alguien del trabajo?

—No lo creo. ¿Por qué? —pregunté con tacto, intentando no espantarla.

—¿Sabes qué? ¡Da igual! No le hagas caso a la gente. Y lo siento mucho, pero de verdad que tengo que irme. ¡Tengo un cierre! —Se levantó de la silla antes de darme la oportunidad de replicar.

Carmen tenía razón. Nadie creía realmente el rumor. Y además, ¡que les dieran! Seguramente lo que les pasaba era que me tenían envidia por mis progresos en el Departamento de F&A. Estaba convencida de que la hostilidad se disiparía en cuanto nos asignaran a cada uno a nuestra área de práctica. Podría aguantar las maldades unos meses más.

Justo antes de que los socios de Klasko emigraran rumbo al sur a San Bartolomé o rumbo al este a Chamonix, el bufete celebró su Baile de Invierno anual. Según me explicó Jordan, antiguamente se conocía como «la fiesta de Navidad», y luego como «la fiesta de vacaciones», hasta que la idea de ofender a quien no tuviera vacaciones de invierno pudo con la dirección de la firma y en su lugar inventaron un Baile de Invierno. El plantel completo del bufete con nuestros acompañantes caímos en picado sobre el hotel Pierre, como una plaga, una avalancha de poco menos de mil personas. Invitaban a todos: a los de copistería, a los del depósito, a las secretarias, a los abogados, a sus acompañantes.

Carmen, Kevin y Derrick se fueron a la fiesta sin mí porque estaba atrapada en una reunión telefónica con Stag River, así que, cuando acabó, salí corriendo yo sola al Pierre para intentar llegar antes que Sam y que no tuviera que abrirse camino por la fiesta por su cuenta. En cuanto entré al salón de baile, se me fueron los ojos disparados a las historiadas arañas de cristal que colgaban del techo, y luego hacia abajo para admirar las suntuosas alfombras rojas, salpicadas de abogados que llevaban la misma ropa que en el trabajo y abogadas tomándose ciertas libertades de etiqueta que en otros casos quizá no se tomarían, como faldas varios centímetros más altas y blusas algo más bajas. A los acompañantes los reconocí más porque llevaban ropa que no era de trabajo que porque no identificara sus caras de verlos por la oficina. Yo llevaba una falda nueva de Aritzia de talle alto y color borgoña combinada con una blusa de seda blanca de

Intermix, un conjunto que esperaba fuera lo suficientemente conservador para ser apropiado, pero con un punto lúdico para que pudiera considerarse «de fiesta».

—Me encanta tu falda —me dijo la mujer de Mike Baccard en un susurro cuando la pareja pasó a mi lado entre la multitud.

El cumplido me animó y me hizo ir más erguida. Entré con la espalda bien recta y el cuello bien estirado. Pretendía hacer ver que estaba por encima de todo, que pasaba olímpicamente de los rumores y las alimañas que querían morderme los tobillos.

Acepté una copa de vino blanco de un camarero que pasaba mientras escrutaba el gentío en busca de Sam, y, aunque no lograba encontrarlo, me quedé admirando la escena del salón de baile. Casi ningún abogado bailaba —supuse que todavía no estaban lo suficientemente borrachos—, pero Darlene, de copistería, que siempre movía mis documentos a lo alto de la cola de espera de la impresora, estaba refregándose bien con Isaac de Contabilidad, que nunca molestaba a Jordan por nuestros gastos, y ambos parecían ignorar a los mirones boquiabiertos.

Vi a Jordan con su mujer, Jessica, y ambos parecían la viva imagen de la felicidad matrimonial mientras charlaban con otra pareja. Esperaba que la gente viera que Sam y yo hacíamos también una gran pareja y que eso acabara de una vez por todas con los rumores sobre Matt y yo. Cuando miré hacia la barra que había en la otra punta de la sala, vi que Carmen estaba pidiendo una copa, pero, justo cuando me dirigiría hacia ella, una mano me rodeó la cintura y sonreí. «Sam.» En cuanto me di la vuelta, sin embargo, se me borró la sonrisa. Me quedé mirando la chaqueta vintage de terciopelo granate, la camisa de vestir azul y los vaqueros negros que había escogido para rematar el conjunto y que le quedaban fatal.

—¡La hostia, esto es muy elegante! ¿Voy bien con esto? —me preguntó abrochándose el único botón de la chaqueta (el otro había desaparecido, pero había dejado un hilo colgando a modo de regalo de despedida).

Le escruté el gesto, preguntándome si estaba intentando avergonzarme adrede con ese conjunto absurdo... ¿Era una broma de mal gusto?

—¿Qué ha pasado con la ropa que te dejé encima de la cama? —le pregunté con una sonrisa de dientes apretados.

Le había sacado la chaqueta de *tweed* y la camisa blanca de puño doble que le había comprado para ponerse con los gemelos, aparte de una elegante corbata azul. Pretendía decir «*startup*, friki de las tecnologías, enrollado y con estilo».

—No soy un crío, Alex. Me puedo vestir solo.

Lo fulminé con la mirada. A la vista estaba que más bien era al contrario, pero ya no podía hacerse nada al respecto. Le di un buen sorbo al chardonnay de barrica y busqué la manera de apartarlo de la entrada del baile, donde estaban congregándose gran cantidad de socios para encontrarse con sus mujeres.

—Quiero que vengas a saludar a Carmen —le dije con el tono más alegre que pude, y me adentré con él en el salón para ir hasta la barra.

Se saludaron con afecto, pues ya se habían visto varias veces antes en Cambridge, mientras yo repasaba la sala con la vista.

—¿Es barra libre? —me susurró Sam al oído.

Asentí, aliviada de que no lo hubiera oído nadie más. Dudaba mucho de que el Pierre ofreciera una opción de barra de pago.

—¿Unos chupitos? —preguntó animado.

—¿No tienes que salir a correr mañana temprano? ¿Crees que unos chupitos es lo mejor? —pregunté con tacto.

—No creo que pueda seguir entrenando para el maratón. Cada vez tengo más trabajo y no tengo tiempo.

Mientras hablaba, me pregunté si eso sería cierto o si más bien tenía la necesidad de exagerar lo ocupado que estaba en aquel salón de baile rebosante de industriosidad y capitalismo.

—No sabes cómo te entiendo —dijo Carmen—, aunque, de todas formas, entrenar es una forma perfecta para mantenerse en forma, así que mola que lo hayas estado haciendo, da igual si al final no lo corres.

Me relajé: casi había olvidado lo encantadora que podía ser mi compañera con la gente nueva.

A Sam solo le costó una ronda de champán convencer a Carmen de que en realidad Patrón no era tan mala idea, pero yo no entré al trapo. Mientras le pedían los chupitos al barman, vi a Peter llevando de la mano a su mujer rubio platino y delgado espagueti por entre el gentío. Me dije que no iba a mirar, pero los ojos se negaban a hacerme caso. Imponía mucho más que cuando la había visto en el Benihana. Admiré las suelas rojas de sus zapatos de salón de charol negro y la delineación mellada del músculo entre la pantorrilla y la espinilla por la parte anterior de la pierna, una línea que yo nunca había conseguido tener ni cuando iba al gimnasio varias veces por semana. «Es perfecta —pensé—. Son la pareja perfecta.»

—¡Esperad! —grité.

Sam y Carmen se congelaron a mitad del brindis.

—Sam, ven antes a conocer a Peter y a su mujer para que podamos darles las gracias por el fin de semana en la montaña, y luego te prometo que te dejo beber en paz.

Sam asintió y vi cómo hacía un esfuerzo por parecer sincero. Le hice señas a Carmen de que nos acompañara, pero meneó la cabeza con vehemencia.

—Yo me quedo por aquí —dijo volviéndose hacia la barra.

—Tardamos solo un minuto —le prometí a Carmen mientras tiraba de Sam por la muñeca y llegábamos a la altura de los Dunn.

—Peter, quiero presentarte a mi novio, Sam.

—¡Muy buenas! —Peter le tendió la mano y me estremecí al ver cómo miraba la chaqueta de Sam—. Y esta es mi mujer, Marcie. —Intercambiamos apretones de mano y Marcie respondió a mi sonrisa entusiasta con una más templada.

—¿Tartaletas de minibrie con higos? —Encajaron una bandeja en medio de las dos parejas.

Sam se metió una en la boca y yo la rechacé cortésmente. Peter cogió una, pero su mujer meneó mínimamente la cabeza y la espesa melena rubia le rozó los hombros. Era justo la imagen mental que me hacía cuando oía la palabra «escultural»: guapa pero frígida. Tenía la piel de una tersura increíble. La nariz, delicada. Los labios, carnosos. No era una belleza natural y, desde luego, tenía muescas y mellas de la edad, pero su hermosura era innegable. La mujer de socio modélica…, de plástico pero perfecta.

—Encantada de conocerte por fin. Y solo queríamos daros las gracias de nuevo por dejarnos la casa de Killington. Fue una escapada ideal. —Le di un codazo a Sam.

—¡Sí, gracias! —añadió tragándose el último bocado de tartaleta mientras hablaba.

—Tienes una casa que es una maravilla —le dije a Marcie, que sonrió gentilmente, pero no dijo nada, como solo las mujeres realmente ricas y elegantes saben hacer sin parecer unas maleducadas.

Apareció otra bandeja.

—¿Gambas al infierno? —Sentí que el vino se me había asentado en la barriga, así que cogí dos gambas y Peter y Sam hicieron otro tanto.

—Disculpadme un momento —dijo Marcie—. Un placer haberos conocido. —Dio media vuelta entonces, con los ojos fijos en algo al otro lado del salón de baile.

—Me alegro mucho de que disfrutarais de la casa —comentó Peter—. Nosotros nunca vamos, así que mejor que la utilice alguien.

—Sí, el sitio está muy bien —dijo sin mucha emoción Sam, que estaba jugueteando con el solitario botón de su chaqueta, visiblemente más incómodo ahora con su elección de vestuario.

—¿Esquiasteis? —preguntó Peter, dándole un sorbo al líquido cobrizo de su vaso de cristal bajo.

—Yo estaba tan cansada después de aquel cierre que no hicimos casi nada. Desperdiciamos totalmente el fin de semana —contesté.

«Porque Sam no quiso hacer nada divertido —me refrené de añadir—. Lo único que quería era hablar, comer y quedarse en pijama. Nada de ricas cenas fuera. Nada de buen vino. Nada de esquiar.»

—Yo aspiro a poder desperdiciar un fin de semana algún día —dijo Peter, que luego se señaló con la yema del dedo la media luna hinchada bajo el ojo derecho—. Esperad a tener hijos —nos dijo con una risa breve.

Por primera vez me pregunté si sería feliz en su vida aparentemente perfecta.

—¡Eh, Pippy! —Matt se había unido de pronto al grupo y estaba dándome a mí un abrazo de medio lado y una palmada en la espalda a Peter, al que vi tensar el cuerpo, pero sin inmutar la placidez de la cara.

—Matt, este es mi novio, Sam. Sam, Matt Jaskel.

—Qué bien conocerte por fin —dijo Matt arrastrando ya las palabras y dándole la mano a Sam—. Pippy, ¿qué, estás emocionada por lo de mañana?

—¿Qué pasa mañana? Aparte de la resaca de viernes que vamos a tener, me refiero. —Le di un sorbo a mi copa.

—Vamos, como cualquier viernes corriente... —dijo Peter con una sonrisa burlona y entrechocamos las copas.

—¡Es el día del bonus! —anunció Matt feliz—. El bufete nunca anuncia con antelación qué día será para que la gente no se queje si luego se retrasa un día o dos.

—¡Ostras! ¡Yo creía que no nos lo daban hasta enero! —exclamé.

—Voy a recargar —anunció Sam, que se fue hacia la barra.

—¿Dónde está Marcie? —Matt recorrió la sala a cámara lenta.

—Haciendo lo que mejor se le da…: codearse con la dirección.

Peter ladeó la cabeza hacia su mujer, que estaba charlando con Mike Baccard, que llevaba un traje de raya diplomática y pecho cruzado y gafas de carey. Yo solo lo había visto en la fotografía que aparecía a los pies de los comunicados de prensa y en el Facebook del bufete, pero nunca en persona. Tenía la clásica alopecia andrógina y, con su más de metro ochenta de altura, una presencia imponente, y eso que la sala estaba llena de gente con mucha presencia.

—¿Puedo darte un consejo? —me preguntó Matt, y asentí—. Compartís cuenta de banco, ¿verdad?

Peter tosió, parecía incómodo, y negué con la cabeza.

—¿Por qué crees que es así?

—Porque se le han iluminado los ojos cuando he mencionado el bonus.

¿En serio? No me pegaba nada de Sam. Me mordí el labio inferior.

—Entonces, ¿qué me aconsejas?

—Coge la mitad del bonus y sé práctica: paga préstamos, ahórralo, paga las facturas, lo que sea. Coge un cuarto y déjalo en tu cuenta corriente. —Hizo una pausa y me sonrió—. Y coge otro cuarto y derróchalo en ti…, solo en ti.

—Es un buen consejo —corroboró Peter con cierta tirantez.

Los ojos me iban de Peter a Matt, como en un peloteo; al recordar lo que Jordan me había contado sobre la relación de ambos, la tensión entre los dos se me hacía ahora más que evidente.

—Yo quiero de eso —anunció Matt dejándonos ya para ir a acosar a un camarero que sostenía una bandeja de plata en equilibrio sobre la mano.

Mientras mi jefe se arreaba la copa antes de coger una chuleta de cordero, Peter y yo nos quedamos callados, pero sentí que me atraía con su energía. Había pasado tanto tiempo con él o hablando por teléfono que había asumido que la atracción que sentía por él se había disipado, pero comprendí entonces que solo había estado oculta temporalmente por documentos y plazos. «¡Acabo de conocer a su mujer —me recordé—. No debería estar pensando en él en esos términos.» Pero sin la presión de un plazo para cerrar una operación, la tensión y el hormigueo me habían vuelto a la base de la columna.

—Matt se lo está pasando bien —dije intentando a toda costa distraerme del calor que empezaba a extendérseme por el abdomen.

Peter se encogió de hombros.

—Matt antes no bebía. Este bufete es raro. Te creas una reputación, buena o mala, y luego parece como si la gente te convirtiera en esa imagen que tienen de ti. Ahora todo el mundo espera que Matt sea el alma de la fiesta. Es como una caricatura de sí mismo. Supongo que nos pasa a todos.

Vi a un grupo de mis compañeros asociados júniores rodeando a Matt, que gesticulaba como loco mientras relataba la historia que estuviera contando, y todos echaron la cabeza hacia atrás, riendo.

—¿Todos? —le pregunté a Peter.

Me miró fijamente a los ojos, descolocándome una vez más.

—Carmen es la dura; Kevin, el dulce; Derrick, el descontrolado. Todos los socios os identifican con un calificativo, es más práctico. Pero se convierte en una profecía autocumplida.

Abrí la boca para replicar, pero la cerré porque necesitaba atenuar la angustia que me provocaba saber que ahora el ojo observador de Peter se detendría sobre mí.

—¿Y quién soy yo? —pregunté.

—Pippy —contestó Peter como si fuera evidente.

—No, me refiero a que cuál es mi adjetivo.

—Ese es tu calificativo. Repipi, modosita, perfecta, lista para ir al club de campo —contestó para provocarme mientras dejaba entrever una sonrisa que le subió por las comisuras de la boca.

—Yo no soy para nada así —protesté.

—¿No? —Arqueó una ceja.

—¿Y qué eres tú?

Peter se lo pensó unos instantes.

—Feliz —dijo sin más y apuró el escocés—. Necesito aire. Vente. —No me miró y se limitó a caminar hacia la salida.

El corazón me aporreaba el pecho mientras inspeccionaba la sala. Carmen estaba mirándome atentamente y Sam pidiendo otra copa en la barra. A esas alturas debía de llevar cuatro rondas. Levanté un dedo para hacerle ver a mi amiga que volvía pronto mientras seguía a Peter por el pasillo de moqueta mullida. Mediaron unos instantes de silencio, con nadie por delante que sortear, en los que barajé la idea de correr de vuelta a la segura cacofonía del salón de baile, con sus charlas sobre operaciones, su cháchara insustancial y sus lenguas trabadas por la bebida.

—Necesito una cosa del coche. —La voz de Peter me devolvió al pasillo del hotel.

Seguía sin mirarme, pero yo tenía los pelos de la nuca erizados. Seguía quedándome atrás, mis piernas se negaban a avanzar. Fijé la vista en el trasero de su pantalón, ajustado por la parte de arriba de los muslos. Y entonces se volvió para mirarme por fin a los ojos.

—Será solo un momento.

Conseguí parpadear para hacerle ver que consentía y le di un buen sorbo al vino. El corazón se me aceleró mientras intentaba convencerme de que no sabía qué estaba pasando. Le di otro trago aún más largo a la copa, en un esfuerzo por crear una excusa para lo que estaba a punto de hacer. La voz que me decía que era de lo más inapropiado meterme en el coche de la empresa de Peter estaba apagándose por la adrenalina lujuriosa de portarse mal, de ser traviesa, de escapar del aburrido salón de baile y del móvil que me vibraba en el bolso. Sentí de pronto la urgencia de hacer volar por los aires la vida que me había labrado y unirme a las filas de esos a quienes las normas no se les aplican. Vacié la copa y la dejé en una mesa del vestíbulo antes de seguir a Peter por la puerta principal.

El aire fuera del Pierre era cortante, y la Quinta Avenida estaba totalmente desolada salvo por la fila de coches negros y chóferes apoyados contra los capós, con aros de humo subiendo hacia el aire invernal desde las puntas encendidas de sus cigarros. Sonreí cortésmente al chófer, que se apresuró a pisar el cigarro y abrir la puerta de un SUV negro de Quality, que tenía una placa en el parabrisas delantero con el apellido Dunn, y me dio la mano para ayudarme a subir. Busqué en su cara alguna señal de reproche, de que aquel hombre fuera consciente de que yo no debía estar subiéndome en ese coche con Peter, de que yo no llevaba anillo de casada y él sí. Pero no traicionaba expresión alguna en los ojos, educados por el oficio para eso mismo. Apenas pareció fijarse en mí. Crucé las piernas para sentir un mayor autodominio, siguiendo con la charada del decoro. Si hacía aquello, yo no sería mejor que los rumores. «A la mierda los rumores, a la mierda la gente que los propaga. Qué me importa a mí...» Peter se deslizó en el asiento a mi lado y me puso una mano en la pierna mientras el chófer cerraba la puerta con suavidad y nos encerraba dentro. Aquella mano justo por encima de mi rodilla terminó de resquebrajar la fina fachada a la que había estado aferrándome. Contraje la cara ligeramente y, por un momento fugaz, consideré la opción de echarme atrás: de fingir que él había malinterpretado la situación y yo había creído que íbamos a discutir sobre la carta de intenciones de la operación de Stag River.

Pero me envolvió la nuca con la palma de la mano y apreté los labios contra los suyos, y al punto me atravesó una descarga eléctrica.

Tenía el aliento ahumado por el whisky y con un punto dulce, como a naranja tostada. Algo en su piel olía a especias cuando aspiré su olor. Olía muy distinto y mucho mejor que Sam.

Me fundí con él mientras mis otros sentidos cobraban vida. Tenía los labios suaves y tentadores. Yo había creído que con su edad besaría distinto. Pero no fue así. Le puse una mano en el pecho y protesté con un leve gemido al apartarlo mínimamente, con la sensación de que debía hacerlo para dejarle ver que estaba debatiéndome por dentro con mi consciencia. Él interpretaba su papel hábilmente, me apretó algo más la nuca y luego me apartó para mirarme a los ojos con curiosidad. No dijo nada, pero me cogió la cara con una mano y volvió a atraerme hacia él. Me posó los labios en la frente, y todas mis preocupaciones se disiparon cuando le exploré con la punta de la nariz la cavidad del cuello. Volvió a apartarse y me sonrió con deseo, haciendo que me sonrojara. Y entonces esa vez fui yo quien lo besó a él. Me tanteó la lengua con la suya, con tanta suavidad que bajé todas las compuertas y succioné con avidez el poder que sentía pasar de su cuerpo al mío.

Cuando todo se acabó y la realidad volvió rápidamente a mí, nos miramos a los ojos. Supongo que debería haber sido un momento romántico, pero sentí que me venía una náusea. Quise creer que se debía a haberme pasado con la bebida, pero sabía que era por la culpa, que me estaba apretando ya las paredes del estómago y subiéndome por la garganta.

—Mierda —susurré mientras me ponía el sujetador y forcejeaba con manos temblorosas con el cierre.

Peter estaba diciéndome algo, pero no lo escuché mientras me echaba la blusa sobre la falda y me desenroscaba el collar para que quedara liso sobre el cuello. Sacudí la cabeza repetidamente, como discutiendo con la parte de mí que me decía que acababa de cometer una trasgresión imperdonable que alteraría el curso de mi vida. Salí del coche con sigilo y cerré la puerta a mi paso, desesperada ya por volver a la fiesta de la que había ansiado escapar. Me miré de reojo en la pared de espejos del pasillo y me vi bastante normal, y casi tuve un resentimiento por no haberme quedado ninguna marca física. Me sequé las comisuras de los labios y bajo los ojos y luego entré en el salón de baile plantándome una sonrisa en la cara. Fui directa hacia Sam, que seguía en la barra con Carmen. Me dio un beso en la frente.

¿Habría olido a Peter?

—¿Adónde ibas con Peter? —me preguntó Carmen con retintín.

—Él ha ido a buscar a su mujer. Y a mí me han llamado por teléfono —dije sin apartar la mirada—. Ya he hecho las rondas que tenía que hacer. Es oficialmente la hora de pasarlo bien con vosotros —les dije, y me di cuenta con preocupación de lo habituada que estaba a aparentar calma incluso cuando el corazón parecía que iba a salírseme de las costillas.

—Íbamos a tomarnos otro chupito... —dijo Sam, como preparándose para que le lanzara otra mirada crítica.

Pero yo prefería que se emborrachara para que no se diera cuenta en caso de que mi pátina de compostura se viniera pronto abajo.

—¡Me apunto! —Pedí tres chupitos de Casa Dragones sin que dejaran de venirme a la cabeza imágenes de mi encuentro con Peter.

Seguimos bebiendo y hablando con otros de primer año mientras yo me obsesionaba con no perder de vista a Peter para poder mantenerme en todo momento a una distancia prudencial.

Carmen parecía estar también pendiente de alguien.

—¿A quién está espiando la señorita? —le pregunté al verla estirar el cuello por encima del gentío.

—La esposa de Peter está supercanija —dijo respondiendo sin querer a mi pregunta.

Me encogí de hombros, incapaz de ponerme a criticar a una mujer cuyo matrimonio acababa de poner en peligro. El alcohol superó a la adrenalina en mi organismo y me puse exageradamente borracha en lo que me pareció un instante. Me apoyé en el hombro de Sam, dejándole ver que estaba lista para volver a casa, y él fue a por nuestros abrigos. Me quedé a solas con Carmen, que se alejó sin decir palabra y fue hasta la otra punta de la barra.

Olí a Peter justo antes de verlo, y su aroma me disparó en la cabeza la imagen de él desabrochándome el sujetador. Me llevé la mano a la sien, avergonzada, y levanté la vista para verlo ante mí.

—Solo quería despedirme —dijo.

Me quedé sin aliento y, al mirar por detrás de él, vi a Marcie, que se despidió con la mano y la simpatía justa a solo unos palmos de mí.

Le dediqué una sonrisa amplia y ella a cambio esbozó otra confiada y natural. «Está claro que no sospecha nada», pensé. Volví a mirar a Peter, centrándome más en su frente que en sus ojos, aterrada de lo que podía encontrarme en ellos.

—Buenas noches —dije esforzándome por poner un tono profesional, aunque rozando casi la frialdad.

Se inclinó ligeramente.

—Una gran noche —me dijo con un guiño, o tal vez solo estuviera entornando los ojos, aunque, fuera como fuese, consiguió que el estómago me diera una vuelta de campana.

Se volvió, colocó la mano en la parte baja de la espalda de su mujer y la condujo fuera del salón, camino del coche de Quality en el que acabábamos de estar juntos. Crucé el brazo derecho hacia el hombro contrario y me consolé con un pequeño masaje.

Cuando llegamos a casa, fui directa al baño, me desvestí y tiré la ropa por todo el suelo. Al hacerlo vi una mancha roja en el interior de la copa derecha de mi sujetador blanco. Me miré el pezón derecho en el espejo, o más bien el mordisco diminuto y perfecto justo por encima. Cerré los ojos y me metí en la ducha caliente, donde apoyé la espalda contra la pared y me dejé resbalar por los azulejos fríos hasta quedarme sentada en el suelo. Pegué las rodillas al pecho mientras el agua me caía por el pelo y me formaba una cortina alrededor de la cara.

Con el agua corriéndome por encima, intenté recordar más de la noche: lo que me decía Peter cuando me bajé del coche, la mirada del chófer. Pero estaba todo demasiado nublado. No sabía si los recuerdos habían desaparecido por el alcohol o mi propia vergüenza, ni si alguna vez los recuperaría... o querría hacerlo. Luego de pronto me vino a la cabeza una imagen mía montada a horcajadas sobre Peter, sus labios en mis pechos. Las manos se me fueron a la cara como por instinto mientras las entrañas se me retorcían a medio camino entre el placer y el dolor.

Me puse en pie y me froté con la esponja vegetal, ensañándome con los brazos y el pecho.

—¿Nena? ¿Estás bien? —gritó Sam al otro lado de la puerta.

Me miré la piel, que tenía roja y en carne viva.

—¡Salgo en un segundo! —grité a mi vez y salí del agua, que estaba tan caliente que dolía, y me sequé el cuerpo todo lo suavemente que pude con una toalla esponjosa.

Me eché crema, apretando los dientes por el escozor, y luego me puse el pijama de seda y me metí al lado de Sam bajo las sábanas.

—Carmen es la caña, muy divertida. Me alegro de haberla visto. No ha parado de decir cosas buenas sobre ti —dijo, y me acarició el muslo y suspiró, como hacía siempre que se pasaba bebiendo.

—Ah, ¿sí? —Ignoré el escozor que me provocó su roce y fingí estar a punto de dormirme mientras la cabeza me iba a mil por hora.

—Tienes toda una vida en el trabajo de la que no sabía nada —susurró Sam acariciándome la cintura.

Al reconocer sin saberlo que yo estaba llevando una doble vida, la adrenalina de esconderle un secreto al hombre que creía conocerme mejor que nadie casi me hizo convulsionar del placer. Realmente lo mío era fuerte. Sabía que debería haberme sentido culpable, pero estaba demasiado excitada por la velada para sentirme otra cosa que no fuera un ser humano deliciosamente imperfecto.

—Ya —fue lo único que acerté a responder.

A Sam se le hizo más lenta la respiración cuando le venció el sueño. Yo me quedé con la vista clavada en el techo y el corazón latiéndome como loco y me decía que debía estarme ya quieta por lo que quedaba de noche.

P: ¿Cuál cree usted que fue su máxima motivación para querer ser socia del Departamento de F&A?

R: Yo no creo que pensara en ningún momento en convertirme en socia de Klasko estando todavía en mi primer año.

P: Entonces, ¿qué la motivó para querer unirse al área de F&A si tenía que trabajar más horas que en otros departamentos?

R: Creo que, probablemente, mi principal motivación fue el prestigio. F&A es el departamento más respetado del bufete. Creo que siempre me he sentido impulsada a ser la mejor en todo lo que hago.

P: ¿Tenía préstamos universitarios que pagar?

R: No, tuve la suerte de no necesitarlos en su momento.

P: ¿La retribución económica fue uno de los motivos para querer unirse a F&A?

R: No, al principio no. No lo creo.

P: ¿Pero sí con el tiempo?

R: Creo que los abogados de F&A tienen mejores sueldos porque atraen más ingresos al bufete. Trabajan más horas y su trabajo es más difícil. Así que, tal y como yo lo veo, la retribución está plenamente relacionada con el tema del prestigio.

16

La mañana después del Baile de Invierno abrí los ojos al sentir que el sol entraba en el cuarto. Aunque no se podía decir que hubiera dormido realmente, recibí con agrado la mañana, sintiéndome firme en mi convicción de que lo ocurrido con Peter no podía repetirse y no se repetiría, y que nunca jamás se lo contaría a Sam. Solo habría servido para hacerle daño, y me parecía que lo más justo era que soportara yo sola esa carga.

—Qué pasada de fiesta. ¿Cuánto crees que pudo costar? No quiero ni imaginármelo, con la barra libre y toda esa comida. Unos cincuenta mil seguro. —Sam se volvió sobre un costado para mirarme, todavía tapado con la colcha.

Yo me quedé mirándolo y me limité a asentir. «No tiene ni la más remota idea de lo que valen las cosas —pensé—. Ha debido de costar por lo menos cinco veces más.»

—Estuvo muy bien —concedí.

—¿Bien? ¡Fue la leche! Yo no me la imaginaba así cuando me invitaste. —Sam hizo una pausa—. Podría acostumbrarme a ser el tío bueno al que llevas a todos los saraos del bufete.

Alargué la mano para coger el móvil y repasé la bandeja de entrada. Cuando llegué al final de mis mensajes sin leer, volví a subir la pantalla, deseando haberme saltado uno de

Peter, pero no me había mandado nada, ni siquiera sobre nuestra operación. Sentí que el alivio y el dolor se debatían dentro de mí. «¿Solo ha sido un polvo de una noche para él? Mejor así… Porque no puede volver a pasar. Es mejor que los dos lo ignoremos todo y pasemos página.»

Sam se incorporó de pronto a mi lado en la cama.

—¡Eh, hoy es el día del bonus!

Lo escruté con la mirada: su novedosa exaltación por las cosas buenas de la vida me exacerbó el dolor de cabeza. «Ahora de pronto ya no odias tanto mi trabajo, ¿eh?»

Cogí el móvil y me metí en la cuenta del banco.

—Ostras —susurré, y la resaca se me disolvió al instante.

—¿Está bien?

Asentí mirándolo con los ojos como platos. No pude ignorar la sensación de que el universo no solo me había absuelto de las repercusiones de mi error, sino que además estaba recompensándome por ello. El balance de mi cuenta parecía justificar todo lo que había hecho hasta la fecha en Klasko… Todo.

—Eso está bien. Has estado trabajando muchísimo, te lo mereces.

Era verdad que había trabajado duro, pero no pensaba que fuera a reportarme cincuenta mil dólares. ¡Limpios! Mientras volvía a mirar la cifra, la pantalla se fundió en negro y parpadeó con el contacto CARMEN GREYSON.

—¡Buenas!

—¡Buenas! —Ambas estallamos en risas—. ¡La hostia!

—¿Verdad? ¡La hostia! ¡Me encanta F&A! —chilló Carmen, y las dos volvimos a derretirnos en risitas.

—¿Tienes algo que hacer hoy? —preguntó Carmen.

—Me da la sensación de que está todo un poco muerto con la Navidad a la vuelta de la esquina. No tengo mucho curro —dije mientras miraba una vez más el correo para confirmar que no me habían convocado ninguna reunión ni había surgido ninguna urgencia durante la noche.

—¡Igual que yo! Muy poco curro. —Hizo una pausa—. ¿Estás pensando lo mismo que yo?

«Estoy pensando que voy a seguir el consejo de Matt y me voy a fundir doce mil quinientos dólares en ropa de una vez.»

—¿Bloomingdale's? —pregunté.

—A la mierda el Bloomingdale's. ¡Nos vamos al Bergdorfs! —chilló.

Mientras esperaba en la Quinta Avenida, tuve que reprimirme para no coger yo el pomo de la puerta y dejar que lo hiciera por mí el portero trajeado que había a la entrada del edificio.

—Bienvenida a Bergdorfs. ¿Puedo indicarle dónde…?

—¡ALEX! —Carmen apareció dando un brinco por detrás de una vitrina con gafas de sol.

Pasé de largo al portero y me fundí en un abrazo con mi amiga.

—Estoy flipando con lo generosos que han sido, es increíble. ¡Treinta mil dólares! —me susurró en la oreja.

Sentí una punzada de culpabilidad, pero también de orgullo: mi bonus era más cuantioso que el de Carmen. A no ser que ella estuviera mintiendo sobre la cifra… Pero entonces se apartó de mí y vi su sonrisa desmedida. Vale, estaba claro que a mí me habían dado más.

Me acerqué a un bolso *satchel* gris de piel de cocodrilo que había sobre una vitrina baja y lo cogí con ambas manos.

—Qué pasada de bolso.

—¡Es ideal de la muerte! —exclamó.

—¡Me lo compro! —Busqué en el interior del bolso, saqué la etiqueta del precio y ahogué un grito al tiempo que mi resolución se disipaba al instante—. Hum, cuesta veinticuatro mil dólares. —Levanté la vista esperando ver mi conmoción reflejada en la cara de Carmen.

—Pues claro, es un Moreau.

Se me cayó el alma a los pies: nunca habría imaginado que ese día no pudiera permitirme todo lo que se me antojara.

—Vamos, ¡no te pongas así! ¡El año que viene nos dedicamos a los bolsos!

Lo devolví con cuidado a su vitrina.

—¡En la vida pienso gastarme una barbaridad así en un bolso!

Carmen se encogió de hombros.

—El bonus de este año ha sido el primero. ¡Y estaba prorrateado por un tercio del año! A lo mejor el año que viene ya no piensas lo mismo. ¡Nunca digas nunca jamás, amiga! —No se me había ocurrido pensar que el colosal bonus que acababa de recibir fuera tan solo una fracción de lo que recibiría en los años venideros si seguía en F&A y se me daba bien—. ¡Yo quiero empezar por cosmética! —anunció Carmen—. Tú eliges la próxima sección.

—Tienes que probar esto. Parece mantequilla. —Carmen me buscó los ojos a través del espejo donde estaba mirándose; la piel se le veía suave y tersa, con un punto satinado a una distancia prudencial del brillo—. Es revolucionario.

—Uau. Se te ve una piel estupenda. Pero yo ya tengo base.

—¡Anda, porfa! —Dejó de mirarse en el espejo y se acarició un pómulo con el dedo—. ¿Cuál usas tú?

Actualicé mi bandeja de entrada por quinta vez desde que habíamos llegado a la sección de cosmética. Todavía nada de Peter. A pesar de la música navideña, el sombrero de elfo de la dependienta y el voluminoso balance de mi cuenta del banco, no podía librarme de la sensación de haber sido utilizada… y desechada por alguien cuya atención ni siquiera estaba segura de querer.

—Neutrogena. Va con mi tono.

Mi amiga sacudió la cabeza.

—¡Señorita! ¿Puede buscarle una buena base aquí a mi amiga? —Desde detrás del mostrador de cristal, una mujer con un elegante delineado de ojos y brillo de labios color melocotón cobró vida como un resorte y me contempló unos instantes antes de asentir con resolución y agacharse para abrir un cajón—. ¡Estamos en Chanel! —me dijo Carmen en un aparte—. ¡Con lo mucho que sufre, nuestra piel se merece Chanel!

La cabeza se me fue de vuelta a la noche anterior, se paseó por el salón de baile y las tartaletas y se detuvo en el momento en que seguí a Peter hasta el coche. Supe, sin lugar a dudas, que había cometido un error, pero esa oportunidad que se abría ante mí ahora de utilizar el dinero para convertirme en una versión elegante y de alta costura de mí misma me convenció de que este podría disimular casi cualquier equivocación. Me ajusté el Longchamp al hombro. La mujer de Peter era el prototipo de mujer que llevaba bolsos Moreau, seguramente tendría docenas de modelos en todos los colores en los amplios cajones de su vestidor. De pronto la envidié. Imaginé las cenas que daría con Peter y los esnobs de sus amigos en la casa de Westchester. Vislumbré sus cenas tranquilas a la luz de las velas entre semana y a los dos bebiendo champán en primera clase durante un vuelo transatlántico. Mientras veía esas imágenes como una película en la cabeza, me vi deseando la vida de esa mujer: una vida de rica, fácil y sofisticada.

La mujer del mostrador me tendió en la mano un pequeño cilindro beis que ostentaba dos ces entrelazadas.

—Tenga, por si desea probarla.

Parpadeé para volver a la realidad mientras ella me echaba un poco en el dorso de la mano con el espray. Me extendí el líquido sedoso de color carne entre los dedos antes de aplicármelo en las mejillas, donde se integró fácilmente en la piel, que se quedó sin rastro alguno de poros abiertos y con un tono satinado y ligeramente bronceado a pesar de que llevaba cuatro meses sin ver la luz del día. Me quedé mirando a ese yo más joven y saludable en el espejo.

—Vale. ¡Definitivamente lo necesito! —dije respirando hondo y sintiéndome de pronto más tranquila—. Y un delineador nuevo. Y puede que un pintalabios mate…

Carmen estaba encantada, y a mí me dio un subidón de adrenalina cuando la dependienta pasó mi tarjeta de crédito por el datáfono y comprendí que en realidad doscientos dólares de maquillaje no iban a hacerle ni una pequeña muesca a mi cuenta del banco. Firmé el recibo y cogí la elegante bolsita negra con la mercancía de la mano de la mujer. Irte de compras con dinero a espuertas era una forma de ponerte ciega que desconocía. «Quien diga que el dinero no da la felicidad es que no ha ido a Bergdorfs el día de cobrar el bonus.»

Nuestra siguiente parada fue en la tercera planta, donde me gustaba toda la ropa que veía…, y no porque reconociera los nombres de las etiquetas, porque no reconocí ni una. Pero sí que al verlos tuve la impresión de que, de algún modo, por fin había penetrado el mundo por cuyo perímetro había estado rondando. Sentí de pronto que yo era la joven para la que esos modistos diseñaban sus prendas, y que, vestida con ellas, me sentiría a mis anchas en salas de juntas y vestíbulos de mármol. Las faldas de una marca llamada Proenza Schouler tenían un corte que me abrazaba las caderas pero sin cortarme la respiración de los muslos; los tejidos de Isabel Marant eran tan delicados y livianos que apenas los sentía sobre la piel; los vestidos de A.L.C. se ajustaban como un guante a mis curvas y me daban la sensación de que podía llevarlos tanto a trabajar como para una cita en una *dark dinner*. Quise ponérmelo todo al instante. Quise presumir, pavonearme con paso firme por Madison Avenue... ¡Necesitaba zapatos!

En la segunda planta, Carmen encontró para mí un par de Louboutin de salón en color *nude* que me calcé sin pensármelo.

—Te los tienes que llevar —me insistió—. Te hacen unas piernas increíbles y no pueden ser más estilosos.

Me quedé observándola unos instantes, con la cabeza acelerada por dentro —«Debería contarle lo de anoche. Seguro que me da buenos consejos y no me juzga. Pero ¿será capaz de guardar un secreto? ¿Puedo confiar en ella?»—, y luego me miré los pies.

—Ah, qué fuerte, que no te lo he dicho, que anoche me lo pasé muy bien con Sam —comentó con efusividad—. Ahora me da rabia que no nos juntáramos más cuando íbamos a la facultad. Es la caña.

Al instante archivé la idea de contarle lo mío con Peter y volví a mirarme los zapatos, deseosa de cambiar de tema.

—Son increíbles, pero no puedo andar ni queriendo. Parece que tengo lumbago. —Atravesé la moqueta contoneándome hasta el sofá y me dejé caer en él mientras barajaba la opción de comprármelos solo para ponérmelos sentada.

El dependiente, un tipo apuesto, delgado y alto, con unos pómulos bien marcados, se echó a reír.

—Prueba estos —me dijo, y me tendió unos Jimmy Choo de salón de piel de serpiente en color *nude*—. Te van a quedar de muerte.

Me los puse y Carmen asintió dando su aprobación:

—*J'adore!* —me dijo, y se calzó entonces un modelo muy moderno de Versace con tachuelas.

—Veamos ahora si puedo andar.

Me levanté sin tenerlas todas conmigo y floté unos pasos hasta el espejo de cuerpo entero. Me levanté la pernera un poco y me maravillé con lo mucho que me definían las pantorrillas y cómo me estilizaban las piernas.

Me di la vuelta eufórica.

—*¡J'adore* total! ¡Gracias! —Entorné los ojos para leer la plaquita con el nombre del dependiente—. James. ¡Gracias, James!

James sonrió mientras repasaba nuestro revoltijo de bolsas y se llevó una mano a la cadera.

—O alguien ha muerto y os ha incluido en el testamento, ¡o vosotras dos acabáis de robar un banco! —Sacudió la cabeza mientras nosotras reíamos como crías—. Pero me da igual, tenéis que probaros como sea unos Jimmy Choo plateados con la punta abierta del verano pasado. Están de oferta a quinientos dólares o una tontería por el estilo. No pienso dejar que os vayáis sin ellos. —Giró sobre los talones y desapareció.

Carmen y yo nos quedamos en medio del revuelo de zapatos y cajas de cartón.

—¡Yo los quiero todos! —gimoteó mi amiga.

James se dejó caer entonces a mi lado en el sofá y soltó un suspiro de agotamiento mientras yo admiraba mis pies en los Jimmy Choo plateados.

—Mira, chica, ya puedes estar llevándotelo todo. ¿Te crees que me he dado tantos paseos para que os llevéis solo un par? ¡De eso nada, monada! —Me recosté en el sofá y reí, realmente exhausta después de la resaca y del día de vestirme y desvestirme—. Estoy de broma. Llevaba un tiempo sin divertirme tanto en el trabajo. La mayoría de las señoras del Upper East

Side solo vienen a mirar Manolos y no me preguntan mi opinión sobre nada.

—Nosotras vivimos por el sur —dije orgullosa—. En Chelsea —concreté señalándome primero a mí y luego a Carmen— y Union Square.

—No, pero ya en serio. ¿Cuál es vuestro rollo? ¿Tenéis un papá rico? ¿O un novio abuelo rico? —nos provocó James.

—Estamos dándole un buen uso a nuestro bonus de Navidad —le explicó Carmen radiante.

—¡Qué me cuentas! Bien hecho, chicas. Qué mal que ni siquiera se me haya ocurrido pensar que pudierais estar gastando vuestro propio dinero. —James sacudió la cabeza—. ¿A qué os dedicáis?

—Somos abogadas —respondí enderezando la espalda.

—Mi ex era abogado. ¡Algo me dice que tendría que haberme quedado con él! —James rio.

Carmen, que seguía mirando los zapatos, se decidió por fin.

—Vale, me voy a llevar los Louboutin *nude* y los azul marino y luego los botines tobilleros negros de Alexander Wang.

James me miró.

—Yo solo los Jimmy Choo *nude*. —Ladeó la cabeza, mirándome de soslayo—. Vaaaale. ¡Y las botas de Stuart Weitzman!

Asintió y empezó a guardar los zapatos que no íbamos a llevarnos.

—¿Y dónde trabajan las señoritas, si puede saberse?

—En Klasko & Fitch —dije colocando los dos pares que quería de vuelta en sus cajas.

—¡Qué dices! Este mundo es un pañuelo. ¡Ahí es donde trabaja mi ex! O por lo menos trabajaba. Ya no nos hablamos. ¿Os suena el nombre de Derrick Stockton?

La semana que siguió a la fiesta de Navidad, el bufete funcionó a medio gas, poblado tan solo por aquellos que no habíamos tenido la suerte de irnos de vacaciones. Los que quedábamos (los de primer año, obligados todos a quedarnos, más algún que otro infeliz de segundo, tercero o cuarto que había tenido que cancelar sus planes y pedirle el reembolso de las vacaciones al bufete) trabajábamos a un ritmo desenfrenado para compensar la ausencia de los compañeros que habían sido más listos y ya habían colgado las respuestas automáticas de «Fuera de la oficina» y habían cogido un avión. Ese viernes seguía sin saber nada de Peter más allá de un puñado de correos colectivos relacionados con Stag River. Era 23 de diciembre y el último día laboral que podría aparecer por el trabajo. Yo andaba intentando hacer una lluvia de ideas con todas las tareas que se me ocurrían —de las operaciones, de papeleo, de la casa— para mantenerme ocupada la cabeza y superar la angustia.

La falda granate que me había comprado en Bergdorfs y a la que le había cortado las etiquetas esa misma mañana, por si se daba la remota casualidad de que me encontrase con Peter, pasó de ceñida a apretada después de comer. Cada vez que las costuras del cuero se me clavaban en las caderas, sentía una especie de duro recordatorio de que él había pasado página. «Seguro que le parezco demasiado gorda; le asquea mi cuerpo porque su mujer está en los huesos.» A eso de las seis me quité los zapatos de salón negros y empecé a poner orden en el revoltijo del escritorio. Me hice un moño y cogí el limpiacristales que guardaba en el estante de arriba. Puse bocabajo el teclado y le di varias palmadas, viendo cómo se liberaban las migas de los innumerables bocadillos comidos allí.

—¡Tranquila! ¿Qué te ha hecho ese pobre ordenador?

Levanté la cabeza como un resorte y me vi a Peter en la puerta; no me dio tiempo a ponerme los zapatos ni a deshacerme el moño, pero aparté un mechón de pelo con un soplido de medio lado y enderecé la columna.

—¿Puedo pasar? —preguntó como si tal cosa.

Le señalé la silla libre con toda la profesionalidad que pude, imitando un movimiento que Matt había hecho conmigo varias veces. Entró dejando abierta la puerta tras él y, muy a mi pesar, me embargó una oleada de decepción. Me vino de nuevo una imagen fugaz de los dos en el asiento trasero de su coche y de pronto sentí muy viva la pequeña costra que se me estaba formando en el pecho. Peter tenía un aspecto inmejorable a pesar de las horas. Llevaba el nudo de la corbata intacto y el pelo impecable.

Yo me senté en mi silla mientras él hacía otro tanto. Le pedí a mi mirada que parara quieta, pero se negó a obedecer. Decidí fijarla en cambio en el ordenador.

—¿Cuándo te vas de vacaciones? —le pregunté mirando de reojo la pantalla y tocando el ratón para despertarla mientras intentaba poner un tono desenfadado.

Le dio un repaso a mi despacho con la mirada.

—¿Cómo encuentras nada aquí?

Por el rabillo del ojo vi que Anna estiraba el cuello hacia el despacho. Yo le lancé una mirada de medio lado y volvió a meterse tras el cubículo, pero seguí con la sensación de que nos escuchaba.

—Es todo para tirar. Acabo de terminar de clasificar lo que necesitaba —dije en voz bastante alta para que Anna se aburriera y dejara de escuchar la conversación—. Un hombre muy sabio me dijo en cierta ocasión que no guardara papeles que no quisiera que desenterraran en un juicio veinte años después.

Peter dejó escapar una risa breve hacia el techo antes de bajar los ojos para buscar los míos.

Se quedó callado unos instantes antes de inclinarse sobre las patas traseras de la silla y pasarse la mano por el pelo. Vi cómo le caía por los ojos. Era un jueguecito. «¿Es eso o no es eso? ¿Estará también él intentando averiguar qué estoy pensando yo?»

Vi una figura en el umbral tras él.

—Buenas —dije cuando Matt asomó la cabeza y se quedó mirándonos alternativamente a los dos.

Se saludaron como autómatas.

—¿Has mandado los comentarios? —me preguntó Matt.

—Hace una hora. Te he puesto en copia.

—Bien. Se me habrá pasado.

—No sería el correo más importante de tu día. ¿Cómo ha ido con Didier?

—Bien. Sí. Ha sido un día largo, Pip, vete a casa. Te vas a pasar todas las vacaciones guardando tú sola el fuerte, así que será mejor que duermas mientras puedas. Nos vemos después de Año Nuevo. —Se despidió de los dos con un saludo mínimo.

—Gracias. ¡Que lo pases muy bien! ¡Buen viaje!

Me puse a organizar los papeles del escritorio como si estuviera preparándome para irme a casa y no paré hasta que me aseguré de que se había ido.

Peter estaba mirándome con la cabeza ladeada y el cuerpo relajado. El verde de los ojos se le oscureció en un tono castaño y sentí una tensión que se me colaba reptando en el cuerpo y me inundaba por dentro.

—Es tarde —dije estirando el cuello para que no me atrapara la marea creciente.

—Sí —contestó sin parpadear.

Vi que Anna estaba guardando sus cosas y se despedía con la mano antes de dirigirse al ascensor. Luego le hice una seña a Peter para indicarle que cerrara la puerta, cosa que hizo antes de volver a su sitio con una sonrisilla.

Me crucé de piernas y me recosté en la silla, como estirándome antes de dar por finalizada la jornada, mientras lo miraba con la mayor neutralidad posible, casi rogándole que se fuera. Pero no lo hizo. Ni tampoco avanzó hacia mí. Era más inteligente que yo, con más autodominio, más civilizado. Se quedó allí sin más, con las piernas ligeramente separadas, la camisa blanca de un almidonado imposible bajo la americana. Me mordí el labio inferior y sentí que se le iban los ojos a mi boca. Fingí ignorarlo y miré el ordenador unos instantes antes de volver a clavarle la mirada. Y allí seguía. Sentí un revoloteo en el bajo vientre.

—Es tarde —repetí.

Pero siguió mirándome sin más. Me levanté, ligeramente mareada y con las piernas temblorosas. Mientras me acercaba a él, tuve la certeza de que el cerebro se me había rendido ante el cuerpo. Rodeé lentamente el escritorio y me senté frente a él, a centímetros, pero sin tocarnos. Me apoyé contra la mesa y me senté.

Por un momento temí que no fuera a hacer nada, pero entonces me puso una mano en cada cadera, con tanta suavidad que apenas me rozaba. Me posó los pulgares en la barriga, justo donde la falda se encontraba con la blusa, y me envolvió la espalda con el resto de los dedos. Sentí que tenía control absoluto sobre mí, que podía hacerme adoptar cualquier postura o dirección que quisiera, pero ejercía ese poder con tanta sutileza, explorando más que ordenando, palpando más que forzando... En ese momento comprendí la futilidad de fingir que no lo deseaba.

Tensó los dedos y cedí y me pegué a él, casi entre sus rodillas, hasta que por fin se inclinó sobre mí. Me pasmó lo íntimo que parecía todo, sentir que me necesitaba cuando descansó la mejilla en mi vientre, cuando me rodeó la cintura con los brazos. Bajé la mano para tocarle el pelo y peinarle con los dedos la cabellera poblada y luego le di un tirón suave al notar la electricidad que pasó entre ambos.

Se levantó despacio, con una lentitud hiriente, sin apartarme aún las manos de la cintura, su cara subiendo por mi torso y hasta mi boca. Me acarició los pechos con los labios al pasar. Todo en mí cobró vida..., demasiada. Tenía la sensación de estar a punto de derrumbarme. Llegó a la altura de mi cara y entonces superó mis labios con los suyos al incorporarse del todo. No soportaba levantar la vista y mirarlo todavía, pero coloqué las manos en su pecho y deslicé los dedos entre la camisa y la chaqueta. Le bajé esta última por los hombros y los brazos y la dejó caer en la silla de detrás.

Volví a ponerle las manos en el pecho y le tanteé el botón de arriba, sintiendo que me atravesaba una corriente desde su corazón, pero seguía sin querer mirarlo. Le desabroché el siguiente botón. Y luego el otro. Paré las manos en la hebilla cobriza del cinturón. Me detuve, el miedo por adónde podía llevarme aquello apoderándose de mí. Él me deslizó las manos lentamente por los brazos, sobre la blusa de seda, y luego volvió hacia arriba.

Por fin lo miré entonces, incapaz de contenerme, suplicándole con los ojos que me besara. No me complació, a pesar de que sabía exactamente lo que yo quería. Volvió a ponerme las manos en la cintura, me levantó del suelo y me dejó caer en la mesa, donde se me quedaron los pies colgando. Miré de reojo la puerta cerrada y él me siguió la mirada. Vio en mis ojos el miedo a que nos pillaran, a la aventura, a lo que sentía por él. Los cerré y respiré cuando por fin me besó. Apartó los labios y me miró a los ojos. Yo le dediqué una sonrisa breve y triste: una disculpa tácita a Sam, al mundo, por escaparme a través de él. Me subió la falda hasta la cintura y cogí aire con fuerza.

Me echó la cabeza hacia atrás en la mesa hasta dejarme con la espalda apoyada sobre el revoltijo de papeles y luego se puso de rodillas para tomarme con la boca.

Me llevé la mano como un cepo sobre los labios. Justo cuando relajé la espalda y aplané el arco de la columna y el mundo volvió a delimitarse con formas definidas a mi alrededor, se encaramó sobre mí. Sonrió, cogió una hoja de papel que había al lado de mi cabeza, la hizo una bola y me la metió en la boca. Dejé que el papel amortiguara mi grito de placer.

Nos quedamos tendidos en el suelo del despacho, con la gruesa moqueta industrial cosquilleándome la espalda. Le atrapé la mano con la mía y me quedé mirando nuestros dedos entrelazados. Pasé el índice de la mano libre por las pequeñas líneas de sus cicatrices, recordando aquella primera comida que compartimos e imaginando al pequeño Peter abriendo ostras tan campante, bañado por el sol de Nueva Inglaterra. Nos quedamos mirando el techo y, por fuera, a los demás edificios iluminados de Manhattan. Me pregunté cuántas aventuras de oficina estarían sucediendo en esos pequeños cubos de luz y cuántos acababan de ver la nuestra. Rodó sobre un costado para apartarse, levantarse y empezar a recoger la ropa por el despacho.

—Me voy mañana a Hawái —dijo abrochándose la camisa—. Ya nos vemos después de Año Nuevo, pequeña. —Me guiñó un ojo.

Yo ya sabía que se iba de vacaciones antes de que nos acostásemos, pero de pronto lo sentí como si fuera a subirse a ese avión solo para dejarme a mí, como algo personal. Esbocé una sonrisa forzada mientras me venían a la mente imágenes de él con su mujer y sus hijos en una playa paradisiaca. Quise que me dijera que me echaría de menos. Quise que me dijera que no quería irse. Pero me puso la mano en la barbilla, me la alzó y me dio un beso corto antes de dejarme allí plantada sin pensárselo mucho. De repente me entraron ganas de llorar.

Sola en la habitación, me propuse destruir toda prueba del encuentro en un esfuerzo por recuperar el control de mis emociones. Barrí con un brazo todos los papeles de la mesa para echarlos en la papelera y ahogué un grito cuando vi que la declaración de intenciones arrugada estaba manchada de sangre. Cogí un pañuelo y me lo deslicé falda arriba para ver si era mía. No lo era.

Volví a coger el limpiacristales y froté el tablero de la mesa hasta que se quedó reluciente y luego llamé a recepción para pedir un coche que me llevara a casa. Al salir pasé corriendo por el baño, donde me lavé los dientes y escupí un poco de sangre. Me inspeccioné la lengua y me encontré un corte en la punta, del papel. Me lavé la boca con enjuague bucal y disfruté del escozor, como si fuera el castigo por mi transgresión. Mientras atravesaba el vestíbulo, saludé de lejos a Lincoln, en un gesto amistoso, al tiempo que escrutaba su expresión en busca de indicios de que conocía mi indiscreción. Si era así, no me lo hizo ver y me sonrió con la calidez de siempre. Me metí en la limusina negra que estaba esperándome.

—¿Eres Alex Vogel? —El chófer me miró con cautela por el retrovisor mientras arrancaba.

Se me cayó el alma a los pies. ¿Todos los chóferes de nuestra empresa hablaban entre sí? ¿Le habría contado el chófer de Peter a todo el mundo lo de la noche del Pierre?

—Pues sí —dije y asentí, mirándolo por un momento a los ojos.

Durante el trayecto vi que se volvía cada dos minutos para mirarme. Intenté pegarme más a la ventanilla para que no me viera, pero el espejo parecía seguirme.

—Eres una mujer.

«Relájate —me dije—. No te va a hacer nada, en Klasko tienen su nombre, y su identificación de empleado, y saben que vas en este coche.»

—Pues sí —repetí, mirando por la ventanilla.

Saqué el teléfono y lo desbloqueé, preparada para utilizarlo en caso de emergencia. Me temblaban mucho las piernas. ¿Era aquel el castigo por engañar a mi novio? Solo quedaban diez manzanas. Empecé a rezar.

—Mira, yo solo digo que como mujer ya te vale…

—¿Perdone? —Me permití mirarle a los ojos.

—No sabía que fueses una mujer. Es que… yo tengo hijas. Y yo me lo plantearía. Creo que debería hacer examen de conciencia…

—Creo que no estoy entendiendo…

—Estoy deseando contarles a todos los de la central que eres una mujer. Meñique lo va a FLIPAR. Odia esa carrera del Starlight.

La cabeza me iba a mil por hora. No tenía ni la más mínima idea de qué hablaba aquel hombre, pero parecía enfadado, y tuve la impresión de que hacerle más preguntas no me ayudaría. Desenfoqué la mirada, deseando que acabara el trayecto, y cuando por fin paró delante de mi edificio, salí y cerré de un portazo sin despedirme. Si aquel era mi castigo, tampoco era para tanto, me dije.

17

Sam y yo pasamos una Nochebuena agradable con mis padres en Connecticut antes de ir en coche hasta Nueva Jersey para estar el día de Navidad con los suyos. Mis padres no son religiosos, y para ellos lo importante era pasar tiempo juntos, daba igual la fecha concreta. Decidimos viajar esa misma noche y dormir ya en casa de los padres de Sam, en su antiguo cuarto de la infancia, donde seguía estando el viejo escritorio de madera con el tablero lleno de grabados a boli y los libros de texto del instituto entre unos sujetalibros de cerámica en forma de pelota de béisbol. Esa mañana de Navidad me desperté con tortícolis por el colchón de noventa extrafirme, pero no podía quejarme: Sam había dormido en el suelo a mi lado en lugar de quedarse en el sofá del salón.

Le había insistido a Sam para que ese año nos saltáramos los regalos de Navidad entre nosotros y habíamos quedado en que, a cambio, haríamos planes para unas vacaciones en primavera. Sabía que él no estaba en posición de gastar dinero y yo no tenía tiempo de ir a comprar nada, solo regalos para niños por internet. Vimos cómo sus sobrinos desgarraban los envoltorios mientras nos tomábamos tranquilamente el café, y luego nos sentamos todos a comer un desayuno tardío muy elaborado que había preparado su madre, todo sin quitarnos el pijama. Conseguí despegarme del sofá después de ver en familia *Qué bello es vivir* y *Navidades blancas* y llamé a un coche para que me llevara de vuelta a Manhattan antes de que empezara *De ilusión también se vive*. Los padres de Sam me dieron una gran bolsa llena de táperes con sobras y me despidieron con pucheros compasivos porque, pobre de mí, tenía que trabajar. Animé a Sam a que se quedara con ellos, pero insistió en volver conmigo, y me pareció un detalle que agradecí como no le había agradecido nada en mucho tiempo. Al parecer habíamos vuelto a la senda de la normalidad y la felicidad parejil.

El primer lunes después de Navidad, el frío intenso trajo consigo una sensación de calma. Ahora veía claro que mi regalo de Navidad para mí y todos mis seres queridos era una moratoria autoimpuesta sobre Peter y las fiestas que había estado pegándome. Me dije que mi comportamiento respondía a una especie de adicción y que los síntomas de la abstinencia remitirían pasados unos días. El universo me había impedido seguir haciendo lo que yo no conseguía detener por mi cuenta. Me dirigí hacia el bufete a medio gas, con una sensación de paz que no había sentido en semanas, e inicié sesión en mi ordenador.

De: Jordan Sellar
Para: Alexandra Vogel
Cc: Matt Jaskel
Asunto: Vas a flipar con esta operación

Matt y yo estaremos fuera hasta el 1 de enero, ¿podrías ocuparte tú de los correos? Nos ha llegado a través de Didier, que no está de vacaciones, así que no tendrás problema.

De: Alexandra Vogel
Para: Jordan Sellar
Cc: Matt Jaskel
Asunto: RE: Vas a flipar con esta operación

¡Genial! Yo me encargo. ¡Pasadlo bien!

Sin embargo, al cabo de un par de días, entre el bullicio de la ciudad que me rodeaba y haber vuelto al despacho, algo hizo que me pasara el día pensando en Peter. Miraba el teléfono obsesivamente para ver si me había escrito algún correo, pero cuando lo hacía era sola y exclusivamente para hablar de trabajo y más trabajo. Intenté distraer la cabeza quedándome en casa con Sam y trabajando desde allí, preparábamos juntos la cena, veíamos películas juntos y hacíamos el amor juntos. Aun así, me aburría con él. En Nochevieja pedimos comida china y vimos *Entre pillos anda el juego*. Cuando nos fuimos a la cama poco después de medianoche, Sam se giró sobre un costado para mirarme y me susurró: «Ha sido la mejor Nochevieja de mi vida», antes de sumirse en un letargo profundo, y me conmocionó pensar con horror que las Nocheviejas del resto de mi vida fueran a ser iguales. Me levanté de la cama, me fui al salón con el portátil y me quedé despierta hasta las tres poniéndome al día con toda la carga de trabajo rutinario que había descuidado desde el Baile de Navidad.

Para el día dos de enero, Jordan me escribió para decirme que era la que estaba facturando más horas de mi promoción: cincuenta y cinco la semana anterior, y eso que era el periodo más lento del año. Apenas conseguía llevar adelante todas las operaciones; estaba en cuatro casos activos que tenían las fechas de cierre programadas con una diferencia de un mes entre una y otra. La oficina recobró la vida y toda su energía en lo que me parecieron segundos. La calma zen que pudieran haber hallado mis compañeros en sus escapadas en la playa o la montaña se volatilizó en cuanto regresaron al frío y húmedo invierno de Nueva York. Seguía sin saber nada de Peter que no fuera sobre trabajo. «Solo hace un día que ha vuelto al despacho», me recordaba cada vez que actualizaba la bandeja de entrada.

Aparté como loca las carpetas y los papeles de la mesa en busca del teléfono fijo, que estaba sonando, y cogí el auricular justo antes de que la llamada fuera a parar al contestador.

—¡Hola! —respondí sin aliento.

—Vamos a hacer la reunión telefónica en mi despacho. Matt se va a ir ya a casa, pero luego se incorpora desde allí —me dijo Jordan sin más preámbulos.

Ambos habíamos retomado rápidamente nuestra cómoda rutina: hablábamos al menos diez veces al día, y yo seguía atendiendo sus peticiones mucho antes de que se le pasara por la cabeza comprobar que las había hecho. Me parecía incluso estar mejorando cada vez más en mi trabajo después de haber llevado para adelante yo sola casi todos los aspectos de varias operaciones mientras mis compañeros estaban de vacaciones.

—Claro —dije y colgué.

Consulté la hora en la esquina inferior derecha de la pantalla del ordenador. Eran solo las diez. Toqué el móvil para resucitarlo y la pantalla se llenó de llamadas perdidas y mensajes sin leer de mis padres y de Sam. Por un momento me entró el pánico y pensé que había pasado algo malo, pero después de mirar por encima los emoticones y los «qué tal», preferí abrir el Spotify. Era incapaz de concentrarme, sin embargo. Me bailaban las piernas bajo la mesa y empezaba a sentirme confinada, casi asfixiada, así que me levanté y fui a la cocina, donde casi me choqué con Nancy, que salía con un té.

—Ay, Dios, lo siento mucho —me dijo, y me miró a los ojos abochornada, con un rubor que claramente no se debía solo a nuestro encontronazo—. Lo siento muchísimo.

Me fijé en que llevaba una blusa rosa muy fina por encima de una camiseta blanca de sisas; últimamente vestía mejor, parecía haber tomado apuntes de quienes la rodeábamos.

—No es nada.

Pasé de largo y sentí que me miraba mientras cogía un refresco de la nevera. «Dijo cosas horribles sobre mí, debería echárselo en cara, hacer que se sienta peor. No, tienes que ser mejor persona que ella.»

—Me alegro de que no se te haya caído encima, esa blusa es demasiado mona para fastidiarla —dije hacia atrás.

Volví a mi oficina, abrí el refresco y cabeceé al ritmo de mi *playlist* mientras miraba de nuevo la hora y abría *Golpes Bajos*, la página que había conocido gracias a Carmen, para ponerme al día de los últimos cotilleos sobre los bufetes de élite. Miré los titulares por encima: «Un asociado de Davis & Gilroy ebrio tira una pieza expuesta en una gala celebrada en el MoMA», «Se rumorea que esta Navidad los bonus han alcanzado su récord», «¿Se verá abocada la Big Law al mismo fin que el dodo?»

Volví a mirar la hora. Solo habían pasado tres minutos desde la última vez que había mirado. Apagué la música e intenté respirar hondo para calmar el golpeteo en mi pecho. De pronto el despacho me parecía diminuto, como si las paredes estuvieran cerrándose poco a poco sobre mí y tuviera que salir cuanto antes de allí. Marqué la extensión de Derrick, esperando que estuviera libre para dar una vuelta por la manzana.

Nada.

Le mandé un mensaje.

Alex: Estás por ahí? Necesito parar un rato.
Derrick: Hoy hemos conseguido un acuerdo extrajudicial en el pleito en el que estaba trabajando, así que me he cogido un avión y me he plantado en Las Vegas. Vuelvo mañana.

¿Quién se va a Las Vegas para solo una noche? Me tiré del cuello de la camisa. ¿Sería claustrofobia? ¿Acaso era posible, teniendo en cuenta que podía ver desde mi ventana el centro de Manhattan en su totalidad?

Quedaban todavía veintitrés minutos para la reunión telefónica de control de proyecto. Angustiada, salí al pasillo, donde un par de oficinas aún con luz y el zumbido de una aspiradora en algún punto a mis espaldas eran los únicos indicios de vida en el edificio. Me fijé en una señal luminosa que había en el techo con un muñequito que subía unas escaleras y se me ocurrió una idea. Volví al despacho, me quité los tacones y me anudé las zapatillas de deporte casi sin usar que guardaba bajo la mesa. Regresé a las escaleras y, cuando abrí la puerta, me vino el olor almizcleño del cemento industrial y el polvo; acto seguido me remangué la falda y empecé a subir lentamente, saboreando cómo se me tensaban las pantorrillas y sentía que los muslos empezaban a arderme por un ejercicio físico que apenas hacía.

Y entonces oí un gemido suave y me detuve en seco. Por un momento no oí nada, aunque me parecía sentir una presencia en las escaleras, hasta que de pronto sonó otro gemido femenino indefinido. Seguí subiendo sin hacer ruido, preguntándome si debía ofrecerle consuelo a una compañera que claramente estaba pasando un mal rato o retirarme y dejarla en paz.

Hasta que oí un quejido de placer.

Un quejido de placer claramente masculino.

Me tapé la boca como por instinto y me agaché para sentarme en un escalón. Volví a levantarme lentamente, valiéndome de manos y pies, y alargué un poco el cuello, demasiado intrigada para no mirar, pero aterrada también de ver a alguien que yo no quisiera que me viese por nada del mundo. ¿Y si era Mike Baccard? ¿O algún socio? No podría volver a mirarme a los ojos. ¡Mi carrera estaría acabada! Subí un escalón más y un cuerpo entró en mi campo de visión, una melena larga rubia en una cabeza que subía y bajaba a la altura de la cintura de un hombre de pie y, por suerte, con la cabeza fuera de mi campo de visión, una camisa blanca por fuera y una chaqueta azul marino de raya diplomática todavía puesta. Imaginé que tendría los pantalones bajados por los tobillos. Me quedé mirando más de lo debido. Sabía que era una perversión por mi parte, pero no conseguía despegarme del sitio. Volví a alargar el cuello y vi entonces la blusa de gasa rosa. ¡Nancy!

Empecé a volver por las escaleras con el máximo sigilo posible, pero entonces se me cayó el móvil en el cemento. Un sonido como de unos platos de loza rompiéndose contra el suelo de un restaurante retumbó contra la superficie inclemente. Me quedé helada por un momento y sentí la tensión de los dos cuerpos varias plantas por encima. Se produjo un susurro, seguido de movimiento. Estaba convencida de que saldrían corriendo escaleras arriba, pero oí en cambio que bajaban. Reaccioné entonces, recogí el teléfono del suelo y salí disparada por la puerta del primer rellano al que llegué. Cerré la puerta tras de mí y me apoyé unos instantes contra ella, con los ojos cerrados. Pensé entonces que seguramente querrían saber quién los había visto para poder evaluar hasta qué punto se habían metido en un lío, si se trataba de alguien que lo contaría o no. Lo más normal era que todavía estuviesen siguiéndome.

Salí corriendo hacia los ascensores, pulsé como una loca el botón de bajada y me metí dentro en cuanto llegó. Pero antes de que las puertas se cerraran del todo, apareció Nancy por la otra punta del pasillo. Nos quedamos mirándonos fijamente, aturdidas, mientras las puertas de acero me aislaban y me disparaban hacia abajo. Miré la cámara en la esquina del ascensor. Esa noche Lincoln debía de estar disfrutando de lo lindo con el espectáculo.

Jordan iba a morirse de la risa cuando le contara que había visto a la pesada de Nancy, tan digna ella, haciéndole una mamada a alguien en una escalera sucia. Cuando entré en su despacho, iba ensayando el inicio de mi relato, pero me lo encontré con cara de agobio. Me hizo señas de que me sentara, impaciente, y marcó sin más el número para nuestra reunión telefónica. Sonó una música de espera. Borré de la cara la sonrisa de pava. La operación debía de haberse fastidiado por algo. Mierda.

Abrió la boca para hablar justo cuando la voz al otro lado de la línea anunciaba que empezaba nuestra reunión telefónica.

A pesar del agobio de Jordan, la reunión parecía responder al guion, lo que, según había aprendido ya, era siempre la mejor posibilidad dentro del mundo legal. El contrato estaba ya cerrado, todo el mundo les había dado el visto bueno a las condiciones, pero habíamos subdividido el cierre, lo que significaba que lo único que hacía falta era que los fondos se transfirieran de la cuenta del comprador a la del vendedor (salvo por los dos millones de costes legales que nos tocaban a nosotros, por supuesto). Teníamos programada la reunión para el cierre a las nueve de la mañana del día siguiente, y, con suerte, estaría durmiendo en mi cama para las once.

Cuando estábamos ya acabando, el abogado de la otra parte anunció que tenía una última cosa que añadir.

—Por último, necesitamos haceros saber que al parecer ha habido una leve infracción del acuerdo de confidencialidad por parte del vendedor. Por lo visto, la noticia de la compra de activos se ha anunciado en la junta de accionistas de hoy.

Levanté la cabeza del teclado y miré a Jordan con los ojos desencajados. Abrí la boca para susurrar una pregunta, pero me mandó callar con un rápido movimiento de cabeza.

—¿Jordan? —preguntó el abogado de la otra parte—. ¿Sigues ahí?

—Sí —respondió.

—Mira, Jordan, yo no creo que esto tenga ningún efecto real en la empresa, o... —Se detuvo—. De entrada, podía haber sido el típico acuerdo que solo firma el vendedor, no había razón para que el comprador se viniera con secretitos. Pero tendré todas las respuestas para las nueve de la mañana. —Jordan siguió sin decir nada—. Sé que esto podría echar por tierra el trato, pero no será así —farfulló el abogado de la otra parte, rellenando el silencio.

La voz de Matt llegó por el teléfono.

—Eso tiene que decirlo nuestro cliente, no tú, John. —Jordan y yo soltamos un suspiro de alivio—. Y, en ocasiones venideras, sería un detalle que no esperaras al final de una llamada para contarnos algo que podría reventar toda la operación. Es irrelevante que el acuerdo de confidencialidad pudiera haber sido unilateral. De hecho, es recíproco. Hablamos de nuevo cuando se lo planteemos a nuestro cliente. —Hubo un pitido y la voz automatizada nos hizo saber que Matt había abandonado la llamada, por lo que nosotros también colgamos.

—Tengo que llamar a Didier y contarle lo que ha pasado —dijo Jordan—. Pero necesito saber a qué nos atenemos, por todos los frentes. Llama ahora mismo a Taylor y diles que simulen evaluaciones ahora y a las nueve de la mañana basándose en rumores de mercado que afecten a los beneficios de un quince por ciento en adelante. Necesito una respuesta para las dos de la mañana. —Miró de reojo hacia la puerta abierta, dándome a entender que podía retirarme—. Voy a hablar con Matt otra vez. Va a ser una noche larga. —Asentí, y estaba ya casi saliendo por la puerta cuando me dijo—: Alex. —Me volví y vi que estaba mirándome fijamente—. ¿Has visto cómo no he abierto el pico durante la llamada? —Asentí, pero sin tenerlas todas conmigo—. Es importante saber cuándo no hay que hablar. —Volví a asentir, más confundida aún: ¿hablaba yo demasiado en las llamadas con clientes?—. ¿Te queda claro?

Nunca había utilizado ese tono conmigo —condescendiente y formal— y me enfureció. Hasta que me fijé en su camisa blanca y luego en la chaqueta de su traje azul marino de raya diplomática. Sentí que se me desencajaban los ojos, a pesar de mi intento por poner cara de póquer, y que se me iban luego hacia su alianza cuando entrelazó con fuerza las manos. Acto seguido levanté la mirada para cruzarla con él y asentí. Se me cayó el alma a los pies al comprender que las posibilidades de que aquella noche hubiera sido el primer encuentro entre Nancy y él eran, cuando menos, remotas.

—Yo no he visto... Sí, está claro.

Obligué a mis piernas de mantequilla a salir del despacho y luego volví ante mi mesa e intenté comprender cómo había pasado por alto algo que había estado sucediendo delante de mis narices.

—¿Hola? —La voz de Taylor del National salió por el auricular antes de darme cuenta de que yo misma había marcado su número.

—Buenas, soy Alex, de Klasko. ¿Te he despertado?

—Más quisiera yo. No, de hecho, sigo en el despacho. ¿Qué pasa?

—DuVont ha revelado la compra de activos en la junta de accionistas de hoy —le dije.

—Joder. Siempre pasa con los casos que uno archiva en la cabeza y da por cerrados. —Con todo, no pareció perder la calma, comprendí con alivio.

—Ya, en fin... Vamos a tener que volver a simular las evaluaciones para la una de la madrugada. —Me di una hora de margen por si él se retrasaba con las proyecciones—. Dos posibles casos.

Las dos siguientes noches dormí en el despacho y acabamos cerrando la operación el viernes por la mañana en lugar del miércoles. En cuanto terminamos, nos llegó un aluvión de correos de la gente del National dándonos las gracias al equipo por nuestra diligencia y nuestra eficiencia ante las dificultades surgidas, y yo respondí a todos con un mensaje rápido diciéndoles que eran mis clientes favoritos antes de meterme en un Quality rumbo a casa. En cuanto subí al coche me vino el recuerdo de aquel último trayecto tan insólito y me puse tensa. Busqué el retrovisor con la mirada, pero comprobé con alivio que la cara me era desconocida. El chófer apenas me miró mientras arrancaba por la Quinta Avenida.

Regresé el lunes al trabajo después de tirarme el fin de semana durmiendo, decidida a hablar con Jordan nada más llegar para despejar cualquier malestar y hacerle saber que, por lo que a mí respectaba, el incidente nunca había existido. Difícilmente podía saber él que yo no estaba en posición alguna de juzgarlo. Sin embargo, antes de que pudiera marcar el número, me llamó él.

—¡Buenas! —Intenté sonar desenfadada, pero exageré un poco.

—Hola, Alex.

¿Por qué me llamaba por ni nombre normal? Llevaba meses llamándome solo Pippy.

—Matt acaba de colgar al teléfono con la gente del National. Están tan contentos con cómo hemos llevado la operación y con el trabajo que hemos hecho que quieren que salgamos una noche a celebrarlo. Hoy es el único día que pueden quedar en varias semanas. Vamos a llevarlos a cenar a The Grill. Así que..., eso..., que te vienes.

—¡Vale! —dije, consciente de la tensión que salía por el auricular y preguntándome si debía decir algo sobre lo de la escalera para intentar aclarar el tema, pero me lo pensé mejor—. ¡Será divertido!

—Besos, adiós. —Colgó y contraje la cara ante lo brusco de su despedida.

Me subí el cuello de la camisa por encima de los ojos, como si pudiera ocultarme así del malestar que sentía, hasta que volví a sacar la cabeza y marqué su número.

—¿Sí? —Parecía confundido.

—Buenas. Oye, ¿qué te parece si nos vemos en el bar de The Grill como a las siete y nos tomamos una copa tú y yo antes de que aparezca todo el mundo? —Guiñé los ojos mientras esperaba su respuesta, imaginando que debía de ser una sensación parecida a cuando le pides salir a alguien.

—Claro. —Parecía aliviado—. Claro que sí. Bien pensado, Pip.

Temiéndome un paseo a solas y sobrios hasta The Grill, le dije a Jordan que tenía que hacer antes un recado rápido y que mejor nos viéramos directamente allí. Cuando llegó, yo ya estaba en la barra tomándome un martini. No supe cómo saludarlo, pero él se limitó a dejarse caer en el taburete a mi lado y pedir una copa antes de decirme siquiera «hola». Charlamos un poco sobre sus vacaciones de Navidad hasta que por fin el barman le trajo el whisky solo.

Esperé a que le diera el primer sorbo.

—Por lo que a mí respecta, lo que pasó nunca pasó —empecé diciendo—. No hace falta que hablemos del tema.

Jordan asintió despacio y luego levantó los ojos para mirarme.

—Pero ¿y si…? —Hizo una pausa—. ¿Podemos en realidad hablar del tema? —Yo asentí con tacto—. Han sido tres veces, pero ya se ha acabado…

—Eso está bien. Que haya acabado, me refiero, no que pasara… —farfullé, y ambos sonreímos por mi verborrea nerviosa.

—Pero sigue llamándome, en plan…, todo el día. Menudo follón. Mira, yo sé que no debería haberlo hecho, pero la primera vez que pasó llevaba cinco meses sin acostarme con mi mujer. Estaba con la cabeza ida.

Tosí cuando le di un sorbo al vodka.

—Uau. Pero… ¿y eso?

—Ella quiere tener un hijo, pero yo antes quiero llegar a socio. Como se negaba a usar protección, la cosa se convertía en una pelea cada vez que íbamos a hacerlo, así que dejamos de hacerlo. Y dejamos de hablar de críos. Y, después, de hablar de cualquier cosa. Y luego nos limitamos a ser…

—… compañeros de piso —terminé la frase mientras me preguntaba si Sam y yo seguiríamos acostándonos si no fuera por mi mala consciencia.

—Compañeros de piso —confirmó Jordan—. Pero yo la quiero… una barbaridad. Y no sé por qué tengo la necesidad de esperar a traer a un crío al mundo mientras no tenga todo totalmente bajo control. A lo mejor es porque me crie sin dinero, pero cerca de gente con dinero. Y todavía me despierto a veces sudando, con la sensación de que me lo podrían arrebatar todo en segundos. —Le dio un buen sorbo al whisky y dejó tan solo una fina capa ámbar en el fondo del vaso—. Soy lo peor.

—Eso no es verdad. —Lo pensaba de corazón, sin titubeos—. Si no quieres perder a tu mujer, sigue ignorando a Nancy. Acabará dejándote en paz. Dile a tu mujer que quieres que la relación funcione. Ella no quiere divorciarse, lo que quiere es un crío. Y me da que tú también. Seguro que podéis solucionarlo, ¿vale? —Asintió—. La gente llegará dentro de poco. ¿Estás bien o quieres que los mandemos a paseo?

—Estoy bien. Ahora mismo lo único que quiero es emborracharme hasta las trancas.

—¡Me apunto! —Le hice una seña al barman para que me trajera la cuenta y la cogí antes de que Jordan pudiera hacerlo—. Yo invito.

Me vio firmar y luego me cogió el bolígrafo y añadió tres letras detrás de la firma.

—Mételo en los gastos. Ahora eres del club —me dijo con una sonrisa.

Puse los ojos en blanco.

—No hace falta poner «mag.» para cargar gastos. ¿Qué entienden los de contabilidad con eso?

—No, pero si pones «más», todos sabrán que trabajas para Matt y nunca te pedirán cuentas por ningún gasto, da igual la cifra, y te reembolsarán el dinero en la cuenta en menos de cuarenta y ocho horas. Y es una ese, por cierto, no una ge. —Señaló la última letra—. Te lo digo en serio, no hace falta que tientes a la suerte a ver hasta dónde llegan, pero yo una vez me llevé a cinco clientes a Las Vegas para ver un combate. Al bufete le costó seis mil dólares por cabeza, todo incluido. El dinero estaba en mi cuenta antes de que aterrizáramos a la mañana siguiente.

—¿Qué significa lo de «más»?

—El socio para el que trabajaba antes Matt lo inventó hará unos cuarenta años. Solo significa que nosotros trabajamos más duro y más tiempo y por eso tenemos derecho a más cuando salimos. Es una tontería, pero es la tradición.

Incluso más que la invitación a Miami y el volumen constante de trabajo que me encargaban, aquel fue el momento en que me sentí por completo integrada en el grupo. Un poco achispada ya, le lancé los brazos al cuello, totalmente indiferente a lo adecuado o no del gesto.

Me dio una palmadita en la espalda.

—Tranquila, Pip. Anda, vamos a emborracharme.

—Más —dije guiñando un ojo.

La luz de la mañana se coló en el dormitorio, a pesar de que hacía meses que le había pedido a Sam que instalara estores opacos, y tuve un doloroso despertar. Entorné los ojos antes de abrirlos siquiera y luego los abrí de par en par.

Sam se removió ligeramente a mi lado, pero me quedé muy quieta, con los ojos pegados al techo unos segundos antes de empezar el día, un truco que había aprendido para combatir la resaca.

—¿Qué está pasando por esa cabecita? —preguntó Sam, al que noté mirándome.

—Nada, cosas —dije.

—¿Qué cosas?

«Mi resaca. La relación adúltera de mi compañero. Lo penosa que es mi obsesión con el hombre con el que te he engañado y que claramente se ha olvidado de mi existencia.»

—La jaqueca que tengo —dije, y reí.

—Bueno, a lo mejor deberías beber menos. —Se dio media vuelta en la cama y tiró de la colcha hacia arriba.

Desde que nuestro tiempo juntos en Navidad había tocado a su fin, andaba molesto, pero no era realista pensar que pudiera seguir trabajando desde casa, haciendo la cena todas las noches y acostándome con él más de lo habitual para intentar distraer mi culpabilidad.

—No tiene que ver con lo que bebo —estallé—. Tiene que ver con que no duermo porque la ÚNICA cosa que te he pedido que hagas en el piso no la has hecho.

Se volvió para mirarme.

—¿De qué hablas?

—¡Hace meses que te pedí que encargaras unos estores opacos! —¿Cómo no había tenido tiempo para hacerlo? ¿Qué hacía en todo el día si podía saberse?

—Lo mencionaste una vez, un día en un *brunch,* que deberíamos buscar marcas de estores opacos. ¿Se supone que me estabas pidiendo que los encargara y buscara a alguien que nos los instalara? —Sam se incorporó en la cama—. A lo mejor, si no estuvieras todos los días de resaca, podrías llegar a dormir aunque entre un rayo de sol ínfimo.

Apartó la colcha, salió de la cama y se encerró en el baño.

—¡No me duele la cabeza porque esté resacosa!

Sin embargo, mientras miraba al techo, supe que tenía razón. Cerré los ojos intentando librarme de la sensación de que estaba todo yéndoseme de las manos.

Quinta parte

LA RUPTURA

Finalización de una operación antes de llegar a su cierre efectivo; por lo general, la parte que no se atiene a las condiciones de cierre acordadas ha de pagar una sanción.

P: Anteriormente ha declarado que las relaciones no sexuales que describió con sus compañeros cambiaron desde los encuentros amistosos iniciales. ¿Cómo, cuándo y por qué cambiaron esas relaciones?

R: ¿Debo centrarme en mi relación con Gary Kaplan?

P: No, nos gustaría tener un relato más completo sobre las semanas previas a su asignación a un área de práctica concreta.

18

Estaba sentada a lo indio sobre la aterciopelada moqueta beis con relieve de mi habitación del hotel Beverly Hills, doblando con cuidado la ropa de la maleta y guardándola en cajones. Carmen estaba tendida bocabajo en mi cama, con los codos hundidos en el colchón de lujo mientras escribía en el móvil. Tenía las uñas pintadas de un rosa muy intenso y la abundante melena bien reluciente.

—Últimamente tiene usted un aspecto más estupendo de lo habitual en el trabajo, señorita —le dije.

Mi amiga paró de escribir y se me quedó mirando con la cabeza ladeada y cara de ligera confusión.

—Gracias.

Hice una pausa antes de proseguir.

—¿Estás..., no sé, viéndote con alguien del trabajo por casualidad? Es solo que me pregunto qué te inspira para ir siempre tan guapa...

Parpadeó un par de veces, me dedicó una sonrisilla y apartó la vista.

—Qué va —dijo, antes de volver por un segundo la vista a la pantalla y de nuevo a mí—. ¡Déjame en paz! —dijo riendo antes de rehuirme una vez más la mirada.

—¡¡Qué sospechoso!! —dije en tono cantarín.

Carmen se acercó el móvil a la cara.

—Derrick ha perdido el vuelo y hace una hora que ha aterrizado. —Miré de reojo la agenda y vi que nos quedaban tres horas antes de la reunión de bienvenida; no iba a perderse nada—. Últimamente está desmadrado…

—¿En serio? ¿Y eso? ¿Cómo lo sabes?

Me ignoró. En los últimos tiempos, nuestro compañero tenía un aspecto cada vez más trasnochado, aunque no era de extrañar teniendo en cuenta que había asumido el puesto de entretenedor de clientes oficial y parecía estar de cenas al menos cuatro noches a la semana. Jordan me había contado que se rumoreaba que iba camino de tener la cuenta de gastos por atención al cliente más abultada del bufete, una circunstancia inaudita que sobrepasaba con mucho su estatus en la firma.

—¿Cómo sabes lo de Derrick? —insistí.

—A mí me llega la información sin más. Como lo del ex de Derrick de Bergdorfs. Porque, a ver, ¿qué probabilidades había de que conociéramos a ese tío?

—No se lo has contado a nadie, ¿verdad? Lo de que Derrick es gay —quise saber, esperando que no se hubiera extendido ese rumor sobre un aspecto de su vida privada que mantenía tan en secreto y que no fuera eso lo que lo llevó a desmadrarse.

—Ni de broma. La información es poder, pero solo si no la tiene todo el mundo —dijo sin darle más importancia y con los ojos todavía en el teléfono.

Me quedé mirando a la criatura que tenía ante mí, alarmada por su comentario maquiavélico, pero preferí valorar aquel arrebato de transparencia, tan poco habitual en ella, que pararme a analizar lo que decía sobre mi amiga. Por fin levantó la vista.

—Kevin va camino de la piscina y se ha cruzado con Derrick en la recepción. Por lo visto quería cambiar su habitación por la *suite* presidencial.

Yo sabía que aquello estaba totalmente fuera de lugar por parte de mi amigo, pero no pude evitar sentir curiosidad.

—¡Yo quiero ver la *suite*! ¿Le escribo para ver si podemos pasarnos?

—Kevin acaba de decir que está todo el mundo en la piscina. ¡Vamos!

—Ve tú —le dije volviéndome hacia el armario—. No me he traído bañador. —Me resonaron en la cabeza las palabras de Vivienne: «No te pongas bikini».

—Yo te presto uno mío.

—No, da igual, gracias. Pero me tomaré una copa y meteré los pies.

Conforme nos acercamos a la piscina, llena de gente, resultó evidente quiénes eran los asociados de primer año de Klasko. Era casi reconfortante ver que nuestros compañeros del resto de las oficinas del mundo tenían la misma cara de estrés y de falta de sueño, en un poderoso contraste con los turistas bronceados y estupendos de la piscina. Kevin nos presentó a tres asociados de la ciudad, que estaban metidos en la piscina y acodados en el bordillo escribiendo como locos en sus móviles, a dos mujeres de Hamburgo y otra persona de nuestra oficina de Tokio. Otros diez más o así nos sonrieron, pero no nos presentaron.

Me senté en una tumbona mientras Carmen se quitaba su pareo de gasa. Se la quedaron mirando todos. Los de Los Ángeles dejaron de escribir. Los pechos se le desbordaron por los lados del diminuto bikini negro antes de sumergirlos bajo el agua, momento en el cual los tipos volvieron a sus teléfonos.

Derrick se abrió paso hasta mi tumbona.

—Estás pidiendo a gritos que te tiremos al agua —dijo mirando mi camiseta y mis pantalones cortos.

—No eres capaz. —Entorné los ojos.

Aunque sonreía, le noté algo distinto, como un ánimo más sombrío. Me puse la mano de visera para verlo mejor, pero se volvió, le pidió otra copa al camarero y luego se lanzó a la piscina.

—Este bufete se fundó en 1918 sobre un principio fundamental: que la excelencia sin parangón y el pensamiento creativo son los pilares del ejercicio de la abogacía...

En nuestra charla de bienvenida, ese mismo día, más tarde, una joven socia negra que era la coordinadora de la Campaña Prodiversidad de Klasko nos habló muy apasionadamente mientras en la pantalla a sus espaldas se proyectaba una fotografía de dos fundadores blancos ya difuntos. Le di un repaso con la mirada al salón de actos del hotel en penumbra y calculé que debía de haber unos cuatrocientos asociados de primer año intentando no dormirse. Se abrió una de las puertas del fondo de la sala y Derrick entró tan campante y se sentó en la única silla libre, que resultó estar en mi mesa. No hizo amago alguno de saludarme y se pasó todo el rato con los ojos clavados en la pantalla.

—El veintisiete por ciento de nuestros asociados son de raza no blanca. —Miré de nuevo la proyección e intenté imaginarme cómo era pertenecer a ese indicador que presumía del porcentaje de diversidad étnica de nuestro bufete.

Pronto saltó la siguiente diapositiva, con un mapa del mundo. Las zonas verdes indicaban la existencia de centros financieros, tanto consolidados como potenciales, y teníamos sedes en todos y cada uno de ellos.

—Aquí en Klasko & Fitch creemos firmemente que, si queremos ser un bufete realmente global y darles un servicio impecable a nuestros clientes de jurisdicciones muy diversas, debemos conocernos entre nosotros. Me siento orgullosa de poder informar de que los trescientos ochenta y nueve asociados de primer año de nuestras treinta y siete oficinas en el mundo están aquí hoy. Vosotros sois el valor en el que estamos invirtiendo. Vosotros sois nuestro futuro. Por favor, tomaos la molestia de conoceros y…

Miré al rubio alto que tenía a mi lado. Supe por su identificación que se llamaba Cedric Schmidt, pertenecía a la oficina de Hamburgo y provenía de una familia de ocho hermanos. Miré la mía: «Alexandra Vogel, oficina de Nueva York. Ostentó el récord del mundo juvenil en categoría femenina tanto en 50 como en 400 metros libres de 2009 a 2019». Me sonrojé pensando en lo vanidoso que debía de parecerle a Cedric de Hamburgo ese dato curioso que había proporcionado a los de Recursos Humanos hacía unas semanas.

—¡Qué pasada! —me susurró con un fuerte acento alemán inclinándose sobre mí.

Cuando la pantalla se fundió en blanco, la oradora concluyó su discurso.

—Por favor, disfrutad de las dos horas de tiempo libre que tenemos a continuación. La cena se servirá aquí mismo a las siete y media. Los vaqueros son más que bienvenidos. A las nueve y media saldrán autobuses para aquellos a los que les apetezca ir a los coches de choque. Y recordad: intentad no trabajar demasiado.

Todos rieron por compromiso. En el acto, los seis camareros que había de pie al fondo del salón abrieron al unísono las puertas, dejaron a la vista la barra bien surtida que nos esperaba fuera y todos estallamos en aplausos.

Me hice con dos cervezas y subí a la habitación para esperar allí a que Jordan me llamara para revisar juntos el borrador del contrato de fusión que le había enviado. Cuando me escabullí del gentío de la barra y del vestíbulo, vi a una mujer rubia en un sillón, de una belleza increíble, aunque muy maquillada.

«¿Buscona o de la *jet set*?» Tenía las piernas cruzadas, tan largas que las rodillas casi le llegaban al pecho. «*Jet set.*» Las sandalias de tacón de tiras parecían algo gastadas y el pelo le cambiaba de textura justo por debajo de la línea del cuello. «Buscona.» Había colgado con mucho cuidado el asa del Chanel en el reposabrazos. «*Jet set*... A no ser que sea falso.»

Mientras esperaba al ascensor, intenté no mirar.

—¡Alex!

Era Vivienne White, que acababa de salir del ascensor y se paró ante mí irradiando una calidez que nunca le había visto en Nueva York. El hombre bronceado y de pelo plateado que iba con ella también se detuvo.

—¡Buenas! ¡No tenía ni idea de que vendrías! ¡Me alegro de verte! —le dije tendiéndole la mano.

—Mañana doy la charla de ética laboral con George. George, esta es la asociada para la que hago de mentora y a la que tengo muy abandonada, Alex Vogel. Aunque se está convirtiendo en toda una estrella del Departamento de F&A sin mi ayuda, así que no te compadezcas de ella. Alex, George Jacobson.

«Socio director de nuestra sede en Washington capital. Un pez gordo.»

George Jacobson me estrechó la mano con firmeza e intenté mantener el contacto ocular, pero me distrajo de nuevo la mujer de las piernas largas del vestíbulo. ¿Estaba hablando con Derrick o eran imaginaciones mías? ¿No sería...?

—Un placer. —Volví a mirar a George y luego de nuevo tras él.

Era Derrick. Estaba sacando la cartera. ¿Estará...?

—Soy un desastre. Ya no te vuelvo a cancelar nada, Alex —dijo Vivienne, en un tono más empalagoso de la cuenta—. Mañana nos vemos, pero tenemos que quedar para un almuerzo en condiciones cuando volvamos.

Asentí e intenté concentrarme, pero no podía apartar los ojos de Derrick. Vivienne se volvió para seguirme la mirada.

—¡Pero bueno! ¿Eso es una prostituta? —preguntó riendo mientras se tapaba la boca.

—Y tanto —confirmó George—. Y a plena luz del día.

El corazón se me aceleró aún más.

—No, no creo —dije sacudiendo la cabeza con fuerza.

—¿Y ese que está con ella no es uno de nuestros asociados? —preguntó Vivienne en un tono más serio ahora.

—Yo no... No sé —farfullé.

—¡Lleva una identificación de Klasko! —exclamó George.

Me salvó el timbre del ascensor al llegar.

—¡Nos vemos en la charla, estoy deseando oírla! —les grité mientras las puertas se cerraban ya.

Ya en mi habitación, me quedé mirando la pantalla en reposo del portátil. ¿Acababa de buscarle un lío a Derrick? ¿Le habrían llamado la atención? Seguro que no. Ni siquiera tenía sentido que estuviera con una prostituta. ¿No era gay?

El trino del teléfono de la habitación me hizo saltar del sitio, aterrada.

—¿Hola?

—Buenas, Pip. ¿Cómo va eso? —Oía a Jordan rebuscando entre papeles en su mesa—. ¿Tienes mi revisión delante?

«Mierda mierda mierda.» Si yo no me hubiera quedado mirando, no se habrían fijado en Derrick. Fui bajando la pantalla, pasando de largo un correo de Carmen en el que me decía que la llamase y otro de Kevin en el que me informaba de adónde iban a ir de copas después de la cena, y abrí el adjunto con la revisión de Jordan.

—La tengo.

Meter los cambios me llevó más tiempo de lo esperado, y para las diez vi con alivio que me había perdido una incómoda cena de asociados. Pedí comida al servicio de habitaciones.

A medianoche por fin conseguí llamar a Carmen, que me respondió al primer tono y me dijo sin más preámbulos:

—¿Dónde te habías METIDO? ¡Han pillado a Derrick con coca y putas!

—¿Cómo? ¡¿Qué ha pasado?!

—¡Pues que tenía putas y coca en la habitación del hotel! George Jacobson, de la oficina de Washington, llamó a su puerta y, al parecer, lo vio todo.

—¿Estaban en su habitación? ¿Y eran varias? ¿Y mujeres? ¿Cómo lo sabes? ¿Lo han detenido?

—¡No, cómo lo van a detener! Es un asociado de Klasko. ¿Tú te imaginas cómo se puede poner las botas la prensa como lo detengan?

—Pero, en serio, ¿cómo te has enterado?

—A una chica de la oficina de Houston la habían cambiado a la planta de las *suites*, a la habitación de al lado de él. Se ha asomado por la puerta y se ha enterado de todo el follón. Y sí, prostitutas, mujeres. Eso es lo más raro.

—¡Madre mía! ¿Qué crees que le pasará?

—¡No tengo ni puta idea! Pero, de verdad, siempre te pierdes todo el salseo con tanto trabajar, Alex.

Cerré los ojos y la culpabilidad me vació de energía el cuerpo. «Sabía que a Derrick le pasaba algo.»

—¿Alguna duda? —preguntó Vivienne después de proyectar la última diapositiva de su charla sobre ética laboral.

Se levantaron varias manos. Al llegar, había escrutado la sala en busca de Derrick, pero no lo había visto y seguía sin verlo. Todavía no sabía qué había sido de él, pero tampoco quería llamarlo yo y ponerlo en un aprieto. Miré el móvil, volví a actualizar la bandeja de entrada y al instante vi un correo de Peter.

De: Peter Dunn
Para: Alexandra Vogel
Asunto: ¿Qué tal el seminario?

De: Alexandra Vogel
Para: Peter Dunn
Asunto: RE: ¿Qué tal el seminario?

Más interesante de lo que parecía. Dejémoslo ahí.

De: Peter Dunn
Para: Alexandra Vogel
Asunto: RE: ¿Qué tal el seminario?

Siempre pasa, pequeña. ¿Cuándo vuelves?

De: Alexandra Vogel
Para: Peter Dunn
Asunto: RE: Qué tal el seminario?

¡Esta noche!

De: Peter Dunn
Para: Alexandra Vogel
Asunto: RE: Qué tal el seminario?

Es la mejor noticia que me han dado en un mes. ¡Te echamos de menos!

Me quedé mirando el teléfono sin poder borrar la sonrisa que se me había extendido por la cara. En un arrebato de caridad, abrí por fin el correo de mis padres, que había dejado macerar en la bandeja de entrada durante veinticuatro horas, y quedé en verlos para cenar el día que volvía de Los Ángeles. Sabía que estaban deseando verme, y preocupados; ambos habían comentado en Navidad que parecía muy delgada y cansada. Me arrepentí nada más darle a Enviar.

19

—¡Buenas! —Le di un beso en la mejilla a mi madre a las puertas de L'Artusi del West Village, y ella se tomó unos segundos para apartarse mientras inhalaba mi aroma, como siempre hacía—. ¿Y papá? —le pregunté mirando alrededor.

—No viene.

—¡Qué dices! ¿Y eso? —Se me secó la boca al instante y me costó tragar saliva: necesitaba las historietas del hospital y los chistes malos de mi padre para amortiguar el interrogatorio de mi madre.

—Le he pedido yo que no viniera —dijo y me dio unas palmaditas tímidas en el hombro—. He pensado que podíamos tener una charla de chicas.

«Oh, oh.»

Seguí como una autómata a la camarera hasta nuestra mesa, con la sensación acuciante de estar metida en un buen lío.

—¿Qué tal todo? —me preguntó nada más sentarnos, con cara de esperar que me derrumbara allí mismo en plena cena.

La miré a los ojos, pero no me salían las palabras, así que le di un sorbo al agua. ¿Por qué me ponía triste siempre que mi madre creyera que yo estaba triste?

—Con demasiado trabajo. ¿Quieres que pidamos un vino? —Ojeé la carta de vinos sin llegar a ver los nombres.

—¡Sí! Gran idea.

Pedí una botella de cabernet, y tuve de pronto la sensación de ocupar un espacio distinto en el universo del que tenía apenas unos meses antes: una adulta en igualdad de condiciones con su madre. Cuando el camarero volvió para abrir el vino con mucha ceremonia y me sirvió un poco para que lo probara, le di vueltas en la copa, lo olí y le di un sorbo. Me quedé pensando unos segundos. Y unos cuantos más.

—Lo siento, pero me da la impresión de que está un poco picado —dije educadamente mientras a mi madre se le desencajaban los ojos—. ¿Podemos probar otro parecido?

—Señorita, acabo de abrirlo —insistió el camarero, aunque estaba diciendo una obviedad.

—Entonces quizá mejor que venga el sumiller —dije antes de que mi madre pudiera decir nada.

El camarero pareció molesto, pero dio media vuelta obedientemente.

—Alexandra, eso es una botella de vino de setenta y cinco dólares perfecta. Cuando te piden que la pruebes, no esperan que la rechaces. —Me crispó los tímpanos con su tono.

—Es que no está bueno. Y sí que lo hacen si en realidad no está perfecta. —Me llevé las manos a las sienes para intentar calmar la jaqueca que acababa de atacarme.

—¿Estás bien? —Mi madre me miraba con cara de aprensión.

La miré yo también. No sé cómo lo hacían, pero siempre que mis padres se preocupaban por mí, yo acababa dándoles la razón con mi comportamiento. Su compasión me deprimía, su preocupación me agobiaba.

Me incorporé en el sitio y me obligué a poner un tono alegre.

—Es el desfase horario, nada grave.

—Estás tan delgada. Y…

Me salvó la llegada del sumiller.

—*Bonsoir, mademoiselle* —me saludó con una ligera inclinación.

—*Bonsoir, monsieur*. Creo que el vino está picado.

Vi cómo me tomaba las medidas, reparando especialmente en mis botines Alexander Wang, y suavizaba entonces el rostro. Se sirvió un dedo de vino en la copa que tenía en la mano. Lo olió, hizo una pausa y torció el gesto.

—Claro que sí, *chérie* —dijo sacudiendo la cabeza y lanzándole una mirada desdeñosa al camarero—. Si lo que quiere es un cabernet, tengo uno ideal. Una joyita. Y se lo cobraremos al mismo precio que este..., que es solo pasable cuando sale bien.

Volví a mirar a mi madre, que me estudió como si fuera una desconocida, aunque en cierto modo me sentí más firme en mi postura después de haber acertado con lo del vino.

—Qué buena idea vernos así. Nunca quedamos nosotras dos solas —comenté para romper el silencio.

—Ya, es verdad. Cuéntame qué tal todo. ¿Cómo está Sam? —Se inclinó hacia delante como si estuviera a punto de contarle un secreto.

Cogí aire con fuerza.

—¡Está bien! ¡Como siempre! ¡Estamos como siempre! —Había levantado la voz en un intento por tranquilizarla, pero me fijé en que encorvaba ligeramente los hombros.

De pronto me vino a la cabeza, como en un estallido, la imagen del anillo de compromiso rodeado de terciopelo negro y sentí un mareo. Llevaba muchísimo tiempo sin pensar en eso. Le di gracias al trabajo por mantenerme tan ocupada.

—Ay, cariño, ¿qué pasa?

—¡Nada! ¿Hace calor aquí o soy yo? —Me aventé el aire en la cara.

—Pero, si no pasa nada, ¿por qué seguís «igual»? —me preguntó formando unas comillas con los dedos en el aire.

Me daba mucha rabia cuando hacía eso.

—Siempre hemos estado muy bien. ¿Por qué iba a ser malo seguir igual?

—Alexandra, Sam nos comentó a mí y a tu padre que... quería dar un paso más allá. ¿Tú te ves preparada?

—A tu padre y a mí —musité por lo bajo, con los ojos clavados en la carta, pero sin enfocar la vista.

Ella sabía perfectamente cómo se decía, ni yo misma entendía mi necesidad de corregirla. Sentí que le manaba la frustración de los dedos entrelazados, pero la llegada de nuestro vino me sirvió de distracción.

Asentí cuando el sumiller movió los labios y fingí fijarme en la etiqueta. Por un momento pensé en decirle que quería pasar otro año en Klasko antes de comprometerme. Quién sabía, tal vez hasta era verdad y todo. Pensé que, si le contaba todo lo que sentía, quizá ella podría liberarme de lo que me impedía emocionarme con la perspectiva de casarme con Sam. Podría ayudarme a matar el gusanillo que me había picado para acabar acostándome con Peter.

Metí la nariz en la copa e inhalé.

—¿Ese toque es de espárrago? —pregunté.

El sumiller casi me aplaudió y se puso a charlar tan alegremente sobre las uvas y la niebla de esa añada que gané otros cuatro minutos de charla intrascendente antes de enfrentarme a mi madre.

Cuando nos quedamos solas, brindamos, y me pareció ver un brillo de orgullo en sus ojos por lo sofisticada que se había vuelto su hija adulta.

—Sabe a espárragos, desde luego —dijo tras darle un sorbo.

Suspiré para mis adentros: no había notado el espárrago, me habría atrevido a decir. Era probable que ni siquiera lo hubiera olido. De pronto sentí un abismo enorme entre ambas: tenía la impresión de que la vida que ella me había dado había salido disparada en una dirección tan distinta de la suya que habíamos acabado distanciándonos sin remedio. Decidí no contarle lo que estaba pasando con Sam y con Peter. Porque ¿qué consejo iba a poder darme ella?

—¿Qué pasa, bichito?

Abrí la boca, pero no pude reunir fuerzas para hablar porque la tirantez que sentía en el pecho se me subió hasta la nariz. Vacilé unos segundos y luego decidí cambiar de estrategia.

—Ya no me emociona mi vida con Sam. Creo que no quiero vivir así siempre —admití en voz baja.

—La intimidad es así, cielo, no es otra cosa —dijo con una sonrisa algo displicente, pero desde el conocimiento.

—Es aburrido —dije mirando la mesa—. Pero tienes razón: el aburrimiento forma parte de la intimidad. No tengo claro si quiero casarme, ni ahora ni nunca. —Levanté la vista esperando ver la decepción en su cara, pero se limitó a reír.

—Eso no es más que mieditis. Claro que te quieres casar.

—No, mamá. Yo creo que no soy de las que se casan. En realidad todavía no sé qué clase de persona soy. —Eran palabras en carne viva, de las que se te escapan de los labios solo en escasos momentos muy preciados y realmente pueden cortarte la respiración cuando las oyes en alto; me debatí para no llorar.

—Alexandra, te comportas como si la relación tuviera que hacer algo por ti, como si tuviera que complementarte, hacerte mejor, emocionarte, o que estés más satisfecha contigo misma sin poner de tu parte. Quieres que un matrimonio perfecto sea igual que pedir que te traigan la cena a casa: sentarse a esperar que alguien te lo traiga en un bonito envoltorio. No es algo que encargues: es un estado que fluye, un proceso.

Me quedé mirándola.

—¡Ni siquiera me estás escuchando! ¡Yo no quiero que me pongan en bandeja ningún matrimonio! ¡Yo quiero ir a Aspen los fines de semana y tener una casa de vacaciones y beber vino del bueno! A lo mejor, si más adelante quiero hijos, ya tendré tiempo de recapacitar. Pero ahora mismo pensar en alianzas, planes de boda y ciudades dormitorio no me atrae nada.

Mi madre enderezó la espalda contra el respaldo de la silla.

—¿No te gustó cómo te criaste?

—Mamá, esto no tiene nada que ver con vosotros, créeme.

Mi madre se culpaba por todo lo malo que me pasaba en la vida, y, como consecuencia, todo lo que me pasaba acababa girando en torno a ella. De pequeña solía pedirme perdón por mi asma o mi ligera escoliosis, me decía que sentía haberme «hecho» así. Pero ahora mis problemas eran más complicados y yo ya no tenía paciencia para eso. Me rasqué el antebrazo mientras planeaba una estrategia para rehuir ese tema de conversación.

—Yo quiero a Sam. Puede ser que tengas razón, seguramente me haya entrado el pánico. Solo necesito un poco de tiempo.

Mientras le daba un buen trago al vino y veía cómo mi madre se relajaba en el sitio, sentí un vacío en la boca del estómago, un óvalo con bordes redondeados muy oscuro, casi negro.

Ese viernes, el bufete entero bullía con los rumores sobre el despido de Derrick por su indiscreción en el seminario de primer año, y las historias iban surgiendo a tal velocidad que era imposible diferenciar verdad de ficción.

Me han contado que lo arrestaron en el hotel.
Dio un fiestón en su habitación con putas y farlopa.
Está saliendo con una estríper.
El bufete lo está flipando porque era su asociado negro estrella.
Ahora mismo está recogiendo su despacho.

Yo no sabía qué había precipitado su caída en picado, pero sentía una culpa cegadora, tanto por no haber dedicado un tiempo a hablar con él y que se descargara conmigo, como por mi papel en que lo pillaran infraganti. Le mandé un mensaje rápido.

De: Alexandra Vogel
Para: Derrick Stockton
Asunto: ¿Me puedo pasar?

De: Soporte técnico de Klasko
Para: Alexandra Vogel
Asunto: Error: dirección de correo inexistente

ERROR1209724 derrick.stockton@klasko.com no es una cuenta de correo válida.

Cuando introduje luego su nombre en la base de datos del bufete, me encontré con que su fotografía ya no aparecía en la web. No me extrañó que una institución tan poderosa como Klasko supiera hacer que la gente que daba una mala imagen de ella se volatilizara de la noche a la mañana. Desbloqueé el iPhone y le mandé un mensaje por Facebook, pero no había ni rastro de su cuenta. «Estará muerto de vergüenza —pensé—, querrá desaparecer.» Me levanté de la silla y atravesé el pasillo. A lo mejor podía alcanzarlo antes de que abandonara el edificio.

Cuando llegué a su despacho, la puerta estaba entornada, pero no me lo encontré solo. Lincoln lo vigilaba de cerca con los brazos cruzados sobre el pecho y una expresión estoica de labios tensos. Ambos levantaron la vista cuando entré.

—Hola —dije en voz baja, y luego a Lincoln—: Hum, ¿puedo hablar un momento con Derrick?

—Me temo que no es posible —me dijo en tono de disculpa.

Tardé unos instantes en comprender que hablaba en serio. Derrick había dejado de empaquetar la caja de cartón que tenía encima de la mesa y estaba mirándome expectante.

—¿Te importa que nos sentemos un minuto? —le pregunté a Lincoln, que se lo pensó un momento y luego asintió, como quien hace una concesión.

Me senté en la silla de las visitas.

—Solo quería pasarme para... Quería decirte solamente que... siento lo que te ha pasado.

Derrick se sentó enfrente.

—Gracias. Eres la única que ha venido a verme. —Se me quedó mirando unos instantes y luego arqueó la espalda hacia atrás, como si le dolieran las costillas—. Pero me lo tengo merecido. Creo que a veces me pone malo que en este sitio me traten de forma distinta, aunque sea mejor, por ser negro. Estaba ya harto. Es como ser un mono de feria. Supongo que me dejé llevar con eso de ver hasta dónde podía llegar.

Hice una pausa antes de contestar.

—Creo que yo a veces siento un porcentaje mínimo de eso mismo por ser mujer. —No quería que creyera que fingía saber exactamente cómo se sentía o que estaba viviendo hasta cierto punto algo parecido, pero en parte sí que lo sentía así, y, siendo sincera, la mayoría de las veces lo agradecía—. Te echaré de menos. ¿Podemos seguir manteniendo el contacto?

Derrick asintió y luego miró a Lincoln, como para calibrar sus siguientes palabras.

—Ten cuidado por aquí, Alex. Tú eres de las buenas.

Le di un abrazo de despedida y volví a mi despacho, sin darme cuenta hasta que me senté a la mesa y empecé a hacer un borrador de una hoja de condiciones de que Derrick no me había dado su número personal.

Hablaba rápido mientras observaba a Harold Gottlieb, un compañero de primer año, que estaba apuntando como podía todo lo que yo decía. Debería haber tenido la amabilidad de hablarle más despacio, pero parte de mí experimentaba un placer retorcido al ponerlo en jaque. Harold había estado los cinco primeros meses en el Departamento de Fiscal y hacía poco que había decidido cambiar a F&A, así que Jordan y Matt le habían asignado a una operación conmigo, con lo que yo me había visto en la insólita tesitura de supervisar a un igual.

Harold se peinó con los dedos los rizos pelirrojos y repasó la habitación con los ojos, mirándolo todo salvo a mí: era torpe e inseguro. Con todo, iba bien vestido —con un traje a medida y un alfiler de corbata que me parecía que le daba un toque anticuado y cierto encanto—, salvo por las uñas, que se había mordido tanto que no eran más que finas franjas de queratina con los bordes ensangrentados; el equivalente a unos pies palmeados chapoteando como locos bajo una superficie vidriosa.

—Nunca consigo encontrar las cosas que adjuntas. Las adjuntas al final del hilo y es como buscar una aguja en un pajar —dije bajando la pantalla.

Harold separó los labios para disculparse, pero lo corté. Estaba intentando recordar cómo era no saber nada, pero la irritación que me provocaba le ganaba a la compasión.

—Así que, cuando leas las actas, tú y yo... —Me sonó el teléfono. «Jordan.» Oí que lo cogía Anna—. Tú y yo podemos sentarnos a revisar las posibles contingencias que señales en el transcurso de...

Medio oí que Anna decía:

—... en el despacho con un asociado. Le doy el mensaje en cuanto pueda.

En la pantalla del ordenador me saltó un mensaje instantáneo:

JORDAN SELLAR: TE NECESITO YA!! TENGO UN CADÁVER EN EL DESPACHO

Miré de reojo el ordenador para confirmar lo que acababa de leer.

—Lo siento muchísimo, Harold, pero tengo que salir. Te llamo en cuanto pueda y terminamos la conversación. No hay problema si prefieres quedarte aquí mismo a acabar tus notas —le dije ya casi en la puerta mientras Anna se levantaba en su cubículo al verme salir—. Asegúrate de que no toque nada —le pedí en un susurro, y ella miró hacia la nuca del asociado por la puerta abierta y arqueó una ceja.

Pulsé el botón del ascensor sin parar, pese a saber que no haría que llegara antes. Cuando las puertas se abrieron en la planta de Jordan, corrí por el pasillo hasta su despacho y me encontré con la puerta cerrada y una voz histérica de mujer que salía del interior. A punto estuve de darme media vuelta antes de recordar que Jordan me había suplicado que fuera, de modo que llamé como si tal cosa.

—¡Pasa! —le oí decir.

Cuando abrí la puerta de par en par, me encontré con una mujer de pie junto a la mesa. Tenía los párpados tan hinchados que se le habían amustiado y apenas dejaban ver unas puñaladas por ojos. El pelo lo llevaba en un moño despeinado sobre la cabeza, y la implacable luz fluorescente del despacho no le hacía ningún favor a su piel llena de manchas, un mosaico de rastros de lágrimas. ¿Esa era la pinta que tenía yo después de cerrar una operación?

Miré de reojo la foto de boda que tenía Jordan tras la mesa y confirmé que aquella mujer era la novia radiante de ojos luminosos, y también la misma a la que había visto de lejos en el salón de baile del Pierre en diciembre.

—¡Hola, Jessica! ¡No sabes lo mucho que he oído hablar de ti! —Esbocé una sonrisa, pero luego dejé que se me borrara, fingiendo acabar de darme cuenta de la expresión de su cara—. ¿Llego en mal momento? —pregunté cándidamente.

—Sí —bufó Jessica.

—Sí, es mal momento —empezó diciendo Jordan, que había estado dando vueltas nervioso de un lado a otro—. Pero en realidad me alegro de que estés aquí. —Su mujer volvió la cabeza como un resorte, sin dar crédito—. Cierra la puerta —me dijo, y obedecí—. Jessica, esta es Alex Vogel. —Nos señaló de una a otra.

—Me alegro de conocerte por fin —dije, e hice amago de sentarme en la silla libre.

—¡No te sientes! —me increpó la mujer, y volví a la vertical.

—Alex, no puedo contarte de qué va todo esto, pero... responde a una sola pregunta —intervino Jordan, que hizo una pausa y me miró entonces fijamente—. ¿Qué opinión tengo yo de Nancy?

Jessica volvió a girarse para mirarlo con cara de indignación, pero luego me miró a mí y vi que se le suavizaban mínimamente los rasgos..., quizá por la esperanza.

En ese momento dejé a un lado toda moralina o código de sororidad. Solo cabía lealtad.

—¿Nancy quién? ¿Duval?

Jordan asintió y yo solté un resoplido cómico.

—Está para que la encierren. Es el blanco de todos nuestros chistes —dije—. A ver, en realidad no la conozco muy bien, pero sí está claro que es superinestable. —Jessica me miró fijamente; se veía que se estaba bebiendo mis palabras—. Sé que no está bien, pero Jordan y yo pasamos juntos prácticamente todas las horas de trabajo que no estamos durmiendo y necesitamos echarnos unas risas, y, bueno, ella nos lo pone muy fácil. —Vi que a Jordan se le relajaban los hombros y se le separaban de las orejas mientras se sentaba a la mesa—. Lo siento mucho —dije poniéndole una mano en el hombro a Jessica y frunciendo el ceño—. No entiendo... ¿Es amiga tuya o algo? Perdona, no quería molestarte. Somos malos y nos aburrimos.

—No. —La mujer sacudió la cabeza y se enjugó la mejilla con el dorso de la mano—. ¿Crees que está loca? —Asentí—. ¿Cómo lo sabes?

—Bueno, verás, no son más que rumores —dije haciendo un gesto de desdén con la mano—, pero por lo que me han contado se obsesiona con los tíos. Hasta el punto de que, por lo visto, ha llegado incluso a inventarse novios. —Le di vueltas al dedo junto a la sien y bizqueé, siguiendo con mi interpretación digna de un Óscar de la Academia.

—Me ha mandado un mensaje a mí —susurró ella.

Levanté la vista para mirar a Jordan, que lo corroboró con la cabeza.

—¿Diciendo qué? —pregunté con cara de incredulidad.

Jessica volvió a estallar en lágrimas, y de pronto comprendí que Jordan me había llamado a mí, y no a Matt, porque su mujer jamás se habría creído la respuesta de un hombre. Una punzada de culpabilidad me subió por la columna, pero al instante se me disolvió en la base del cráneo.

—Que estaba teniendo una aventura con Jordan y tenía que contármelo porque no soportaba la culpa.

Me quedé mirándola por unos instantes, con cara de absoluto descreimiento, antes de soltar una carcajada. Se me quedó mirando a su vez y tuve que taparme la boca, pero seguí forzando la risa.

—Lo siento, lo siento, perdona —proseguí—. Entiendo que te hayas preocupado, pero es una auténtica ridiculez. Mira, yo me paso con Jordan casi cada segundo que no está contigo, y te puedo asegurar que no tiene tiempo de hablar con Nancy ni aunque quisiera, que no es el caso. Y si hubiera pasado algo, yo lo sabría. ¡Y te lo contaría! —Jessica soltó el aire aliviada y se enjugó las mejillas mientras yo aprovechaba para acercarme más—. Pero ten cuidado con ella, porque una vez se inventó una parida tremenda de que yo me estaba acostando con un socio. De locos, vamos. —Hice una pausa y fingí pensar antes de desencajar los ojos—. ¿Y cómo tiene tu número? No sabrá dónde vivís, ¿no?

Jessica miró fugazmente a Jordan, nerviosa.

—Nena, el portero jamás la dejaría entrar. No pasa nada —la tranquilizó, a lo que Jessica asintió y mi compañero pareció a punto de desmayarse tras liberarse de la tensión.

—Perdonad, yo tengo que volver al trabajo... Tengo un asociado al que adiestrar —dije poniendo cara de hastío—. Pero no creas ni una palabra de lo que diga esa chica. Jordan sería incapaz. Este despacho es como un altar a tu persona.

Señalé hacia la única foto de ella que había en la pared mientras me dirigía hacia la puerta. «La verdad es que ya podría poner más fotos de su mujer.»

Me sonrió agradecida y Jordan me hizo un gesto con la cabeza, dándome su aprobación y despidiéndome ya.

—¿Puedes cerrar la puerta, por favor, Alex? —me pidió con calma.

Me quedé un momento al otro lado de la puerta y me alivió escuchar que las voces que surgían eran tranquilas. Después oí un carraspeo y me volví para ver que la ayudante de Jordan me había pillado espiando. Apreté la mandíbula y solté una risita tímida antes de desaparecer por el pasillo.

Horas después, cuando ya me había librado de Harold y estaba haciendo el borrador de una carta de intenciones para la última adquisición del National, me sonó el teléfono.

—Hola —respondí pegándome el auricular a la oreja y comprobando que tenía la puerta cerrada—. ¿Todo... okey?

—Sí. —Jordan se quedó callado unos instantes—. Gracias. Siento haberte puesto en esa...

—De nada —lo interrumpí—. De todas formas, me has hecho quedar de puta madre delante del tal Harold. Básicamente lo he dejado plantado en el despacho a mitad de frase.

Jordan resopló riendo.

—Vaya, parece que tú eres mi contacto, Pip —me dijo en un tono que noté sincero.

No dije nada mientras paladeaba las palabras, no quería molestarlas. No me arrepentía de haberle hecho un favor para salvar su matrimonio, aunque hubiera supuesto traicionar el código de sororidad que tenía taladrado en el cerebro desde la guardería. Pero no tenía ganas de pensar más en el tema.

—Me alegra saberlo. Y ahora, no volvamos a hablar del tema en la vida.

20

—No tengo claro que Sam siga encajando en mi vida desde que trabajo aquí —le confesé a Jordan.

Estábamos sentados a lo indio en el suelo, tirándonos desganados bolitas de queso de un tubo de plástico gigante el uno en la boca del otro. Por toda respuesta, se encogió de hombros y me lanzó otra bolita naranja con los dedos llenos de polvillo. La cogí con la boca y sonreí. Eran las tres de la mañana del día de cierre de la última adquisición del National y estábamos esperando los comentarios finales del abogado de la parte vendedora.

—No sé cómo hablarle del tema. Ni siquiera tengo tiempo para hablar con él —proseguí. Jordan me miró con escepticismo—. ¿Qué?

—Llevo aquí casi siete años y me he dado cuenta de que este trabajo es siempre una excusa muy práctica. Pero es eso, una excusa. La gente que está ocupada tiene tiempo solo para lo que quiere, ni más ni menos.

—Entonces, ¿qué estás diciendo? ¿Que yo no quiero tener tiempo para hablar con él?

—Exacto. —Se me quedó mirando un momento mientras yo contemplaba la opción de replicar—. Nos hemos tirado dos horas haciendo el tonto en mi despacho antes de pedir la cena. Si me lo hubieras dicho, yo te habría cubierto para que te fueras a tu casa a cenar con Sam. No todas las noches, pero, si fuera importante para ti, lo haría de vez en cuando.

Asentí. No le faltaba razón. Pero a mí me gustaba estar allí con él. Me gustaba más estar en el trabajo que en casa. ¿Tan malo era eso? ¿No le pasaba a mucha gente?

—Bueno, Pip, yo voy a intentar dormir un par de horas. ¿Me cubres tú?

Ambos nos levantamos y sentí que las piernas me fallaban.

—¡Joder, estoy reventada! ¡Sube-sube! ¡Porfa!

Jordan sacó una ampolla del cajón del escritorio.

—¿Sabes qué, Pip? Creo que es hora de que empieces a comprarte tu propia coca.

Se me cayó el alma a los pies. ¿Tomaba con tanta asiduidad como para tener que comprar la mía propia?

—¡Pero te tengo a ti para eso! Además, solo me meto contigo. —Me agaché por encima de la mesa y me esnifé una raya, intentando borrar la sensación de que necesitaba aquel polvo blanco para aguantar la noche.

Mientras Jordan echaba una cabezada en la sala de respiro, yo limpié hasta la última grieta de mi oficina con un bastoncillo mojado en limpiacristales. Estaba pasando el plumero por el teclado del ordenador a las cuatro de la mañana cuando el borrador del abogado de la otra parte sonó en nuestra bandeja de entrada. Con las rodillas rebotando como locas bajo el escritorio, les di una primera pasada a los comentarios y metí los cambios antes de que Jordan se despertara. Le pasé el borrador a las diez de la mañana y completé otras tareas más mundanas para mis otros dos casos en activo antes de perder fuelle sobre las dos de la tarde, cuando prácticamente me desmayé, despatarrada y bocabajo, en medio del suelo de la oficina. Cuando Anna asomó la cabeza a las seis de la tarde, me sacudió para despertarme y comprobar que no estaba muerta.

Nunca sabía cómo me iba a despertar de la siesta. A veces tenía la impresión de que me había arrollado un tráiler, con las ideas resbalando como fango por el cerebro, pero otras me levantaba perfectamente. Ese día tuve suerte y me desperté como una campeona. Volví al punto al trabajo.

—Hola, aquí Alex —dije al teléfono al tiempo que cogía un lápiz y me preparaba para tomar notas.

Después de haber terminado otra operación con Peter, durante la cual había captado un par de comentarios de flirteo por su parte, pero sin insinuaciones reales, me había volcado en currar como una posesa para Matt y Jordan. Siempre había disfrutado trabajando para ellos, pero, aparte de eso, ya no me fiaba de que Peter fuese a escribir una evaluación positiva sobre mí, a pesar de que yo tenía material para presionarlo. Si quería deshacerse de mí, solo necesitaba una evaluación negativa. Tenía que conseguir la perfección con Matt y Jordan.

—¡Pippy! —La voz de Matt resonó por el auricular y dejé el lápiz en la mesa—. Estoy aquí con Didier, te he puesto en altavoz.

—¡Anoche te echamos de menos, Pippy! —El acento francés de Didier era más marcado de lo normal, lo que significaba que estaba o bien borracho, o bien resacoso.

Miré la hora. Las once. Resacoso, esperé.

—¡Pero si no tenía ni idea de que ibais a salir! ¡Gracias por invitarme! —Hubo una pausa, y temí haberme sobrepasado hasta que oí el gruñido de aprobación de Didier.

—¡Sube! —me ordenó Matt.

—Ya voy.

Cuando llegué al despacho, llamé una vez a la puerta antes de que se abriera de par en par y Didier me hiciera pasar con una reverencia teatral y cerrara tras de mí. Vi la libreta de Jordan en el sofá, pero no había ni rastro de él. Matt estaba a su mesa con un tono ligeramente verdoso en la cara. Matt y Didier miraron su móvil, bajando la pantalla, y luego se lo acercaron a la cara y se echaron a reír.

—¿Qué?

—Mira tu correo —me dijo Didier.

—¡Mira en tus Enviados! —lo corrigió Matt.

Arrugué el ceño y miré el móvil. El primer mensaje en mis Enviados estaba marcado como urgente, pero yo no recordaba haberle puesto la exclamación roja a ningún correo reciente.

De: Alexandra Vogel
Para: Salomine, Didier; Morris, Taylor; Rinker, K.J.; Matt Jaskel; Sellar, Jordan
Asunto: Necesito desmelenarme esta noche. No solo quiero ir a un club de estriptis: quiero bailar yo en uno!!!

Lo releí tres veces y los ojos se me iban a salir de la cara. Cuando Jordan entró en el despacho de Matt riendo como un histérico, le di un puñetazo en el brazo.

—Qué cabrón eres —le dije.

—Es mi forma de enseñarte que hay que bloquear el ordenador antes de salir del despacho, Pip.

Ni siquiera me molesté en escribirle al equipo de Didier para explicar que, por supuesto, lo había mandado Jordan: imaginarían perfectamente que llevaba su marca. Los tres hombres, que estaban hundidos en sus asientos, tenían una cara horrible. Matt se sujetaba la sien con un dedo, mientras Didier respiraba con una mano en la barriga como si estuviera intentando no vomitar.

Olisqueé la habitación.

—Ostras. Apestáis, colegas —exclamé, y fui a sentarme en la otra punta del sofá donde estaba Jordan.

—No sabes qué noche te has perdido, Pip —dijo Matt—. Yo he dormido en el sofá porque me daba miedo volver a casa con mi mujer.

—Iuuu.

—Cuéntaselo —dijo Jordan, que se llevó el puño a la boca mientras soltaba un pequeño eructo, como si temiera que se le escapara el vómito.

—Lo he visto —le dije—. Definitivamente, eres la persona más despreciable del género humano.

—Didier, cuéntale a Pippy lo que hicimos anoche —exigió Jordan.

—¡No! No lo hagas —intervino Matt.

—A Pippy le da igual. Es muy enrollada —insistió Didier—. Es una de las nuestras. —Y luego a mí—: Esnifé coca del culo de una estríper.

Se me cayó la mandíbula al suelo. Miré primero al francés, que estaba sonriendo de oreja a oreja, y luego a Matt, que parecía nervioso, calibrando cuál sería mi reacción. Me reí nerviosa.

Jordan se dio una palmada en la frente.

—¡Joder, Didier! ¡Te decía que le contaras lo de la operación nueva que hemos conseguido!

—¿Qué operación nueva? —pregunté, deseosa de cambiar de tema.

Matt empezó a contar una historia de que habían estado cenando en el Carbone al lado del Departamento de F&A de nuestro cliente de *private equity* más importante, y cuando se puso a divagar, cogí el móvil y fingí comprobar si tenía mensajes nuevos.

—¡Oye, Pip! ¿Qué mierda haces? —protestó Didier; levanté la vista del móvil—. ¿Qué escribes? ¿A quién le escribes?

—¡A nadie! No estaba escribiendo. —Dejé el teléfono.

Jordan me lo cogió del regazo antes de que tuviera la oportunidad de bloquear la pantalla.

—¡Quita! ¡Devuélvemelo! —supliqué.

—¿Qué estaba escribiendo? —preguntó ansioso Matt.

—No te preocupes, Matt, Pippy no se lo estaba contando a nadie. Estaba buscando en Google «cocaína por el culo» —explicó Jordan doblándose en dos de la risa.

Didier y Matt estallaron en risas.

—¡Es que no lo entiendo! ¡Yo ni siquiera sabía que eso fuera algo que se hiciese! —Me llevé las manos a las mejillas al notar que se me encendían.

—Ay, pero qué entrañable es —le dijo Didier a Matt, y luego se dirigió a mí—: Tendrías que haber visto el culo que tenía esa chica.

—¡Agh! Sois unos cerdos. Bueno, ¿y qué operación habéis conseguido? —pregunté.

—¡Vamos a hacer la adquisición de Hustler! —anunció Didier.

—¿Hablamos de la revista? —pregunté.

—Lo conseguimos anoche cuando nos estuvimos metiendo coca con los de la *private equity* —dijo orgulloso Didier.

Me tomé un momento y luego me encogí de hombros.

—Supongo que no hay una sola forma de atraer clientes —dije recostándome en el sitio—. Tienes que contar eso en tu charla de desarrollo empresarial, Matt. Por cierto, ¿a qué asociado junior se lo vais a asignar? —quise saber.

Intercambiaron miradas incómodas.

—A Carmen —dijo Matt—, pero más que nada porque no nos quedó más remedio... ¡Se vino anoche con nosotros!

Se me hundieron los hombros. ¿Ir a un club de estriptis con nuestros clientes? Mi compañera estaba echando toda la carne en el asador para entrar en F&A...

—Estás recibiendo evaluaciones muy positivas de los socios con los que has estado trabajando —me dijo Vivienne como si tal cosa en nuestro almuerzo de la semana siguiente.

Me regocijé por dentro. La comida iba como todas las anteriores: ella mandando mensajes como una posesa por el móvil, con los codos en la mesa, mientras yo hacía lo mismo discretamente en el regazo. Pedimos. Hablamos del tiempo: las dos estábamos encantadas de que hiciera una primavera cálida.

—Me alegro —contesté—. La verdad es que he estado trabajando muy duro.

Vivienne se me quedó mirando.

—¿Estás contenta en el bufete?

La pregunta me pilló por sorpresa. Todavía no habíamos hablado de nada de enjundia: nos habíamos acostumbrado a intercambiar cortesías, a no comer carbohidratos y a dejar los teléfonos en la mesa durante las comidas de trabajo.

La miré sin saber si me lo estaba preguntando de verdad.

—Mucho —dije alegremente.

—Bien. Creo que a mí nadie me lo preguntó cuando yo era asociada. Y da la impresión de que la gente quiere que te quedes con nosotros un tiempo, por eso te lo pregunto. —Cogió un trozo de pan de la cesta—. Los primeros meses aquí, antes de que te asignen a un departamento, son los peores. Es puro politiqueo. Pero pronto será todo solo trabajo.

Vi que quitaba la miga y se metía la corteza en la boca. Me pregunté qué habría cambiado para que hubiese empezado a comer carbohidratos, y cogí yo también un trozo de pan.

—Estoy bien. Creo que simplemente «contenta con mi trabajo» no se ajusta a lo que yo había imaginado que sentiría —dije masticando el pan.

Me miró fijamente y sentí que pasaba entre las dos una corriente de sinceridad y franqueza.

—Para mí tampoco se parece en nada a lo que había imaginado —dijo con nostalgia, pero recobró la compostura al punto—. Estamos ejerciendo como abogadas de derecho de sociedades en el bufete más importante del mundo. Seamos conscientes o no, estamos forjando un camino para las mujeres del futuro. La clave para tenerlo todo es redefinir ese «todo». Yo quería tres hijos, así que tengo dos niñeras. Quería que cenaran todas las noches comida casera, así que tengo un cocinero.

Me removí en el sitio. ¿Así era como estaba abriendo yo un camino para todas las mujeres? ¿Metiéndome cocaína con clientes, traicionando a mi sexo al mentirle a la mujer de un compañero y, por último, pero no por ello menos importante, manteniendo relaciones íntimas con un socio en el propio bufete?

—Puedo contar los pañales sucios que he cambiado con los dedos de una mano. Hablo en serio —continuó diciendo mientras extendía unas uñas de manicura perfecta hacia mí.

—Mi ídola. —Junté las palmas delante del pecho e hice una pequeña inclinación.

—¿Pedimos vino? —Apartó el móvil de la mesa y lo guardó en el Moreau gris, el mismo que yo había visto en Bergdorfs el día del bonus.

Asentí con entusiasmo y, mientras pedía la botella, me vino la idea fugaz de que estaba pareciéndome cada vez más a ella. A pesar de la charla amistosa y una sonrisa que no borré de la cara, la sensación permaneció hasta que la bajé a buen recaudo con la primera copa de vino.

Llegué tarde a la charla.

—... y dada esta volatilidad, la gestión de las operaciones que no prosperan se ha convertido en una parte fundamental de la gestión de los compromisos de compra.

No tenía ningunas ganas de asistir, pero era mi deber. En primer lugar, porque era un cursillo obligatorio para asociados de Derecho de Sociedades. En segundo, porque la idea era apoyar a Jordan. En tercero, porque seguía sin poder resistir la oportunidad de que Peter me viera, como si así pudiera recordarle que se sentía atraído por mí.

Me senté al lado de Carmen, pero apenas pareció reparar en mi presencia mientras miraba a Jordan con una expresión ligeramente anonadada. Me pregunté qué estaría pasando exactamente; sabía que Jordan, al terminar con Nancy, había provocado que esta llamara a su mujer y que se arrepentía de que hubiera ocurrido, pero me costaba creer que la infidelidad que yo le había pillado fuese el único caso.

—Qué descarada eres —le susurré para poner a prueba mi teoría.

Carmen me miró de soslayo con expresión alarmada, así que le guiñé un ojo. Se rio y se llevó un dedo a los labios.

—Chiss.

Jordan estaba en la cabecera de la sala, con una mano en el bolsillo de su traje azul marino a medida mientras con la otra iba pasando las diapositivas con el mando. Peter estaba a su lado, dejándole el foco de atención al abogado más joven, pero de pronto hizo un comentario que precipitó un estallido de risas y tras un parpadeo volví a la realidad de la sala.

—Vamos a necesitar ser perfectos..., PERFECTOS..., de aquí en adelante, lo que significa que voy a apoyarme mucho en todos vosotros, porque de verdad que mi mujer es capaz de pedirme el divorcio si me cargo otras vacaciones, y se supone que la semana que viene me largo —añadió Jordan.

El público volvió a estallar en risas. Miré a Carmen por el rabillo del ojo, esperando verla herida por la mención de la esposa, pero pareció no inmutarse. Desbloqueé el móvil y actualicé el correo.

De: Peter Dunn
Para: Alexandra Vogel
Asunto: Esta noche

¿Cenamos en el Cipriani?

Al final de la charla, vi que una bandada de asociados y asociadas volaba hasta la cabecera de la sala para presentarse a Peter y Jordan y plantearles preguntas con las que impresionarlos.

De: Alexandra Vogel
Para: Peter Dunn
Asunto: RE: Esta noche

¿Temprano? Tengo que volver al trabajo después; estoy hasta arriba.

Vi que Peter miraba su correo y me complací, por retorcido que parezca, cuando levantó el dedo para hacerle ver a la asociada con la que estaba hablando que mi mensaje era más urgente. Frunció ligeramente el gesto, y por un momento temí haber tentado a la suerte.

De: Peter Dunn
Para: Alexandra Vogel
Asunto: Re: Esta noche

Trato hecho. Seis y media. Listo.

Una oleada de nervios y adrenalina me inundó mientras sonreía con los ojos puestos en el móvil.

Esa noche, mientras Peter y yo salíamos en silencio del ascensor al vestíbulo, nos encontramos con Carmen, que estaba emergiendo de los otros ascensores.

—¡Hola! —le dije, y le hice señas con la mano, pero al volverme vi que Peter estaba ya fuera.

—Buenas. —Estaba pálida y concentró la vista en un hilo que se le había salido del pañuelo del cuello.

—¿Qué te pasa? —le pregunté, pero se limitó a sacudir la cabeza.

—Nada, estoy esperando aquí... —Miró hacia atrás—. He quedado para cenar. ¿Tú vas a cenar con Peter Dunn?

Sentí que me juzgaba por dentro y el veredicto le salía por los poros de la piel.

—Sí —dije como si tal cosa—, y cuatro banqueros. Pero sí.

«¿Por qué acabo de mentir sobre eso? Peter y yo trabajamos juntos y podemos ir a cenar juntos si queremos.»

Se me quedó mirando sin responder.

—¿Estás bien? —quise saber.

—Son solo historias de tíos —dijo con una voz tan baja que apenas la oí.

—¿Te trata mal el hombre misterioso?

Carmen nunca había llegado a admitir que estuviera saliendo con alguien del trabajo, ni tampoco que ese alguien fuera Jordan, pero sí había dejado de negarlo.

—Está comportándose como un capullo, eso es todo.

—¿Quieres que quedemos para comer mañana? —le pregunté.

—Sí, por favor.

—¡Estupendo! —Le di un abrazo para despedirme y corrí al encuentro de Peter.

Cuando llegué a su lado, miré hacia atrás, al vestíbulo. Jordan estaba saliendo de los ascensores. Lo vi dirigirse hacia Carmen y saludarla con un lenguaje corporal tenso.

Puff, vaya gilipollas. ¿No había aprendido la lección con Nancy? Esperaba que no creyera que yo iba a sacarle de otro de sus entuertos. Luego, sin embargo, pensé en lo que yo iba a hacer esa noche y me sentí una hipócrita.

El chófer del Quality nos abrió la puerta y Peter le dio al conductor una dirección de la Quinta Avenida mientras se subía detrás de mí en el Escalade. Guardamos silencio en nuestros asientos individuales, a varios palmos de distancia, con una tensión palpable entre ambos. Miré por la ventanilla las gotas de lluvia brumosa, que coqueteaban con la idea de fundirse en goterones y bajar a la deriva por el prisma de la luz de las farolas. Peter me cogió de la mano y me llevó medio agachado hacia la tercera fila de asientos, donde me besó. No me había dado cuenta de lo mucho que había ansiado aquel abrazo suyo desde la última vez que nos habíamos acostado. No me atreví a hacerme la estrecha. Nunca llegamos al restaurante.

Cuando abrí la puerta del piso a eso de las once de la noche, después de mi «cena» con Peter y de pedir comida para cenar en el escritorio mientras seguía trabajando, Sam estaba en el sofá con un videojuego y los auriculares puestos.

—¡Buenas! —Se inclinó hacia un costado mientras conducía en su coche virtual—. ¡Será hijoputa! —gritó al adolescente de Singapur con el que estuviera compitiendo.

Me quedé mirándolo y sentí que se me hacía un nudo en la garganta.

—Me voy a la ducha.

No sé si me oyó o no, pero no reaccionó.

Dejé que el agua me bajara por la cara y luego coloqué las manos delante de mí, sobre las baldosas frías, y apoyé la cabeza encima, temerosa de perder el equilibrio.

P: Ha quedado claro que trabó amistad tanto con compañeros como con clientes. ¿Alguna vez sintió que la trataban diferente por ser mujer y no solo por ser amiga de alguien o ser buena en lo que hacía?

R: Sí. Creo que Klasko se esfuerza mucho por promover la diversidad, y ponen el énfasis también en la diversidad de género.

P: ¿Qué hace Klasko exactamente para «promover» esa diversidad?

R: Creo que pretenden fomentar una variedad de asociados en todas sus filas, y que en ocasiones se me dio la oportunidad de trabajar en casos y asistir a encuentros sociales por ser mujer.

P: ¿Alguna vez utilizó su sexo para manipular una situación a su favor?

R: ¿Qué quiere decir?

P: ¿Alguna vez utilizó su sexo como forma de asegurarse el trabajo con algún cliente o manipular su posición en el bufete?

R: No recuerdo que esa fuera mi intención en ningún momento, no.

21

Resistí la urgencia de lanzarme al teléfono y lo dejé sonar dos veces antes de responder.

—Hola, Peter —contesté alegremente mientras removía papeles en la mesa para parecer ocupada con algo.

—Buenas, pequeña. ¿Qué me dices si te digo «Vermont este fin de semana»? A los dos nos vendría bien un descanso... Todavía hay nieve en las montañas, aunque no te lo creas...

No escuché mucho más, pero de nuevo me obligué a hacer una pausa antes de contestar.

Los árboles se fundían unos con otros en pinceladas de verde y marrón mientras remontábamos a toda velocidad los montes Taconic en el Range Rover negro de Peter. Era la primera vez que lo veía tras el volante de un coche y me parecía incluso sensual, por extraño que suene. Mientras miraba por la ventanilla, iba preguntándome cómo había acabado sentada en el asiento del copiloto al lado de Peter Dunn. Estaba medio mareada por las expectativas de una escapada de fin de semana con el hombre con el que había imaginado escapadas de fin de semana desde que nos conocíamos.

Necesitaba aquel fin de semana. Me lo merecía.

—¿Adónde le has dicho a tu novio que ibas? —me preguntó, sacándome automáticamente de mi ensoñación.

—A un retiro de *team-building* de F&A en tu casa de la montaña —contesté sin apartar la vista de la ventanilla.

Me pregunté si habría notado que me había acostado con Sam esa misma mañana. En realidad no me apetecía, pero el reconcomio por rechazarlo después de tanto tiempo sin hacerlo era peor que lo retorcido de hacerlo. Tuve la sensación de que Peter se me había quedado mirando.

—¿Qué? —Lo miré.

—Buena jugada —me dijo, dándome su aprobación con la cabeza.

Yo sabía que había sido inteligente por mi parte decirle a Sam dónde iba a estar realmente y que estaba con Peter, pero me daba rabia haberme vuelto tan buena mintiendo.

Contemplé aquella mano grande apoyada suavemente en la bola de la palanca del coche automático y me dio la sensación de que debía de tener uno manual en su garaje de Westchester. Quise saber qué coche era. Quise saberlo todo sobre él. Quería dejar de mentirle a Sam y quería que el fin de semana con Peter se convirtiera en toda la semana con Peter. Acerqué el dedo y repasé los surcos de sus cicatrices, imaginándomelo de joven en los muelles de Cape Cod. Me lo imaginé con la misma sonrisa amplia y pura.

—De pequeño me portaba regular.

—¿Hum? —Volví la cabeza con pereza, todavía perdida en mi ensoñación.

—Me pegaban con una regla en las manos cada vez que daba guerra en el colegio católico.

Me quedé mirándolo mientras se desvanecía la imagen mental que tenía de él de pequeño. ¿Por qué me habría contado que las cicatrices eran de abrir ostras? ¿Qué me había dicho Vivienne? «Rara vez en este mundo la gente es lo que parece.»

Miré el reloj. Llevábamos solo dos horas de un trayecto de cuatro y media, con un fin de semana y un viaje de vuelta ante nosotros. No pensaba presionarlo por la inconsistencia de sus declaraciones, de modo que aparté la idea del pensamiento.

Entramos en la casa por la cochera reluciente, que olía ligeramente a pino y a menta, y la planta principal seguía tan bonita como la recordaba. En el acto rememoré la imagen de Sam y yo jugando borrachos al Scrabble y riendo. Vi un destello de los dos comiendo pizza fría en el *jacuzzi*. Pensé en cuando habíamos hecho el amor en la cama de Peter. A pesar del aire frío de la montaña, sentí que el jersey de lana me atrapaba, y cuando me liberé de él, Peter confundió mis sudores de culpabilidad con otra cosa.

Sin embargo, en cuanto me puso las manos encima, todo lo demás perdió importancia. Nos desparramamos desde su enorme ducha de lluvia hasta la alfombra mullida del dormitorio; de la cama, caímos directamente al *jacuzzi*. Cansados y satisfechos, nos habíamos quedado los dos callados con los chorritos pegándonos en la espalda.

—Necesitamos comer algo —dijo él por fin—. En el pueblo hay un gastropub estupendo. Cerveza bien tirada, y hacen el mejor costillar de ternera braseado a la coreana que he comido en mi vida.

—Son las cinco —dije resucitando el móvil—. La hora de comer de los abuelos.

—De verdad, Alex, estoy muy harto de que me recuerdes constantemente la edad. —Peter sonrió y me salpicó el cuello con el agua caliente, y reí encantada y le rodeé la cintura con las piernas—. Vale, ya en serio, tenemos que comer algo.

Cuando llegamos al restaurante a las cinco y media, ocupamos los dos últimos sitios que quedaban en la barra.

—La hora punta después del esquí —me explicó sabiendo de lo que hablaba.

Me resultaba muy raro que Peter no estuviera más preocupado por que lo vieran en un pueblo tan pequeño con una mujer que no era su esposa, pero yo estaba disfrutándolo igualmente. Pidió unas pintas, unos tacos de langosta, tartar de atún y, como plato fuerte, un costillar con una polenta muy cremosa para compartir. Le había dado un solo bocado a la carne tierna y untuosa cuando a Peter le sonó el teléfono y se disculpó con cara de hastío para hacerme ver que tenía que cogerlo. Casi me había terminado la segunda cerveza cuando volvió a la barra, con los auriculares inalámbricos puestos y el teléfono en silencio.

—Hazme un favor y pide un coche para el Starlight. Cárgalo a la cuenta de...

—Hecho —le dije, porque a esas alturas mandaba casi todas las semanas algún coche para recoger a gente de Stag River en el Starlight; me alegraba serle de utilidad al cliente, por irrelevante que fuera, aunque en ese momento rememoré la noche en que aquel chófer me había reprendido—. ¿Sabes que los chóferes de Quality odian hacer la carrera del Starlight Diner? ¿No te parece rarísimo?

Peter volvió todo su cuerpo hacia mí, allí de pie como estaba.

—¿Por qué dices eso?

—Me lo contó uno —dije, y me encogí de hombros.

Se me quedó mirando como esperando a que siguiera.

—Eso es muy poco profesional. A los chóferes no tiene que gustarles o dejarles de gustar una carrera u otra. ¿Puedes mandarme el nombre de la persona que lo dijo?

Asentí, aun sabiendo que no lo haría. Por mucho que mi interacción con aquel hombre hubiese sido un mal trago, no quería que lo despidieran.

Peter volvió a mirar el teléfono.

—Tengo que volver con esto... Gary está que le va a dar algo. —Señaló hacia las costillas y abrió la boca; en el acto, les metí un bocado—. Gracias por guardarme un trozo —bromeó.

—El que parpadea se lo pierde —dije dándole un sorbo a la cerveza.

Se inclinó para darme un beso rápido antes de volver a salir mientras yo me quedaba saboreando la sensación, hasta que vi que el camarero estaba mirándome con cara impávida. «Lo sabe —me dije—. Si no conoce a la mujer de Peter personalmente, sabe que lo nuestro es una aventura. Seguro que ha visto a millones de chicas como yo en este pueblo.» Cogí el teléfono y mandé un coche al Starlight.

Nos pasamos el sábado en el *spa,* y yo diría que la única pausa real que Peter se tomó del teléfono fue para su masaje de sesenta minutos. Yo ya estaba preparándome para el anuncio que llegó a las cuatro de la tarde mientras estábamos en albornoz en el sofá, cada uno con su portátil.

—Alex, lo siento mucho, pero voy a tener que volver. Aunque antes me gustaría sacarte esta noche a cenar. ¿Crees que podríamos salir mañana a primera hora? Sé que la idea era...

—Claro que sí. Ya me lo esperaba —dije, y le dediqué una sonrisa amable.

En realidad me sorprendía que le hubiera llevado tanto tiempo sugerirme que nos fuéramos antes, y más me extrañó que aun así quisiera que pasáramos la noche del sábado juntos. Fuimos al asador del pueblo y nos dimos un festín de comida y tinto, y los dos nos quedamos dormidos plácidamente en cuanto apoyamos la cabeza en la almohada, sin siquiera una insinuación de sexo. El domingo por la mañana nos levantamos a las seis y volvimos a la ciudad cuando todavía estaba amaneciendo.

—Me encanta que lo entiendas. —Peter no apartaba los ojos de la carretera mientras hablaba.

—¿Eh? —pregunté dándole un sorbo lento al café que habíamos comprado por el camino.

—Con mi mujer habría sido una pelea lo de volvernos temprano. Tú lo entiendes perfectamente, es un gusto.

Me puso la palma de la mano en la rodilla, y yo asentí pensando en que desde mi perspectiva era lo mismo. Durante el camino de vuelta fuimos alternando entre charlar sobre el trabajo, tatarear al son de la música de los setenta que ponían en la radio y leerle yo los correos a Peter, cuyas respuestas luego me iba dictando. Sentí un nuevo nivel de intimidad entre nosotros, fruto de acostarme a su lado y no con él.

Le dije a Peter que me dejara a una manzana de mi piso, por si me cruzaba con Sam. Cuando paró en la esquina de la Veinte con la Octava, carraspeó antes de decirme:

—Oye, Gary no para de decirme que te recuerde que estamos invitados a su gala de las Private Equity Contra el Hambre, que es dentro de unas semanas en el Metropolitano.

—¡Estoy deseando ir!

Me sonrojé, y la cabeza se me disparó imaginando otro encuentro en la parte de atrás de un coche, esa vez con corbata negra. Le sonreí a mi vez y me despedí con la mano. Él hizo lo propio mientras arrancaba y se alejaba.

Iba yo tirando de mi maletita de ruedas por la abrupta acera urbana mientras revivía en la cabeza aquel fin de semana maravilloso, pese a haberse visto acortado, cuando una voz de barítono se me coló en los pensamientos.

—No te vendría mal una mano.

Levanté la vista, dispuesta a fulminar con la mirada al capullo que se atrevía a molestarme, hasta que vi a dos hombres, uno de ellos radiante de verme. Parecía más alto de lo que recordaba, quizá porque yo siempre llevaba tacones cuando estábamos juntos. Iba vestido de chándal y tenía la piel reluciente, como si acabara de venir de una dura sesión de gimnasio.

—¡Derrick! —Solté la maleta y le eché los brazos al cuello, y él se agachó para devolverme el abrazo.

—Yo soy Alex —me presenté a su amigo.

—Sean —dijo tendiéndome la mano, que tenía una piel tan tersa y pálida que casi refulgía; se la estreché, y luego le dijo a Derrick—: Poneos al día tranquilamente. Nos vemos luego en… —Dejó la frase sin terminar y siguió por la acera.

—Qué alegría verte. ¿Cómo estás? ¡Se te ve estupendo! —le dije efusivamente.

—¡Es que estoy estupendo! —asintió con convencimiento—. Me llevó un tiempo recuperar el norte, pero ahora estoy muy bien. ¿Vas para casa? ¿Te ayudo hasta la puerta?

Estaba demasiado cansada para negarme, y él levantó la maleta sin esfuerzo y echamos a andar los dos al mismo paso.

—No te lo vas a creer, pero estoy trabajando para la Brady Campaign y las nuevas regulaciones que quieren presentarle al Congreso para controlar la venta de armas —me contó—. Soy más feliz que nunca. Es una pasada cómo puede uno hacer tonterías, cometer errores y luego acabar justo donde necesita estar. No sé, será una técnica subconsciente de supervivencia.

—No sabes lo que me alegro —le dije, y le di un apretón en el antebrazo para que supiera que el sentimiento era sincero; seguimos en silencio unos pasos hasta que aminoré la marcha—. Esta es mi manzana —dije señalando hacia el este cuando doblamos la esquina—. He querido llamarte muchas veces, y te he intentado buscar por redes… —Dejé la frase sin terminar y me puse la mano de visera para que no me cegara el sol.

—Ya, es que necesitaba perderme un tiempo para recargar las pilas. Y para volver a tener claro quién era. Estaba harto de ser siempre quien la gente de Klasko quería que fuera: el vividor negro, el invitado de la diversidad modélico, la voz de todas las minorías del bufete. Era agotador. Y no me apetecía tener que encajar en ningún molde, aunque creo que me esforzaba tanto por ser todas esas cosas que se me fue de las manos.

Asentí.

—Entiendo.

—No te lo tomes a mal, pero lo dudo.

—Tienes razón, no puedo entenderlo del todo —dije dejando caer los hombros—. Pero sí que sé lo que es que te estereotipen… como la «chica buena». Y me entran las mismas ganas de salirme del papel. —Su expresión me invitó a seguir—. Acabo de volver de un fin de semana con Peter Dunn en su casa de la montaña. Le he dicho que me deje a una manzana de casa por si me encontraba a mi novio en la puerta del bloque. —No conseguía mirarlo a la cara mientras se lo contaba.

—¿Peter y tú solos? —Me mordí el labio para mantener a raya las lágrimas, y solo conseguí responderle encogiéndome ligeramente de hombros—. Tiene que haber sido horrible, interpretar el papel de la chica buena que acapara toda la atención de los clientes y los socios —me dijo con un tono burlón pero no hiriente mientras esbozaba una media sonrisa.

Sentí que se me escapaba una risa al tiempo que se me saltaban las lágrimas.

—Acabo de mandar a tomar viento toda mi vida, y ni siquiera sé por qué lo he hecho… No era una mala vida. —Miré hacia el edificio e imaginé dentro a Sam, esperándome—. Ni siquiera sé a qué viene este llanto, porque lo más chungo de todo es que nunca he sido más feliz. Soy la única persona de la Tierra que siente que está viviendo una vida inmejorable cuando está teniendo una aventura.

—A veces la vida es así de chunga —contestó Derrick, que añadió después de una pausa—: Hace unos meses mi vida era un auténtico desastre, pero las aguas vuelven a su cauce. Es así. —Me puso una mano en el hombro—. Cuando me fui de Klasko, mi padre se enteró de lo que había pasado, y yo podría haberlo negado, pero se lo conté todo. ¿Sabes lo único que me preguntó? Si me habían pillado con una tía o con un tío... Vi el alivio en sus ojos cuando le dije que era una mujer. Qué mal. —Resoplé con desdén, en solidaridad—. Lo de la prostituta no era más que un paripé. El chico que has visto es mi novio —siguió señalando en sentido contrario.

Sorbí por la nariz y sonreí.

—Se ve majo.

—¿No te extraña?

—En realidad, como que siempre me había parecido que podías ser gay. Pero no lo supe con seguridad hasta que Carmen y yo no nos encontramos a tu ex en Bergdorfs.

—¿James? ¿Carmen también lo conoció? ¡Mierda! —Se pasó la palma de la mano por la cabeza, molesto—. Seguro que ya lo sabe todo el mundo. Bah, qué importa ya. —Sonó a que estaba más bien convenciéndose—. Ya no tengo por qué preocuparme de lo que piense esa gente. Y, además, ahora lo más importante para mí es vivir una vida más auténtica. —Pareció ya más convencido.

Quise preguntarle muchas cosas. «¿Por qué no querías que la gente lo supiera? ¿Seguro que tu padre no sería capaz de aceptarlo? ¿Tuviste la impresión de que en Klasko no sería bien recibido?»

—Carmen no le ha dicho nada a nadie, Derrick. Ni yo, claro está.

Se encogió de hombros.

—Por cierto, Peter está tremendo.

Formé un corazón con las manos sobre el pecho y las bombeé adelante y atrás, riéndome de mi cuelgue de colegiala, y nos fundimos en risas.

—Eres el único al que se lo he contado.

Inclinó la cabeza.

—Es un honor.

Le di un abrazo sentido y lo atrapé en él unos segundos más de la cuenta, pero cuando lo solté me miró unos instantes antes de envolverme una vez más en sus brazos. Me reí, le di un beso en la mejilla y le apunté mi número e instrucciones muy estrictas de que lo usara.

Cuando entré en el piso, me encontré a Sam en el sofá.

—Buenas. Qué rollo que te hayan acortado el retiro. ¿Qué tal el viaje? —me preguntó sin levantar la vista de los papeles que tenía desperdigados sobre la mesa de centro.

Como no me había preguntado de verdad, tampoco le respondí de verdad.

—Hum.

Me acerqué al sofá y levantó la vista sonriendo. Le di un beso mientras miraba de reojo el revoltijo de hojas de Excel impresas.

—¿Qué es todo eso?

—Una *private equity* se ha interesado por nosotros y quieren que quedemos mañana, así que estoy asegurándome de saberme de memoria nuestras cuentas.

—¡Qué bien! —Me senté a su lado—. ¿Cómo se llama la empresa?

—Capital Torre Alta —me dijo escrutándome para ver si yo reconocía el nombre.

No me sonaban de nada… y eso no era una buena noticia para Sam. Sonreí y asentí con entusiasmo, pero yo no dije nada y él prefirió no sonsacarme lo que sabía yo de ellos.

—En realidad es una reunión a las cuatro de la tarde y luego quieren ir a cenar. Pero yo preferiría quedar contigo si estás libre, que llevamos unos días que no nos hemos visto nada.

Vi un asomo de incertidumbre en su mirada y al instante recordé sus nervios la primera vez que me pidió salir, en el bar cutre de Cambridge donde nos conocimos. En Nueva York también debería haber querido celebrarlo con él, debería haberlo echado de menos todo el fin de semana. Pero no fue así, y tampoco lo había sido antes. Quería cerrar con pestillo la puerta del despacho de Peter y tirármelo en la silla de oficina. Quería salir de copas con Jordan y los del National si tenían la noche libre. Quería reírme a tope, gastar a tope, acostarme a las mil.

—¡No sabes cómo me alegro! Pero tendrías que cenar con ellos, es una gran oportunidad. Y yo de todas formas tengo trabajo atrasado. Al final no he hecho nada en todo el finde —contesté poniendo cara de hastío.

Sam apartó la vista y asintió.

—Ya, sí, seguramente tengas razón. Debería empezar a anteponer yo también mi trabajo.

Aquellas últimas palabras se me clavaron como una puñalada en el pecho, y tuve que morderme la lengua para no preguntarle: «¿Qué trabajo?». Esperé a que se diera cuenta de mi reacción, pero había vuelto a sus papeles, de modo que me llevé la maleta al dormitorio y saqué todo lo que me había llevado para pasar el fin de semana fuera con otro hombre.

Había escasas mañanas salpicadas a lo largo de las semanas en las que los mensajes aparecían morosamente en mi bandeja de entrada, sin urgencia, lo que me permitía ir haciéndome al día a mi ritmo. Esa mañana de lunes, sin embargo, no fue una de ellas. Cuando me desperté, tenía ya setenta y un correos urgentes de nuestra sede de Hong Kong, con la que estábamos trabajando en una fusión para una empresa china. No me duché y llamé a un Quality para poder seguir mandando correos y no quedarme sin cobertura en el metro. A eso de las dos, recibí con alegría el primer correo que ni era urgente ni estaba relacionado con una operación.

De: Jordan Sellar
Para: Alexandra Vogel; Morris, Taylor; Rinker, K. J.
Asunto: Cena

¿Queréis que cenemos esta noche?

De: Rinker, K. J.
Para: Jordan Sellar; Alexandra Vogel; Morris, Taylor
Asunto: RE: Cena

Taylor y yo nos apuntamos. Ganas de carnaca.

De: Jordan Sellar
Para: Rinker, K. J.; Alexandra Vogel; Morris, Taylor
Asunto: RE: Cena

Strip House, a las 19.00. Alex, ¿te apuntas?

Me quedé mirando el ordenador unos segundos más, y luego dejé que el recuerdo de Sam acusándome de anteponer mi carrera a todo borrara cualquier rastro de culpabilidad que pudiera haber sentido.

De: Alexandra Vogel
Para: Jordan Sellar; Rinker, K. J.; Morris, Taylor
Asunto: RE: Cena

¡Me apunto!

El Strip House sacaba a la luz las partes más espantosas y las más deliciosas de la humanidad. Escruté las fotografías enmarcadas de estríperes entradas en carne mientras me desabrochaba sin darme cuenta el cuello de la blusa para airearme. Estiré el cuello de un lado a otro a la par que lo liberaba del cepo de tela. Las recias servilletas blancas con dibujos en rojo de mujeres bailando me animaron a coger una patata frita en manteca de ganso con los dedos, aunque solo fuera por usar la mantelería. Los suelos oscuros y las paredes rojas me hicieron relajar los hombros tras una larga jornada y enfrascarme en la conversación escabrosa que estaban teniendo en la mesa.

—Es totalmente insaciable. De verdad, no tendría que haber empezado a acostarme con ella —decía K.J.

—Macho, ¡pues claro que no deberías haber empezado a acostarte con ella! Dejando a un lado las razones éticas, esa tía es el colmo de la indiscreción. Eres tonto —le respondió Taylor.

Levanté la vista del teléfono.

—Espera, ¿qué me he perdido? ¿Te estás acostando con alguien del trabajo?

—¡Su analista! Vaya puto cliché —dijo Jordan con un resoplido al tiempo que se levantaba de la silla—. Madre mía, este cierre me va a matar. Dadme un minuto para empolvarme la nariz.

Miré a K.J. con el gesto torcido mientras Jordan iba al servicio de caballeros.

—¿Tu analista? Venga, hombre, esperaba más de ti.

—No puedo evitarlo. Está loca… en el buen sentido. Me obliga a masturbarla en medio de cualquier reunión…, con más gente en la habitación. Es… es una locura. —Parecía más que satisfecho consigo mismo.

—Venga ya, no te creo. En plan, ¿debajo de la mesa? ¿Cómo te va a obligar ella a hacer eso?

—Es que evidentemente no es así —masculló Taylor.

—Bueno, a lo mejor no me obligó, pero tampoco me paró los pies —dijo K.J., que le hizo señas entonces al camarero para que le sirviera más escocés.

Me quedé mirándolo y deseando que Jordan volviera para que me oyera decirle que estaba aprovechándose de la chica que trabajaba para él, que era un jefe acosador, que podían despedirlo por ello. Qué degradante debía de ser para esa analista, quien seguramente no tendría más de veintitrés años, que su supervisor —un hombre por el que en el mejor de los casos tendría sentimientos y que en el peor no se atrevería a rechazarlo— la tocara delante de otros. Se me estaba disparando la presión y sentía que se me humedecía la nuca mientras me imaginaba la escena, preguntándome si los demás hombres de la mesa de reuniones no vieron la conducta de K.J., optaron por ignorarla o en realidad la alentaron.

—No te escandalices tanto —prosiguió, dando un puñetazo en la mesa—. Lo único que pasa es que ella dice abiertamente lo que quiere, mientras que las demás os dedicáis a fingir que sois muy decentes cuando en realidad todas queréis que nosotros dominemos. Tenéis unas normas para el dormitorio y otras para la sala de juntas, ¿y luego somos nosotros los que tenemos que acatarlas? ¡A la mierda! Yo juego con mis normas, y a esta pava le FLIPA. —Estaba prácticamente gritando.

—Tranquilidad —le advirtió Taylor, que luego me dijo a mí—: Está de broma.

Me clavé las uñas en las manos por debajo de la mesa, refrenando las ganas de pegarle un puñetazo en la cara.

—No me escandalizo —le dije en cambio—. Ahora me explico por qué de pronto has subido el nivel de tus trajes de oficina cuando normalmente vistes como un cateto. —Disfruté de la confusión de K.J., que no supo a cuál de mis afirmaciones replicar mientras, para reforzar la idea, yo le señalaba el traje gris que llevaba, recorrido por unos finos hilos granates y azul marino.

K.J. se miró y se ajustó las solapas.

—Zegna. ¿Te gusta? —me preguntó ignorando mi insulto.

—Me encanta —dije sin más, y luego alcé la copa con la esperanza de bajar el regusto amargo de la falsedad.

Sentí que me vibraba el móvil en el bolso, que había colgado en el respaldo de la silla, mientras Jordan volvía a la mesa pellizcándose las narinas con toda la discreción que podía.

—¿Te queda un poco? —le preguntó K.J., y Jordan se metió la mano en el bolsillo de la chaqueta y le pasó un frasquito bajo la palma.

Mientras K.J. se excusaba a su vez, miré el teléfono, agradecida por la distracción.

Sam: ¿Tienes lío en el trabajo?
Alex: ☹
Sam: Ojalá no llegues muy tarde hoy. Yo creo que llegaré de la cena a una hora decente…
Alex: ¡Yo también! Pero no tengo ni idea de cuándo saldré de aquí. Hoy la cosa es una locura. No creo que tarde más de unas horas. Nos vemos en casa. Estoy deseando que me cuentes qué tal la reunión.

Vi que los puntos suspensivos aparecían y desaparecían, pero no llegaron más mensajes. Taylor y Jordan se pusieron a hablar de golf mientras yo me servía espinacas con bechamel en el plato jurándome que iría al gimnasio por la mañana, aunque en mi fuero interno supiese que tendría demasiada resaca y demasiado trabajo para hacer ningún tipo de actividad física al día siguiente.

K.J. se dejó caer en el asiento al volver y luego pegó un fuerte estornudo en la servilleta.

—¡Mierda! —exclamó Jordan.

Cuando levanté la vista, vi que de la nariz de K.J. salía un grueso reguero de sangre roja que manchó la parte blanca de la tela.

Nuestro camarero apareció de la nada, cambió diestramente la servilleta ensangrentada de la nariz de K. J. por una de papel y le señaló el servicio de caballeros.

—¡Mira por dónde vas! —gruñó K. J. mientras se abría camino hasta el baño y se desenredaba de un cliente con el que se había chocado al pasar—. Joder.

El corazón me dio un vuelco. Parpadeé con fuerza y reenfoqué la vista en la nuca del otro hombre, que se alejaba ya, visiblemente indignado por mi compañero encocado, antes de volverse y buscarme la mirada.

Sam se me quedó mirando con cara de estoicismo y luego meneó la cabeza, en un gesto casi imperceptible, antes de reunirse con dos hombres trajeados que esperaban junto a la puerta y a los que siguió hasta la calle sin molestarse en decirme una palabra.

Oí de fondo a Jordan y Taylor charlando, y luego vi que K. J. volvía una vez más a la mesa, apretándose otra servilleta contra las fosas nasales. Pero me quedé allí inmóvil, procesando. La vida de Sam era tan distinta de la mía... El mundo de las *startups* parecía girar en torno a *happy hours* en bares sórdidos, reuniones de día en cafeterías y muchas horas en salas comunes de *coworkings*. ¿Por qué estaba allí de pronto, en mi mundo, en mi asador de postín que tenía una clientela formada por cuentas de gastos de multinacionales y gestores de mediana edad de carteras de inversiones de fondos de cobertura intentando impresionar a sus novias de veintitantos?

—A ver, otra vez... ¡Hola! —me gritó Taylor.

Parpadeé un par de veces y tosí antes de darle un trago al vaso de agua con el hielo. Esperé a que las patatas que tenía atoradas en la garganta se me disolvieran antes de hablar, agradecida de que justo entonces el camarero apareciera con nuestros platos.

—Perdón —dije sacudiendo la cabeza—. Me he ido por un momento.

—¿Estás bien? —Taylor estaba observándome con curiosidad.

Jordan me miró también detenidamente, preguntándose qué me creía que estaba haciendo y por qué estaba cargándome el ambiente de una cena con su cliente más importante. Asentí con todo el convencimiento que pude. Era hora de obligarme a volver al modo entretenimiento de clientes.

—Menos mal que el local ya es rojo de por sí —bromeé tocándome un lateral de la nariz y señalando a K.J.

Jordan pareció relajar los hombros en cuanto retomamos las chanzas.

—Taylor, ¡tienes que probar esta ternera! —Cortó un trozo y se lo puso en un platillo de pan que le acercó por la mesa.

—No sé, macho. ¿A quién se le ocurre pedir ternera en vez de buey? Es muy sospechoso. Y mejor no hablamos del atún de Alex.

—Os revienta que no coma carne, ¿verdad? —Entorné los ojos y me incliné hacia Taylor, que asintió sabiendo que estaba de cachondeo—. ¿Cuánto me das si me como un filete? —le pregunté en voz baja.

Se recostó en el asiento y saboreó la negociación.

—¿Por un filete? —Asentí—. Quinientos.

—Seiscientos —dije, sabiendo que disfrutaría de demostrarme que podía permitírselo.

—Quinientos cincuenta.

La cabeza me botaba y rebotaba mientras calculaba los ángulos con los que estaba jugando.

—Tienes la veteranía suficiente para elegir abogados. Si nos das tu próxima fusión, estamos en paz.

Taylor puso cara de sorpresa por unos instantes antes de esbozar una risita burlona.

—Trato hecho.

Levanté la palma y el camarero se nos quedó mirando al punto. Taylor me la chocó y K. J. rio mientras le daba un buen sorbo a su bebida.

—Tomaré un solomillo, medio hecho. Si puede aligerarlo, se lo agradecería.

—¿El atún no estaba a su gusto? —preguntó nervioso el camarero, al que se le arrugó la *blazer* blanca por la cintura al inclinarse sobre mí.

—Algo así.

Llevaba medio solomillo comido, con K. J. y Taylor jaleándome a cada bocado y disfrutando de lo lindo del espectáculo, cuando Jordan se inclinó para susurrarme al oído:

—Hemos creado un monstruo.

Le sonreí, pero sin apenas mirarlo.

—Creo que vamos a necesitar otra botella.

Removí lo que me quedaba de tinto en la copa: definitivamente necesitaba mucho más vino para bajar la bola asquerosa de carne que tenía atascada en la garganta.

Mientras los ojos se me ajustaban a la escena dentro del piso, se me cayeron las llaves y resonaron contra el suelo. Sam estaba en medio del salón, encorvado sobre una gran caja que estaba cerrando con cinta adhesiva. Por la habitación había repartidas unas cuantas cajas más, plegadas todavía.

—¿Qué haces? —le pregunté, y la puerta se cerró a mis espaldas y ni recogí las llaves.

Me miró con ojos inexpresivos.

—Tenemos que hablar —me dijo incorporándose y enderezando la columna.

Di otro paso hacia el salón.

—No te he mentido. Estaba trabajando, forma parte de mi trabajo.

—¿En serio, Alex? ¿Me vas a venir ahora con esas? De verdad...

—¿Qué es lo que quieres? Tengo que entretener a los clientes. Así es como hacemos negocios. Y, para tu información, hoy he conseguido un caso nuevo.

—¡Alex, me importa una mierda tu trabajo, tus casos o lo que sean! Has elegido a tus compañeros por encima de mí. Y llevas meses haciéndolo.

—Estoy intentando abrirme camino, hacer carrera, ¿es que no lo ves? —En cuestión de segundos estaba con las lágrimas y la borrachera, aunque esperé que Sam no supiera distinguir entre triste y punto y triste y borracha—. Nunca lo entenderías —musité.

Sam inclinó la cabeza.

—Sí que lo entiendo, lo que no entiendo es por qué tienes la sensación de que debes elegir entre una cosa y otra. ¿Por qué nunca me invitas a salir de copas con los del bufete o con los clientes? A descansar un rato para cenar conmigo, invitarme a actos..., no solo a la fiesta de Navidad. ¿Tanta vergüenza te doy? —Lo había preguntado en broma, pero, antes de darme cuenta, yo me había encogido de hombros, y él cogió aire con fuerza—. ¿Que te doy vergüenza? ¿Yo te doy vergüenza a TI? Joder, Alex, ¿tú te das cuenta del poco sentido que tiene? ¿Tú te das cuenta de en qué te has convertido? ¡Soy yo el que debería avergonzarse de ti! ¿Coqueros sangrando por la nariz en cenas de restaurantes que te cobran por respirar? Tendría que ser yo el que me avergonzara de tu obsesión con el dinero y la ropa y esa manera que tienes de creerte mejor que todo y todos. Yo flipo con lo desconectada que estás de la realidad. —Estaba tan cabreado que prácticamente pegaba botes mientras gritaba.

Abrí la boca y la cerré. Volví a intentarlo. Al final, acabé sacudiendo la cabeza y corriendo al cuarto para cerrar la puerta tras de mí. Fui de un lado a otro de la estrecha franja de suelo entre la cama y la cómoda; estaba que echaba humo. «¿Integrarlo en mi mundo laboral? ¿Está de coña? ¡Se lo comerían vivo!»

Incapaz de mantener ese nivel de indignación por mucho tiempo, me senté en la cama, agotada por todo lo sucedido esa noche.

Estaba destinada a que me pillara tarde o temprano, pensé. Podía haber sido mucho peor. Me estremecí al pensar que hubiera podido pillarme con Peter y una sensación de alivio sustituyó a la furia. Miré la puerta cerrada, preguntándome por un momento si debía intentar hablarlo con él. Pero preferí darme una ducha y meterme en la cama. Sería mejor tener una discusión civilizada por la mañana. Era consciente de que al encerrarme en el cuarto le impedía terminar de recoger sus cosas y utilizar el baño, ya puestos. Me metí bajo la colcha y cerré los ojos, pero, al cabo de unos minutos, un toquecito en la puerta me obligó a abrirlos. Me quedé mirando el techo por unos instantes, cavilando sobre si levantarme o no, pero al final volví a cerrarlos.

Me desperté temprano, con el corazón acelerado por una combinación de angustia y copas nocturnas. Abrí la puerta del dormitorio sin hacer ruido y asomé la cabeza por el pasillo para no despertar a Sam si dormía, pero me lo encontré sentado en el sofá con la vista clavada en la pantalla apagada. Me miró con sus ojos grandes y cálidos, y me sorprendió la tristeza tan profunda que sentí por terminar la relación con el hombre con el que había pasado la totalidad de mi vida adulta hasta la fecha. Apoyé el lateral de la cara contra la puerta, con la mano inmóvil en el pomo, y me rodaron unas lágrimas silenciosas por las mejillas.

Sam se levantó y se me acercó.

—Lo siento. Lo siento mucho —dije entre hipidos y lágrimas.

Me cogió la cara entre las manos y me besó la frente.

—Chiss, no pasa nada, es solo que… nos…

—… hemos distanciado —acabé yo la frase y me eché a llorar entonces con más fuerza contra su pecho.

Me condujo hasta el sofá, donde prácticamente me derrumbé, con unos sollozos que me surgían de la boca del estómago. Sabía que las lágrimas no eran solo porque Sam se fuera. Eran por la persona en la que me había convertido, por el volantazo que había dado mi bonita vida ordenada para convertirse en una espiral de mentiras y juerga. Me rodeó los hombros con un brazo y me dejó llorar mientras a él también se le escapaba alguna lágrima, y cuando me calmé un poco me trajo un vaso de agua. Después siguió con sus cajas, y aunque no conseguí reunir fuerzas para ayudarlo a recoger, seguí sus movimientos con atención.

Cuando hubo precintado la última caja, se sentó a mi lado y me puso una mano sobre el muslo con suavidad y sonrió con tristeza.

—No hemos conseguido llegar juntos a la meta, pero la carrera no ha estado mal, ¿no te parece?

—¿Estás seguro sobre esto? —le pregunté, sintiéndome de pronto insegura.

Sam asintió.

—Creo que en Acción de Gracias hubo un punto en que o bien avanzábamos, o… —No terminó la frase—. Y no avanzamos. He esperado unos meses para ver si conseguíamos volver por el buen camino, pero no ha sido así. Y podemos echarles la culpa a tu trabajo y a mi empresa o a un montón de cosas más, pero, si lo nuestro tuviera sentido, los dos hubiéramos puesto de nuestra parte para que funcionara. ¿No te parece, Al?

Sentí un dolor en el pecho cuando dijo mi nombre y tuve que apartar la mirada, pero asentí, porque sabía que tenía razón.

—Es mejor así. Los dos estaremos mejor —me aseguró.

—¿Adónde vas a ir? —le pregunté en voz baja.

—En el piso del East Village de mi colega Chris del trabajo se acaba de ir un compañero. Voy a alquilarle la habitación. —Miró de reojo el piso—. Ya he estado allí; no es esto, pero está muy bien.

Sentí una punzada por lo rápido que respondió.

—Puedes quedarte todo lo que...

—Me voy hoy —dijo con rotundidad—. Es lo mejor para todos. Sacaré mis cosas antes de que vuelvas por la noche.

—Entiendo —dije, y era cierto.

Me sentía triste por la ruptura, pero lo viví con un desapego y un aturdimiento extraños. Me di cuenta de que llevaba meses preparándome mentalmente para una vida sin Sam, y la primera línea de mi cerebro estaba consumida por tres operaciones a punto de cerrarse. En cuanto al corazón, que en otras circunstancias se habría resentido, me bullía con la emoción de mi aventura con Peter. Los días se sucedieron haciendo caso omiso del hecho de que todo en mi vida había cambiado. A resultas, era mucho más fácil fingir que no había sido así.

Me llevé las manos a la frente y me tensé la piel y tiré de ella hacia arriba; había descubierto que servía para impedir que se me cerraran los párpados. Casi había acabado la revisión que me había mandado Jordan, e iba a buen ritmo para estar de vuelta a las cinco en casa y durmiendo para las seis, lo más temprano que me habría acostado en meses. Cogí el teléfono de la oficina, que estaba sonando, y me lo apoyé entre la barbilla y el hombro mientras seguía tecleando.

—Buenas, Matt.

—Hola. ¿Te importa pasarte un momento por mi despacho?

El corazón me dio un vuelco al oírlo hablar tan serio.

—Claro que no. Ahora mismo voy.

Me encontré la puerta cerrada, pero Matt me hizo pasar antes de que mi nudillo diera contra la puerta la segunda vez. Estaba al teléfono, pero me hizo señas de que cerrara y tomara asiento. «Iuuu.» Las reuniones a puerta cerrada nunca eran buena señal.

Mientras escuchaba el final de la conversación, escruté el despacho para ver si había una papelera donde poder vomitar la comida si seguía subiéndome por el esófago.

—Agradezco su comprensión. Es una asociada estupenda, pero todavía está en su primer año. Hablaré con ella. Gracias por haberlo visto... De acuerdo... De acuerdo... Gracias de nuevo. —Colgó y se me quedó mirando con cara seria—. Alex, había una remisión a un cambio en los acuerdos sobre contratación de la operación Hat Trick, que cerramos hace unos meses. La empresa se ha dado cuenta ahora de que no los avisamos de esta contingencia. ¿Avisaste a nuestros especialistas de Laboral que trabajaban en la operación? No puedo creerme que le dieran el visto bueno.

Me quedé mirándolo, incapaz de hablar. Claro que no había avisado a los de Laboral. No tenía ni la más remota idea de que debía hacerlo. Ahora sí lo habría hecho, pero hacía unos meses era algo que ignoraba por completo.

—Alex, para ser una buena abogada, hay que saber lo que no se sabe. Ni tú ni yo sabemos lo que es tabú en Derecho Laboral. Para eso tenemos especialistas de Laboral. Por la misma razón que tenemos un Departamento de Fiscal, de Inmobiliario. Y por la misma por la que yo formo parte de este bufete y no pongo uno propio.

La cabeza me iba a mil por hora. «¿Es una infracción que merece el despido? ¿Cómo repercute en la empresa? ¿Y en Didier y su equipo? ¿Cómo puedo rectificar?» Crucé y descrucé las piernas mientras pensaba qué decir. Me pasé una mano por el pelo. Luego me detuve. Cogí aire y adelanté el pecho ligeramente en el sitio para corregir la postura. Invité a Matt a mirarme con mis ojitos de cachorrillo. Me pasé los dedos por los mechones largos, y me los eché hacia un lado. Deslicé la espalda contra el cuero y descrucé las piernas lentamente mientras mantenía una expresión pensativa muy estudiada.

—Lo siento muchísimo. No volverá a pasar. ¿Qué podría hacer para arreglarlo? —Forcé un toque sensual en la voz; Matt se me quedó mirando sin decir nada. «Crisis superada.» Seguí gimoteando—: Fue mi primer cierre. No volveré a hacerlo. ¿Quieres que hable con Didier por teléfono? —No sentía ganas de llorar, pero hice un pequeño puchero con el labio inferior.

Levantó en alto una palma.

—No sé qué es lo que pretendes..., pero déjalo. —Echaba chispas por los ojos a pesar de su tono calmado—. Yo no soy como Peter. No te confundas, Pippy.

Se me hundieron los hombros y me puse colorada. Me sentía como si me hubieran dado un electrochoque. Recé para mis adentros por que estuviera hablando en general de la personalidad de Peter y no sospechara nada en concreto.

Sacudió la cabeza para disipar la rabia que se le había instalado dentro y se ajustó la corbata.

—Ya me he encargado yo. Quiero que le mandes las actas de la reunión de junta donde se discutió el nuevo acuerdo a

Bruce Shyer, del área de Laboral, y que le expliques que le estaríamos muy agradecidos si pudiera darnos su opinión hoy mismo COB. Ya lo he hablado yo todo con el equipo del National. Didier me ha dado el visto bueno para que procedamos con el abogado de la otra parte y que no le molestemos más con esto.

Me puse más recta en el sitio, absolutamente mortificada e incapaz de hablar. Asentí mientras me señalaba la puerta y me levantaba ya para irme.

—¡Pip! —me llamó, y me volví—. No te olvides de que haces muy bien tu trabajo, así que ve y arregla esto. Ponnos en copia a Jordan y a mí en todo. En unos días estará arreglado. —Me dedicó una breve sonrisa exculpatoria.

Asentí y parpadeé a modo de disculpa antes de volverme.

Recorrí despacio el pasillo, porque no me fiaba de que me respondieran los pies bajo las rodillas tambaleantes, mientras me prometía que jamás volvería a cometer el error de confiar en mi aspecto antes que en mi inteligencia.

Me crují el cuello mientras los correos de lo que creía que era un caso cerrado me inundaban la bandeja de entrada. Me sonó el móvil y me quedé mirando el número que aparecía en la pantalla.

—Hola, mamá.

—Tu padre te está oyendo también. Solo llamábamos para ver qué tal ibas.

Las llamadas de mis padres eran el único momento de la semana en que recordaba realmente que había roto con Sam. No conseguía reunir las fuerzas para contarles que se había ido de casa, y esa omisión más que consciente ponía de relieve la honda sensación de fracaso que me bullía bajo la piel por no haber sabido llevar la relación. Y al no contárselo, la mente se me iba, avergonzada, a merodear entre el resto de las cosas que nunca les había contado, como la aventura con

Peter y los flirteos con las drogas. Ese día rellené la conversación con cháchara sobre mis operaciones y la gala a la que asistiría en unos días.

La gala de las Private Equity Contra el Hambre era uno de los actos benéficos que más expectación generaba y que más cobertura mediática recibía en el calendario social de Nueva York. Asistirían todos los neoyorkinos que eran alguien en el escalafón social más alto de todos los ámbitos de la vida y los negocios, y ese año la patrocinaba Stag River porque era Gary quien presidía el comité organizador. Busqué en Google fotos del acto del año anterior y fui pulsando boquiabierta las imágenes de Anna Wintour, Oprah o los Obama. Solo podía pensar en una cosa: «¿Qué me voy a poner?».

Siendo práctica, no pensaba gastarme miles de dólares en un traje de alta costura, y no era tanto por el dinero como porque no tenía tiempo de que me hicieran uno a medida en condiciones, y así no merecería la pena. Me decanté por el servicio de alquiler de ropa que ofrecía Rent the Runway, donde encontré un traje largo de Naeem Khan de doce mil dólares con la parte de arriba en forma de corpiño y una falda de tul negro vaporosa y recubierta de flores de seda color violeta. Me quedaba como un guante.

Supe que había elegido bien en cuanto llegué a las escaleras del Metropolitano y tuve que esforzarme por no sonreír a las cámaras de los flashes, consciente de que los fotógrafos estaban confundiéndome con alguien importante. En realidad no me importaba lo que pudieran pensar unos fotógrafos desconocidos, pero pensé que esas reacciones presagiaban la de Peter cuando me viera. Tenía el corazón desbocado mientras posaba para la prensa entre los carteles de Gary Kaplan estrechándole la mano al presidente de la organización Lucha Contra el Hambre que flanqueaban el *photocall*. Intercambié correos con Peter sobre mi ubicación hasta que por fin lo vi delante de la mesa de las ostras, muy elegante con su esmoquin a medida de solapa redonda y una pajarita clásica. Me quedé mirándolo un momento desde lejos mientras planeaba para mis adentros cómo escabullirnos juntos al final de la velada sin levantar sospechas.

—¡Buenas! —Le di un toquecito en el hombro, con picardía.

Se dio la vuelta, aturullado.

—Ha venido mi mujer, acaba de llegar, estás increíble. —Lo dijo todo como en una sola palabra.

Yo puse mi mejor sonrisa mientras se me hacía un nudo en la garganta y se me cerraba el corazón en un puño.

—Bueno... Voy a por un martini.

Se me saltaron las lágrimas en cuanto me di la vuelta rumbo a la barra. En las últimas semanas, no sé cómo, me había convencido de que su mujer no existía, de que no era más que una bonita estatua que criaba a sus hijos mientras yo tenía el papel protagonista de la vida amorosa de Peter. Era más difícil fingir que solo era una niñera cuando la veías de su brazo en una gala. Me sorbí la nariz y me tranquilicé, y, por primera vez desde que le vi hacer las maletas, eché de menos a Sam.

Retorcí el asa del bolso de mano mientras esperaba a que le pusieran su agua con gas a la pareja mayor que tenía delante.

—Que alguien le ponga una copa a esta señorita.

Reconocí la voz de Gary al instante. Definitivamente, no era mi noche. Me volví y lo saludé con una sonrisa, a pesar de haber tenido la esperanza de terminar la noche sin tener que ver al anfitrión.

—Hola, Gary. Qué acto más maravilloso. Gracias por invitarme.

—Alex, te quiero presentar a Cynthia, mi mujer, y a nuestra hija, Olivia. —Gary se volvió de lado entre el gentío y dejó ver a su esposa y a su hija, que asomaban las cabezas.

La mujer lucía una sonrisa amplia y radiante. Llevaba un majestuoso traje de noche negro de corte clásico. La hija llevaba un vestido suelto de lentejuelas que le iba perfecto a su cuerpo desgarbado de adolescente y desviaba la atención de unos *brackets* rosas. Sonreí abiertamente y me adelanté a la pareja mayor para saludarlas debidamente. Casi me aturdió su visión: parecían la viva imagen de una familia de la alta sociedad neoyorkina.

—Hola. Es un gran placer conocerlas a las dos. Deben de estar muy orgullosas.

—Así es. —La mujer miró a su marido con cara de felicidad.

¿Y si lo había malinterpretado yo todo? ¿Y si el manoseo en el Rainbow Room no había sido más que un accidente o un malentendido? ¿Sería la mujer que estaba con él en el Nomad una amiga? ¿Tenía algún tipo de acuerdo con su esposa, que parecía adorarlo?

—Alex es de Klasko. Trabaja mucho con Peter Dunn —le contó Gary a su mujer, que pareció reconocer el nombre de Peter. «Ahora bien que se acuerda de mi nombre...»—. Ha sido realmente fundamental en algunas de nuestras operaciones. Va a llegar muy alto.

Intenté quitar la cara de confusión que debía de tener.

—Cariño, quiero hablar con Bill y Hillary antes de que se vayan. Nunca se quedan a la cena.

Cynthia tiró suavemente del brazo de su marido, que asintió y le pasó un brazo por la cintura a su hija mientras los tres se despedían de mí. Me quedé contemplando a la feliz familia mientras me obligaba a volver a la realidad.

Me aseguré de beberme dos martinis enteros antes de sentarme en la mesa de Klasko enfrente de Peter y Marcie. Ella llevaba un sencillo vestido de tubo sin mangas en terciopelo negro y adornado con un broche de diamantes, y tenía el pelo hacia atrás en un recogido suelto y desenfadado que le acentuaba el cuello imposiblemente largo que tenía. Miré el despropósito de tela que me bajaba desde el pecho y tuve de pronto la abrumadora sensación de que aquel traje tan historiado me marcaba aún más el cuerpo menudo y el busto pequeño. Solo duré veinte minutos enfrente de ella; me obligué a esperar a que terminara el discurso de Gary para disculparme.

Me alisé los pétalos de seda que salían disparados del traje, enfadada, mientras salía del salón de la recepción. Alguien abrió la puerta principal y un aire más frío de lo habitual para esas fechas me pareció tan atrayente que salí, y en el acto una brisa nocturna se me coló por los pulmones, como recordándome que seguía respirando. «¡Vaya mierda de noche más absoluta!» Miré la hora. No eran ni las ocho, y si bien la idea de las horas a solas en mi piso vacío me daba escalofríos, era mejor que un minuto más en aquella gala. Me obligué a parar mi festival de autocompasión, me recogí la cola del vestido y me lancé por el largo tramo de escaleras de granito que daban a la Quinta Avenida.

Justo cuando llegaba al último escalón, vi la silueta de dos hombres que parecían forcejear con los brazos, echados el uno sobre el otro como dos púgiles enzarzados.

—¡Alex! ¡Eh! ¿Me podrías echar un cable?

Gary estaba haciendo lo posible por mantener vertical al otro, que iba escurriéndose por los escalones, saltándose mesetas enteras de cemento con los pies como muertos. No era una pelea, me corregí. Ese hombre estaba muy ciego.

Me coloqué al otro lado del hombre y lo agarré por el brazo izquierdo mientras intentaba a la desesperada no pisarme el traje con los tacones. Gary y yo prácticamente lo bajamos a cuestas por las escaleras del Metropolitano.

—¡Que yo puedo andar solo! ¡No soy un puto crío!

El hombre contrajo la cara como dolorido mientras intentaba zafarse de nosotros. Me hice a un lado y lo solté en cuanto llegamos a la acera, pero se tambaleaba tanto que volví a cogerlo del brazo.

—Alex, este es mi socio, Simon. Simon, Alex. —Gary me sonrió por encima de la cabeza caída de su compañero.

—¿No deberías estar dentro? —le pregunté a Gary, que puso cara de hastío.

—Que te den, Alex —dijo el tal Simon arrastrando las palabras y riendo con los labios fruncidos por debajo de la nariz.

—Allí. —Gary señaló con la barbilla hacia un Escalade negro—. Ayúdame.

El chófer abrió la puerta al vernos llegar y me preparé para transferir a Simon a sus brazos.

—Entra y me ayudas a tirar de él desde dentro, ¿quieres? —me pidió Gary.

Me recogí el traje por encima de las rodillas y entré en el SUV negro, donde me di la vuelta para coger la mano de Simon y tirar luego con fuerza mientras los otros dos lo empujaban al interior. Gary subió detrás y cerró la puerta tras él. Yo acabé sentada de cualquier manera en uno de los asientos individuales, con Simon prácticamente en el regazo.

—Te acerco a casa —me dijo Gary.

Simon estaba riendo por nada en concreto, echándome todo el peso encima.

—¿Te vas a ir de tu propia gala? —No sabía qué otra cosa decir.

—¿Acercarla? ¡Vámonos de fiesta! Los tres juntos. —Simon movió la cabeza de lado a lado con los ojos clavados en el techo, y el chófer arrancó entonces el motor—. ¡Te has vuelto un aburrido!

Gary no reaccionó, pero se tiró de un lado de la pajarita hasta que la deshizo.

—Puedo pedirme un coche para mí —me ofrecí y alargué la mano hacia la manija de la puerta.

—Vamos —le ordenó Gary al chófer.

Antes de que terminara de hablar, el coche se propulsó hacia delante y oí que las puertas se cerraban automáticamente. Tragué saliva mientras intentaba averiguar por qué de pronto sentía tal pavor. Apenas veía los árboles del parque que pintaban de rayas las ventanas tintadas.

—¿Adónde vamos? —preguntó Gary.

—A Chelsea. A la Dieciocho con la Ocho —conseguí decir con voz temblorosa.

Por fin pude liberarme del peso de Simon y sentarme sobre el cuero fresco de la tercera fila, donde me coloqué pegada a la ventanilla del fondo. Sentí que se me encogía el corazón mientras una sensación de miedo se me extendía por el cuerpo entero. «Tranquila —me dije—. El cliente más importante del bufete me conoce y solo ha querido tener el detalle de llevarme a casa en coche. Son solo unos minutos.» Así y todo, no podía apartar la sensación de que había algo raro. Cogí el teléfono, marqué mi propio número del trabajo y dejé la llamada sin colgar antes de devolverlo al bolso.

—Así que tú eres la tía a la que se está follando Peter —dijo Simon arrastrando las palabras desde la fila de en medio.

Volví la cabeza como un resorte, rezando por haberlo oído mal. Cuando crucé la mirada con Gary, este sonrió como un sádico y asintió. No podía creerme que Peter se lo hubiera contado a alguien. Y no a cualquiera, ¡a clientes!

—¡Sube la música! —le ordenó Gary al chófer.

El estruendo de los graves bajo los muslos me sacudió todos los huesos por dentro. Me subió la bilis del estómago y sentí al punto que cambiaba la energía en el coche. Quise desaparecer en el cuero, fundirme con el asiento negro y fresco y dejar tan solo mi traje alquilado como prueba de mi existencia. Crucé las piernas con fuerza y junté las manos sobre las rodillas. Me pregunté si estarían viendo las lágrimas que estaban formándoseme en los ojos.

—No es más que su numerito de chica decente —gruñó Gary con desdén, a lo que Simon estalló en risas y me devoró con la mirada—. Te lo digo, está deseándolo —susurró Gary.

Aunque el respaldo de su asiento me escudaba de él, así como la penumbra del coche, supe que Gary estaba excitándose. «Tengo que salir de este coche como sea.» El chófer dobló a la izquierda y cogió velocidad. Cuando miré por la ventanilla, vi que estábamos en la circunvalación del West Side, a al menos 120 kilómetros por hora. Se me cayó el alma a los pies cuando vi que no tenía puerta a la izquierda: cuando me había sentado en la fila de atrás había renunciado a la posibilidad de escapar del vehículo.

Me volví para mirar al frente y entonces vi que Gary se me había sentado al lado.

—No, por favor —susurré.

Simon se apoyó en el respaldo de su asiento como el que ve una pelea de perros. La cabeza me iba a mil por hora y me aferré a mi última esperanza.

—Me alegro de que el NDA que redactamos te esté viniendo bien. ¿Haces el seguimiento de quién los firma y quién no? Porque yo no he firmado nada.

Gary desencajó los ojos y empezó a palpitarle la gran vena que le atravesaba la frente.

—Tú no tienes por qué firmar, eres mi abogada. Lo que hagamos es confidencial. Si tienes trabajo es porque yo lo permito. Tu bufete existe solo porque yo lo permito. Esta puta ciudad es mía. ¿Me oyes, zorra desagradecida?

Mientras me gritaba, sentí que unas lágrimas calientes me rodaban por la cara.

—¡Desagradecida! —repitió Simon con una risa socarrona.

Gary me cogió los bajos del vestido y me lo subió por los muslos. Me convertí en un animal en modo supervivencia. Forcejeé hasta con el último reducto de fuerza que tenía, con cada extremidad y parte del cuerpo con la que pude embestirle, pero entonces noté otro par de manos encima. Simon había recuperado el control muscular suficiente para cogerme las piernas con fuerza. Sentí que los dos pares de manos me desgarraban la parte de arriba y me subían la de abajo y entonces ya no pude forcejear y gritar a la vez. Me quedé callada mientras luchaba por mantener la cadera pegada al asiento y lo más lejos posible de aquellos depredadores. «Voy a morir. Me van a matar. Me van a violar y me van a matar.»

Pero entonces, por una fracción de segundo, sentí menos peso encima. ¿Se había acabado? ¿Se habían cansado? ¿Habían decidido parar? A continuación, sin embargo, un miedo primario como no había experimentado en mi vida me paralizó el cuerpo cuando oí el sonido inconfundible de una cremallera al bajarse. No se habían cansado: estaban pasando a la segunda fase. Aproveché que Gary se apartó para bajarse la cremallera del pantalón y el estado ebrio de Simon para pegar una patada lo más fuerte posible hacia donde me parecía que había venido el sonido de la cremallera. Sentí que rozaba algo con el tacón y entonces lo hundí al tiempo que Gary dejaba escapar un chillido desgarrador.

El coche pegó un frenazo, se detuvo y se encendieron las luces del interior. Aparté el pie, pero el zapato se me quedó atrás, encajado en algo. Cuando por fin Gary me quitó de encima su asquerosa mole, Simon y yo nos quedamos mirando la pernera rasgada de Gary, que dejaba entrever un reguero de sangre espeso contra la parte de arriba de su muslo pálido y peludo. La puerta de detrás de Simon se abrió cuando el chófer, que al parecer no estaba acostumbrado a oír gritos de hombres, vino a ver qué era todo ese jaleo. Cuando la luz del coche iluminó el asiento trasero, todos nos quedamos boquiabiertos al ver el tacón de mi Louboutin y la sangre en el muslo de Gary, con el color de mi suela.

Me tiré del corpiño hacia arriba y de la falda hacia abajo y me escabullí pasando entre Gary y el chófer. Me detuve unos segundos, aunque sabía que era una tontería. Pero nadie estaba fijándose en mí. ¿Pensaban dejarme ir sin más? Me quité el otro zapato y eché a correr, con el suelo rajándome los pies descalzos como una bendición furiosa.

—Deja que se vaya —oí que gritaba Gary—. No dirá nada.

No recuerdo mucho más del resto de la noche. Conservo una imagen vaga del portero mirándome los pies de reojo, más fastidiado por que le dejara huellas de sangre en el suelo de mármol de nuestro vestíbulo blanco que realmente preocupado por mi bienestar. Recuerdo quitarme el vestido con mucho cuidado, como si devolverlo en un estado decente fuera a permitirme ignorar por completo lo ocurrido. Recuerdo llorar en estallidos truncados, pero más que nada porque tenía la sensación de que debía. En realidad no estaba triste. Estaba furiosa, y aliviada, y asustada.

El grueso de la noche me lo pasé temblando; por momentos, en sacudidas leves, por momentos, más violentas. Y tuve unas pesadillas horribles, aunque no sabría decir sobre qué. Me veía encima de sábanas empapadas en sudor, la garganta en carne viva por los gritos que seguían resonando en el aire. Cuando amaneció, conseguí levantarme de la cama, sintiéndome sucia por dentro y sabiendo que debía ducharme, pero lo último que quería era estar a solas con mi cuerpo desnudo, que de pronto me parecía un lastre imposible.

Le escribí un correo a Anna diciéndole que estaba con gripe y pidiéndole que se lo dijera a todo el que llamara antes de meterme bajo la colcha dos días seguidos. Tenía la sensación de que me hubieran arrancado de cuajo el fondo, el suelo fiable bajo los pies de mi vida. Me encontraba en caída libre. Por fin miré el teléfono por primera vez en días. Me disculpé con Jordan y Matt por no contestar a los correos y culpé a la enfermedad. Por fin leí los mensajes sin abrir desde la mañana después de la gala. Las palabras me dieron la sensación de tener la cabeza en un torno, a punto de ser aplastada hasta la extenuación permanente.

De: Peter Dunn
Para: Gary Kaplan
Cc: Alexandra Vogel
Asunto: Gala

Gary:
Muchas gracias por invitarnos. Fue un acto extraordinario. Estamos muy orgullosos de representar a alguien que hace tanto bien.

De: Gary Kaplan
Para: Peter Dunn
Cc: Alexandra Vogel
Asunto: RE: Gala

Alex y Peter:
¡Vosotros sí que sois los mejores! Gracias por venir y por todo lo que hacéis por mí y por Stag River.
GRK

Dejé caer el teléfono en la almohada que tenía al lado y me quedé mirándolo unos instantes, deseando que la presión que sentía en el cráneo remitiera ligeramente. Nunca, ni por un momento, me había planteado contarle a nadie lo ocurrido.

Apenas podía contármelo a mí misma: «Me fui temprano de la gala porque no podía soportar estar cerca de la mujer del compañero de trabajo con el que he estado acostándome...». Y ahí tenía que parar.

Intenté controlar el dolor que estaba sintiendo imaginándome que flotaba en una nube, evocando las instrucciones de aquella vez en la facultad que había intentado meditar, pero la mente me iba a cien, entre la sensación de que en cierto modo merecía el castigo y otra, más real, de que me subían el vestido y me manoseaban por todas partes. Era incapaz de entender mis pensamientos ni de sofocar la angustia que me paralizaba el cuerpo, pero sí que llegué a una conclusión: si no hablaba de ello y no dejaba que me afectara, entonces no habría pasado. Además, ¿qué había pasado realmente? ¿Agresión sexual en grado de tentativa? ¿Con qué se castigaba eso? ¿Con una colleja? Estábamos hablando de Gary Kaplan, nadie me creería. Y él destrozaría mi carrera y puede que incluso a mi familia. Me limitaría a seguir sin más con mi vida y no permitiría que me afectase. Así ganaría yo.

Sexta parte

CUESTIONES POSRUPTURA

El «saneamiento» y los ajustes que se hacen tras una operación o una ruptura para garantizar que todas las partes de la transacción puedan operar satisfactoriamente.

P: Para que quede claro, usted mantuvo relaciones sexuales de mutuo acuerdo con Peter Dunn. Y usted no consintió los avances supuestamente sexuales hechos por Gary Kaplan.

R: Correcto. Se hará usted cargo de que no es lo mismo consentir con un hombre que consentir con todos los hombres.

P: Nadie ha insinuado tal cosa. Era una pregunta de sí o no. ¿Es cierto que usted consintió tener relaciones sexuales con Peter Dunn, pero no con Gary Kaplan?

R: Sí, así es.

P: ¿Se benefició usted económicamente gracias a su acusación de supuesta agresión sexual contra Gary Kaplan?

R: No.

P: ¿No obtuvo usted beneficios económicos, directa o indirectamente, de sus acusaciones contra Gary Kaplan?

22

Volví al trabajo la mañana del lunes siguiente a la gala de Stag River y me quedé mirando la luz roja parpadeante del teléfono. Había escuchado y borrado todos los mensajes de mis compañeros y clientes desde casa, de modo que sabía lo que oiría si escuchaba el último mensaje del contestador, el que yo misma había dejado aquella noche. El aire zumbaba a mi alrededor, y me metí los dedos en las orejas y los sacudí con fuerza en un vano intento por disipar el pitido. Aunque no tenía la cabeza muy allá cuando había mentido y dicho que estaba con gripe, en realidad había resultado ser la excusa perfecta porque era consciente del aspecto enfermizo que tenía: las mejillas hundidas se me habían teñido de un tono verdoso y tenía el pelo repegado a la cabeza por los goterones constantes de sudor que me borboteaban por el cuero cabelludo.

Tapé la luz parpadeante con una servilleta y me enfrasqué en mis correos. Concentrarme en el trabajo me distrajo del caos en que se encontraba mi vida personal, me succionaba toda emoción y dejaba a su paso una mera sombra calculadora de mujer. Me pasé la siguiente hora poniéndome al día con los mensajes de Stag River, aunque no había ninguno directamente de Gary, y respondí con claridad y profesionalidad. A partir de las diez encadené varias reuniones seguidas, incluidas tres con Peter en las que logré evitar hacer contacto visual con él. Cuando regresé a mi oficina al final de la jornada, Anna estaba mirándome con expectación desde su cubículo.

—Tengo a Jordan al teléfono.

Asentí y cerré la puerta a mi paso.

—Buenas —dije al auricular.

—¿Cómo te encuentras? —Su tono era cálido.

—Mejor... Sí, mejor —le dije, aunque en realidad apenas sentía nada más allá de una angustia acuciante en las yemas de los dedos que me hacía teclear más ligero, hablar más rápido y caminar más veloz.

—Voy a tomarme algo con unos cuantos en el bar de enfrente. ¿Sigues KO con la gripe?

—Esta noche necesito un trago más de lo que nadie ha necesitado nunca un trago.

—¿Eso es un sí? —Jordan rio—. Nos vemos abajo a las siete.

Me recosté en la silla y me mordí una uña. En esos momentos no tenía mensajes sin leer ni nada urgente en la lista de cosas pendientes, de modo que derivé mentalmente hacia el Incidente. Sacudí la cabeza para calmarme y marqué los tres primeros dígitos de la extensión de Carmen, pero me vi incapaz de pulsar el último. Me recosté en la silla y fijé la vista en el techo mientras intentaba convencer a mi mano de que parara de temblar. La sacudí con fuerza, colgué y marqué el número completo.

—¡Eh, señorita! —dijo alegremente Carmen—. ¿Qué se cuece por ahí? —Oí el tono de impaciencia en su voz.

—Buenas...

La había llamado para charlar de cualquier cosa y anular así el runrún mental, pero al oír su voz me di cuenta de lo mucho que necesitaba contarle lo de la gala: independientemente de lo que estuviera pasando entre nosotras en el trabajo, no me cabía duda de que en eso me apoyaría como una amiga fiel.

—Al, lo siento mucho, tengo que responder a esta llamada. Te llamo ahora en cuanto cuelgue. —Carmen pulsó un botón y se pasó a la otra línea.

Apoyé la cabeza entre las manos y oí que llamaban a la puerta. Me tomé un momento para recobrar la compostura antes de hablar.

—¡Pase!

Peter abrió la puerta, que produjo un chirrido lento, y cerró tras de sí. Me fijé en que tenía la mandíbula, por lo general bien apurada, recubierta por una barba incipiente. Le sentaba bien..., cómo no. De pronto me indignó que todo fuera tan fácil para él; que yo misma hubiera sido tan fácil para él.

—¿Puedo? —preguntó señalándome una silla; yo asentí con un gesto mínimo—. ¿Estás evitándome o es cosa mía? —preguntó con una aprensión poco propia de él—. O sea, sé que me estás evitando, y que estás enfadada por lo de la gala.

Tragué saliva.

—No estoy enfadada, ni tampoco te evito. ¿Acaso no te he respondido a los correos?

Ladeó la cabeza, como dándome a entender que había notado que mis respuestas habían sido secas..., frías. Sin exclamaciones ni salidas ingeniosas, sin emoticonos sonrientes ni interrogantes abiertos sobre cosas que no fueran las condiciones de una operación. Sí, estaba claro que nunca habíamos flirteado abiertamente por correo, pero el tono que utilizaba con él había cambiado, sin duda.

Me quedé mirándolo y comprendí que estaba culpándolo por lo que me había pasado.

—Es que no entiendo muy bien... Yo creía que habíamos pasado un bonito fin de semana juntos... Me sentiría muy mal si piensas que hice algo...

—No hiciste nada. Pero lo que teníamos, fuera lo que fuese, se ha acabado. Quiero seguir trabajando contigo, pero eso es lo único que podemos hacer juntos, trabajar. Se acabó... eso —terminé y cogí aire.

Decirlo en voz alta me resultó mucho más fácil de lo que había imaginado.

Peter me buscó la mirada con una media sonrisa y asintió varias veces, al principio lentamente, y luego más rápido.

—Como tú veas —respondió.

Luego ambos nos quedamos paralizados al oír un clic mecánico desde algún punto de la mesa, un ligero roce, y el innegable cambio de energía en el aire. Se me erizó el vello de la nuca.

—Sigo en la línea —dijo Carmen desde la rejilla negra, y luego oímos el clic cuando colgó.

Dejé caer la cabeza entre las manos.

—Mierda.

—¿Esa era...? —empezó a decir Peter.

—Por favor... —dije sin levantar la vista.

Oí que cerraba la puerta mientras yo seguía diciendo «mierda» una y otra vez para mis adentros, con la cabeza todavía entre las manos. Por fin bajé la bilis que se me había quedado en la garganta, me incorporé y marqué la extensión de Carmen. Oí que cogía el auricular, pero luego la llamada se cortaba en el acto. Volví a intentarlo. Lo mismo.

Tres veces más, y el mismo resultado. Debía de estar indignada conmigo, asqueada, y pensaría que así era como le había sacado ventaja en F&A.

—¡Joder! —chillé al vacío, y a los treinta segundos Anna asomó la cabeza por la puerta—. ¡Ahora no! —la increpé, y volvió corriendo a su puesto para dejarme sola en aquel espacio que parecía estar cerrándose sobre mí mientras en la cabeza la vergüenza se me expandía como un globo.

Cuando llegué al bar, me sorprendió ver a Kevin sentado al lado de Jordan en una mesa alta y con dos cervezas vacías delante.

—No sabía que os conocíais —dije entre trago y trago voraz de la mía, deseosa de bajar con la bebida el día que acababa de tener.

—¿Estás celosa? —me preguntó Kevin guiñándome el ojo.

Puse cara de hastío y pedí una ronda de chupitos de tequila. Apenas le presté atención a lo que decían, concentrada como estaba en beber lo suficiente para embotar los pensamientos y emociones que me bullían por dentro. Reviví una y otra vez en la cabeza la conversación con Peter que Carmen había escuchado mientras Kevin y Jordan reían por no sé qué historia que les habían contado los del área de Procesal. Pedí otra ronda de chupitos, ignorando la mirada inquisitiva de Kevin, y me quedé viendo cómo el barman los servía muy lentamente y la camarera tardaba una eternidad en traérnoslos. Me bebí el mío de una vez antes que ellos, sin siquiera un «salud».

—¡Otra! —pedí bajando el vaso con fuerza sobre la mesa.

Jordan sacudió la cabeza y rio.

—Yo creo que ya has bebido más que suficiente, Pip.

—Eso seré yo quien lo decida —dije, y resoplé—. Yo no soy ninguna... esto... mujercita. —No conseguí dar con una palabra mejor.

Jordan levantó las manos, a la defensiva.

—Vale, vale..., bebe lo que quieras.

Por mucho que odiase reconocerlo, Jordan tenía razón: estaba borracha. Muy borracha. Hacía días que no tomaba una comida en condiciones, y entre los chupitos y las copas, llevaba ya encima unas cuatro o cinco. Y por primera vez en la vida, la borrachera me había puesto de mala baba.

—¿Un cigarro? —Jordan ladeó la cabeza.

—Yo no fumo, eso es una asquerosidad.

—Entonces sal un momento conmigo —me dijo en tono cortante, y me tiró del brazo.

Me zafé de él y me di la vuelta blandiendo un dedo, pero vi lo preocupado que estaba y su expresión bondadosa y bajé el brazo y me fui hacia la puerta.

—Ahora volvemos, dos minutos —oí que le decía a Kevin.

El refrescante aire primaveral me abrió los poros a la fuerza y por un momento me devolvió la sobriedad.

—Venga, dame que me fume uno —le dije como si estuviera haciéndole un favor.

Jordan sacudió la cabeza.

—Lo dejé hace meses. No tengo. —Cruzó los brazos sobre el pecho y se me quedó mirando—. ¿Qué mierda es lo que te pasa, Pip?

Mientras sacudía la cabeza, las lágrimas me vinieron casi al instante.

—Tengo la sensación de que me estoy derrumbando —solté como pude, boqueando para coger aire.

—Mierda —dijo Jordan.

Se adelantó un paso para acercarse, pero luego retrocedió, sin saber si era apropiado o no. Pensé por un momento en contarle la agresión de Gary, mi relación con Peter, que Carmen lo había descubierto... A lo mejor era él quien me ayudaba a salir de aquel entuerto en el que me había metido yo solita. Pero si alguien se enteraba de lo que había pasado, entonces de pronto se volvería real.

—¿Cómo puedes estar acostándote con Carmen? —dije en cambio—. No pienso cubrirte las espaldas como con Nancy, que lo sepas.

Se le desencajó la mandíbula.

—¿Eeh?

—Sé que os estáis viendo.

—Se te ha ido la cabeza, Pip. De verdad, estás fatal. Yo no le he puesto un dedo encima a Carmen en mi vida. —Hablaba lentamente, como si yo estuviera reteniendo a unos rehenes—. De eso ya se encarga Peter.

Todo se detuvo.

—¿Quién? —Se me aflojaron las rodillas y me doblé ligeramente hacia delante para apoyar las manos en los muslos.

—¡Peter, joder!

—¿Peter Peter? ¿Peter Dunn? —pregunté.

Tuve que apoyarme entonces en la pared porque no me fiaba de mis piernas. «Carmen sabe que me he acostado con Peter —pensé—. ¿Y Peter es el tipo con el que ha estado viéndose Carmen? Mal asunto, muy mal asunto.»

—¡Sí, Peter Dunn! ¿Cómo es que no lo sabías? Lo sabe todo el mundo. Carmen es bastante descarada con el tema —dijo con una sonrisa de suficiencia.

—Qué fuerte… Este día está siendo mucho peor de lo que creía. Y eso que ya empezó como el culo. ¡Mi vida se está yendo a la mierda del todo! —chillé y estampé el pie en la acera, frustrada.

—No te pongas tan dramática, Pip. Pero sí, se está tirando a Carmen, y a Peggy de Personal, y a Sarah de Contabilidad. Vamos, que el colega no puede estar sin meterla. —Hice lo que pude por respirar hondo, con éxito más bien escaso—. ¿Me estás diciendo que de verdad no lo sabías? Pero si a mí me da que lo habíamos comentado… —Negué con la cabeza y el corazón me pegó contra las costillas—. Mierda. ¿Pip? ¿Estás bien? —Me puso la mano en la espalda—. Lo estás flipando, parece. Pero, vamos a ver, si tú ni siquiera estás implicada. Tienes que tranquilizarte. —Mientras hablaba, metió la mano en el bolsillo del pecho y oí el repiqueteo de una maraca de pastillas.

Tuve la visión de él moviendo los labios y, por un momento de claridad, lo vi todo cristalino: los devaneos con un adúltero en serie, la agresión de un puto desgraciado rico, las vivencias en el Estados Unidos de las grandes corporaciones. Era todo tan… típico. Comprendí que siempre había temido que fuera verdad, desde el momento en que me arrebataron los récords mundiales: yo no tenía nada de especial, era como cualquier persona penosa que pudiera conocer. Me doblé en dos y me vomité entre los zapatos.

Me quedé mirando las dentelladas en el borde de la pizza y le di un último mordisco por una esquina. Estábamos en la calle, sentados en un banco, y me restregué la grasa de la barbilla con el dorso de la mano antes de tirar el resto de la porción a la papelera. Luego apoyé la cabeza en el hombro de Jordan, que se me antojó sólido y cálido contra la mejilla.

—No puedo seguir haciendo este trabajo —mascullé en el aire brumoso.

—Tienes un estrés de la hostia y no estás durmiendo nada. Y esta noche has bebido demasiado. Tú puedes con esto. Tienes mucho talento —me dijo con tranquilidad.

Las imágenes me volaban por la cabeza —las miradas de reojo de Carmen en la presentación que creí que le dirigía a Jordan; la sala de respiro cerrada; sus preguntas sobre adónde iba yo con Peter y, por último, la conversación que había escuchado—, hasta que, como una bendición, el Xanax que me había dado Jordan me hizo efecto.

—Kevin. Nos hemos dejado a Kevin en el bar —dije en voz alta al caer en la cuenta.

—Kevin está bien. Vamos a llevarte a casa, Pip. Ahora le toca a Sam cargar contigo —dijo riendo.

Volví a romper a llorar cuando mencionó a Sam, pero dejé que me parara un taxi y me llevara a casa.

23

—Descuidado —masculló Peter entre dientes, y contraje el gesto.

En los tres cuartos de hora que le llevó leer el contrato de adquisición redactado por mí, yo alternaba entre mirarlo y leer el correo en el móvil. Apenas había dicho una palabra mientras iba haciendo tachones con un bolígrafo y garabateando con furia.

Guiñé los ojos para seguir las líneas rojas que acuchillaban las palabras que yo había elegido detenidamente y pensé en que Carmen no me había devuelto las llamadas. Lo vi mordisquearse el labio inferior, y por un momento me pregunté si por casualidad no estaba así de enfadado porque mi amiga también había dejado de acostarse con él. Pero no conseguía reunir las fuerzas para que me importara: ni eso, ni nada en realidad. Salvo mis operaciones.

Estaba centrándome en el trabajo, dejando de buen grado que me consumiera todas las energías y todas las horas que pasaba despierta. Casi lograba convencerme de que iba todo bien…, hasta que bebía. El alcohol hacía que me escaparan por la cara todo tipo de fluidos biliosos —lágrimas calientes, mocos amarillos y burbujas de saliva— en cuanto bajaba mínimamente las defensas. Unos días después de mi aparición estelar en el bar con Kevin y Jordan, intenté tomarme unas copas de vino yo sola en el sofá al llegar a casa del trabajo. No había terminado la primera copa y ya estaba gimoteando y temblando, como solo hacía cuando estaba segura de que todo a mi alrededor estaba desmoronándose y tenía claro que no me oía nadie.

Sobria, en cambio, me convencía de que mi vida personal y el estado caótico en el que se encontraba no me quitaban el sueño. De algún modo, los días laborables me parecían de lo más normal, más allá de que Peter estuviera revisando mi trabajo con una lupa mucho más severa.

Cuando por fin levantó la vista y me tendió el documento, estaba lleno de rojo.

—Quiero los cambios metidos para COB —dijo sin asomo de calidez; asentí y me dispuse a irme—. ¿Cuándo empezaste en F&A? —me preguntó mirándome como si apenas nos conociéramos.

—En octubre.

—Ajá —dijo, y resopló con desdén volviendo la vista a la pantalla.

Pensaba hacerme una evaluación negativa. Iba a cargarse mi carrera. La llevaba clara. Por triste que fuera, Klasko era el único sitio donde me sentía como en casa, donde me sentía la adulta competente que había sido antes de aquella aventura, de romper con mi pareja, del Incidente. Necesitaba que la ropa de oficina a medida me ayudara a guardar la compostura, que el vestíbulo aséptico me inspirara cordura, que las cortesías superficiales y el trabajo más mundano para las operaciones me mantuvieran la mente apartada de todo lo ocurrido.

Cuando me desperté al día siguiente, olisqueé el aire, asqueada. ¿Qué era ese olor? Primero miré bajo la cama por si había restos de comida, luego las zapatillas de deporte, por si había pisado alguna caca, antes de enterrar la cabeza en el pecho e inspirar. En realidad siempre había creído que era imposible identificar la peste propia, pero me di cuenta de que olía a podrido, con un olor que hacía pensar más a enfermedad que a falta de aseo. Me obligué a ir al baño, donde me quité la ropa con mucho esfuerzo, la respiración fatigosa y el pánico devorándome mientras una prenda tras otra iban cayendo sobre las baldosas. Me vi los ojos hundidos en las cuencas y el pelo grasiento y me obligué a meterme en la ducha, donde recordé por qué había estado evitándola. La desnudez hizo que me volviera de golpe toda la noche, la música retumbante en los oídos, la angustia por las venas. Y, sobre todo, oí mis gritos, el forcejeo. Ya no sentía el cuerpo como propio; se me antojaba una tara innecesaria que me seguía allá donde iba, y no quería existir dentro de él. «Déjate de historias —me decía—. Estás bien, ni siquiera pasó nada.» Me froté con fuerza la piel, me envolví en la toalla lo más rápido que pude y luego miré el correo mientras me ponía unos pantalones negros y una blusa de seda.

De: Carmen Greyson
Para: Alexandra Vogel
Asunto: ¿Podemos hablar?

¿En mi despacho? ¿Ahora? Creo que deberíamos hablar…

De: Alexandra Vogel
Para: Carmen Greyson
Asunto: RE: ¿Podemos hablar?

De camino. Voy directa a tu despacho cuando llegue.

—Buenas —dije tras llamar al marco de la puerta de Carmen cuarenta minutos después.

Nos quedamos mirándonos, y cada una vio una versión más delgada y demacrada de su amiga. Cerré la puerta a mi paso y me senté.

—Bueno... —empezó a decir, y al instante comenzó a temblarle el labio—. Tengo que contarte una cosa. —Era un trago verla desfogar, con las lágrimas saltadas y las manos temblorosas—. Yo también he estado acostándome con Peter. —Hice lo que pude por parecer sorprendida, aunque podía habérmelo ahorrado porque apenas me miraba a la cara—. Lo siento —susurró.

Dejé un momento antes de contestar.

—Mira, Carmen, yo también me he equivocado con Peter. Fue poco tiempo y ya se ha acabado.

Levantó la cabeza y la ladeó, y me dio la sensación de que para ella había sido algo más que un error. Aunque para mí también lo había sido, claro.

—Alex, tenemos que informar a la dirección de esto. El Departamento de F&A nos ha estado forzando a competir entre nosotras desde el minuto uno. Nos hacen pelearnos por las operaciones, por los despachos, por su aprobación. Y uno de los socios más importantes del departamento ha estado acostándose con las dos, y a saber con quién más. Es un entorno de trabajo hostil para las mujeres, y yo, personalmente, no pienso tolerarlo. Luchemos por un lugar de igualdad con los hombres del área de F&A. —Me sonó a discurso ensayado, como si lo hubiera estado recitando ante un espejo.

Asentí despacio. Admiraba su determinación, sus ganas de actuar, pero yo me sentía demasiado vencida para indignarme.

—Mira, si te soy sincera, Peter Dunn es el menor de mis problemas ahora mismo. Y a mí no me obligó a hacer nada.

—Pero, Alex, ¿estás de broma? En primer lugar, los socios tienen prohibido acostarse con asociados. En segundo lugar, ¿qué significa *consentimiento* cuando hay una dinámica de poder tan retorcida? ¿Se te ha ocurrido pensar qué habría pasado si lo hubieras rechazado? ¿O intentado acabarlo? Si tienes que pararte a pensar en esos términos, es que es acoso sexual. Cuando escuché tu conversación con él, no quise volver a hablarle en la vida..., pero estoy en medio de un caso activo con él, así que no me queda más remedio. Tengo que ser deferente con él porque en cierto modo es mi jefe. Es una movida muy retorcida, lo mires por donde lo mires.

—Yo ya he acabado con él. Y se ha estado vengando —dije en voz alta antes de darme cuenta, y luego sacudí la cabeza—. Lo siento, pero a mí eso no me parece acoso. —Sí, lo reconocía, en las últimas semanas mis estándares habían cambiado de medio a medio—. Pero si tú te sientes acosada, deberías decir algo. Aunque ten cuidado. Piensa en lo que quieres sacar de esto, porque...

—Lo que quiero es que echen a Peter y que las mujeres juguemos en igualdad de condiciones, para poder intentar ser socia sin tener que competir con mi mejor amiga del bufete o sentir que tengo que ir a un club de estriptis para que me asignen a operaciones. —Había levantado la voz y estaba haciendo muchos aspavientos.

Yo, en cambio, estaba allí escuchándola tranquilamente, mirándola y pensando que esa era la reacción que debería haber estado teniendo yo. Me había quedado tocada. Lo que me había pasado no podía deshacerse. «Soy un trauma con patas», pensé.

—Estoy contigo al cien por cien, Carm, pero creo que debes tener en cuenta que esto es un negocio. Y Peter Dunn tiene la lista de clientes más selecta del bufete. A él no lo van a despedir. Es más fácil tirarnos a nosotras a la basura que a él. Te ofrecerán dinero a cambio de que te vayas y él se quedará aquí.

—¡Jamás lo aceptaría! —bufó.

—Mira, tengo muchas cosas en la cabeza. ¿Puedo pensármelo?

Mi amiga se había levantado y estaba dando vueltas de un lado a otro, de la pared a la ventana.

—Claro que sí. Pero yo pienso ir a la dirección el lunes que viene. —Estábamos a miércoles—. No lo soporto más. —Se detuvo y puso los brazos en jarras, de espaldas a mí, como buscando respuestas en la ciudad a sus pies.

—Te entiendo —dije, y se dio la vuelta.

—Creo que las dos tenemos historias que hay que contar —afirmó con rotundidad, luego se me acercó y me echó los brazos por los hombros en lo que era una muestra de afecto físico poco propia de ella—. Espero que hagas lo que debes.

Asentí y, en cuanto soltó un poco los brazos, me liberé y hui a toda prisa de allí.

24

Carmen esperó hasta las nueve de la noche del jueves para llamar a mi oficina, era de suponer que para presionarme y que le diera una respuesta. Ignoré su llamada, silencié el móvil y dejé que saltara el contestador, todo ello antes de irme a mi casa para seguir trabajando desde allí y evitar una posible visita suya en mi despacho. Aunque había intentado sopesar los pros y los contras de su oferta, yo sabía que no tenía intención real de denunciar mi aventura con Peter. Yo lo había deseado, había incluso propiciado al menos uno de nuestros encuentros..., pero lo más importante era que no estaba en lo alto de la lista de batallas que sabía que debería estar librando.

En cuanto llegué al vestíbulo de mármol, el cielo nocturno se abrió en dos con un relámpago y el sonido de un aguacero reverberó desde el otro lado de los cristales. Miré de vuelta a las puertas del ascensor, que estaban cerrándose ya, y pensé en regresar a mi despacho a por un paraguas hasta que recordé que Lincoln siempre tenía alguno a mano. No había nadie en el mostrador de seguridad, pero lo vi a varios pasos de mí, camino de la puerta para salir a fumar.

—¡Lincoln! ¡Que voy a coger un paraguas, ¿vale?! —le grité, y él subió el pulgar hacia arriba mientras salía ya y se quedaba bajo el toldo.

Cuando alargué la mano para coger un paraguas con el logo de Klasko de la caja de cartón donde los guardaba bajo su mesa, me fijé en que había una fila nueva de imágenes en movimiento en un extremo de la pantalla, con la leyenda PLANTA 56 por debajo. Me acerqué un poco más y me fijé en los suelos sin moqueta y en el andamio que había visto la noche de la «fiesta en el sótano», así como el precinto amarillo de seguridad que rodeaba el hueco del ascensor y... Me acerqué aún más. La chica estaba allí plantada sin más, mirando hacia abajo. No se movía, y por un momento creí que estaba rezando. Entorné los ojos, la imagen estaba muy pixelada, no se veía tan bien como el resto de las pantallas porque en esa planta no había luz. ¿Zapatos? ¿Eso eran sus zapatos? La espalda se me enderezó de una vez. «Mierda.» Dejé el bolso en el mostrador de seguridad y corrí a los ascensores, donde pulsé la flecha hacia arriba cinco veces seguidas y luego dejé el dedo encima. «Venga, venga», suplicaba para mis adentros.

Cuando por fin llegó el ascensor, la subida hasta la planta 56 se me hizo eterna mientras la cabeza se me disparaba con ideas. «Joder, no tengo un plan. ¿Qué se supone que tengo que decirle? Yo no estoy cualificada para gestionar esto. ¿Me invento una excusa para haber subido y que no se avergüence?» Me quité de un tirón uno de los pendientes de perla que llevaba y me lo guardé en la palma de la mano, mi idea tomando apenas forma.

En cuanto se abrieron las puertas metálicas, la vi antes que ella a mí. Estaba en la otra punta de la planta, de pie en medio del espacio vacío en penumbra, iluminada tan solo por las luces de la ciudad que rodeaban nuestro edificio y mirando hacia el hueco del ascensor en obras, con los pies descalzos al filo del precipicio, y llorando. Entorné los ojos, deseando hallar indicios de que lo que me temía no estaba pasando realmente. Pero, en lugar de eso, vi que le temblaban ligeramente los hombros y oí el eco de su leve sollozo incluso desde la otra punta. «Tranquilidad, tranquilidad, mantén la calma —me dije—. No hagas ningún movimiento brusco.» Lo último que quería era que perdiera el equilibrio por mi culpa.

Sentí que ella reparaba de algún modo en mi presencia y en el acto me agaché en el suelo y clavé la vista abajo mientras avanzaba a gatas hacia ella, palpando con las manos por delante y dejándome las rodillas en el cemento.

Levanté la vista despacio, como si acabara de verla.

—Nancy. Qué bien que estés aquí. Hemos venido antes a explorar los futuros despachos y se me ha perdido un pendiente. ¿Te importa ayudarme? Seguro que está por aquí. —Se giró, pero solo de costado, antes de echar un último vistazo anhelante hacia el hueco de cincuenta y seis plantas de hondo y la tierra donde acababa bajo la Quinta Avenida. Por un momento me temí lo peor.

—Por favor —le rogué—, ¿puedes ayudarme? —Le tendí el brazo, con la voz quebrada ya.

En cuanto se apartó del filo y se acercó para luego agacharse en el suelo, solté el pendiente que tenía en la mano. Lo dejé tirado allí mismo y seguí avanzando. Miré de reojo varias veces la cara bañada en lágrimas de Nancy mientras nos cruzábamos a pocos centímetros, gateando las dos como bebés.

—¡Lo tengo! —anunció sentándose hacia atrás sobre las pantorrillas.

—¡Qué fuerte, Nancy! ¡Eres la mejor! ¡Me has salvado la vida!

Le cogí el pendiente de la mano, le di un abrazo y la atraje hacia mi pecho; sentí que se me relajaba la tensión de la columna y me fundí contra ella mientras me daba cuenta de que yo también tenía la cara surcada de lágrimas.

—Cómo me alegro de que estés aquí —le dije con la cara enterrada en su pelo—. Cómo me alegro —repetí en lo que era apenas un susurro.

Ella empezó a llorar de nuevo y se tapó la cara con las manos mientras yo me sentaba a lo indio en el suelo y le acariciaba la espalda.

—¿Quieres que lo hablemos? —le dije por fin.

Hubo una pausa larga en la que Nancy miró a todas partes menos a mí. Por fin posó la mirada en sus pies descalzos.

—A veces me entran ganas de desaparecer —admitió en voz baja—. No encajo aquí. Nunca he encajado en ninguna parte… en toda mi vida. Tú no lo entiendes. Para ti es todo tan… —me buscó la mirada y puso las palmas bocarriba, como esperando que cayera sobre ellas la palabra adecuada— fácil.

Me removí en el sitio; me estaba clavando el cemento en las nalgas.

—Este año es duro para todo el mundo, incluso para mí. —Me encogí de hombros mientras me ponía el pendiente en el lóbulo—. Lo que pasa es que yo llevo la carga de otra forma. Cada uno la lleva a su manera, pero todos sentimos esa misma presión. E irá a menos, pasa como con todo. Nada es permanente. —Me estaba saliendo un discurso de «no te suicides, por favor» horrible—. Si te sirve de ayuda, mi vida ahora mismo es un desastre. Nuestros clientes son unos cerdos, mi mejor amiga del bufete se ha acostado con el mismo tío que yo, y rompí hace un par de meses con mi novio y tú eres la primera persona a la que se lo cuento. Venimos a trabajar en faldas y tacones, pero no es más que un disfraz para que la gente no se dé cuenta de lo hechas polvo que estamos de la cabeza. —Nancy, que había estado con la vista clavada en el suelo mientras yo hablaba, levantó por fin la mirada—. Deberías ver a alguien si tienes esa sensación de querer desaparecer —proseguí—. ¿Lo harás?

Volvió a mirarse los zapatos y se sonrojó al comprender que yo sabía lo que había estado tramando en aquella planta vacía. Asintió, mirándome a los ojos para que supiera que se tomaba mi petición muy en serio.

—Me alegro de que estés aquí, te lo digo sinceramente —insistí, y no me pasaron desapercibidos ni mi voz ni el significado de mis palabras en un sentido más amplio y mortal—. Este sitio puede ser el colmo de la soledad. Y es raro, sabes, porque estamos en un bufete rodeadas de gente…, pero todos nos sentimos solos. Me tienes aquí siempre para lo que quieras…, para lo que sea. Aunque sea solo dar una vuelta a la manzana.

—A lo mejor podríamos simplemente… ¿cenar juntas de vez en cuando? —me propuso tímidamente.

Me llevé a Nancy a mi despacho, donde la distraje con mi parloteo contándole que había tenido una aventura con alguien del trabajo y que me había cargado la relación con la persona con la que convivía, que Sam había cogido sus cosas y se había ido. Experimenté cierta catarsis al contarle mis equivocaciones, aunque sentí que no podía dejarla entrar en los recovecos oscuros que Gary me había horadado en la cabeza. Y también vi que Nancy, si bien se mostró solidaria, se sintió visiblemente aliviada al saber que yo no estaba ni remotamente tan entera como podía parecer.

—Jordan ha sido mi primer novio —confesó por fin, a lo que yo reaccioné mirándola ligeramente confundida—. Sé que está casado, y que no es que estuviésemos realmente saliendo… —Se detuvo y rio nerviosa—. Tú no lo entenderías.

Le cogí la mano desde el otro lado de la mesa y le dije:

—No te creas…

—¿Por qué te portas tan bien conmigo después de oírme decir aquello tan feo de ti en los baños? Todavía me siento fatal por eso.

Me encogí de hombros.

—Todos decimos y hacemos cosas feas continuamente. Me imaginé que lo habías dicho más que nada para congraciarte con esas chicas.

—Sí, es verdad, pero no es excusa. —Se mordisqueó un padrastro.

—Ya, pero tampoco te fustigues. La gente utiliza este trabajo como la gran excusa para todo.

Al cabo de una hora, una vez que me hube asegurado de que estaba más calmada y tras rechazar mis repetidas sugerencias para que se viniera a dormir a mi casa o yo me fuera a su sofá, me decidí a pedirle un coche. Intercambiamos los teléfonos, y me aseguró que estaría bien y que, de lo contrario, me llamaría. De camino a casa, le escribí un par de veces y luego me llamó para darme las buenas noches. Aunque me atormentaba haber podido cometer un error al dejarla irse sola a su casa, lo único que podía hacer era mirar el reloj hasta que, a eso de las cuatro de la madrugada, el cansancio pudo más.

Aquel viernes me desperté rodeada de silencio, y dejé que me calara por unos instantes antes de lanzarme a la mesilla de noche para ver si Nancy me había escrito. Así era. Mientras abría su mensaje de agradecimiento, en el que me prometía además que se pasaría ese día por mi despacho, por fin me permití llorar, a sabiendas de que las lágrimas provenían de muchos lugares tan sensibles como dolorosos de mi interior.

Me habría gustado horrores no necesitar a mi familia en ese momento..., pero no era el caso. Marqué el fijo de casa de mis padres que guardaba en mi lista de contactos favoritos e intenté sonar animada cuando saludé a mi padre, que fue el que respondió.

—¡Hola, princesa! ¿Qué se cuece por ahí? —me gritó a la oreja, totalmente ajeno a mi estado emocional.

—Estaba pensando en ir a veros este finde. Por salir un poco de la ciudad... He tenido unos días de locos en el trabajo y necesito un descanso. Si vosotros no tenéis planes... —dije sin terminar la frase y restregándome las lágrimas con el dorso de la mano.

—¡Qué idea más estupenda! No tenemos ningún plan. Yo os recojo del tren en cuanto me digáis. Y ¿sabes qué? ¡Ya tenemos arreglado el internet!

—Sam no puede venir —me apresuré a decir—. Te llamo en cuanto sepa a qué hora cojo el tren.

Estuve mareando un trozo de zanahoria asada en el plato antes de hundirle las púas del tenedor, pero tampoco hice amago de llevármelo a los labios. Tenía la sensación de que mis padres estaban los dos observándome, esperando que les explicara a qué venía ese humor sombrío y por qué tenía las mejillas hundidas, pero no estaba preparada.

—¿Cómo va el hospital? —le pregunté en cambio a mi padre.

—¡Bien! Bien, bien. Con mucho lío —dijo negando con la cabeza, como si estuviera llevándose la contraria a sí mismo.

Mi madre lo miró preocupada y luego se volvió para explicarme, con el ceño fruncido en solidaridad:

—Tu padre ha tenido hoy un paciente muy enfermo.

Este apoyó los codos en la mesa.

—Todos mis pacientes están muy enfermos, de lo contrario no necesitarían un oncólogo —replicó como recordándoselo a sí mismo.

Vi que repasaba la mesa con la mirada y se detenía en la cesta del pan antes de decantarse por la ensalada.

—Vaya, lo siento, papá —dije.

Se encogió de hombros y forzó una sonrisa. Yo intenté recalibrar mis propios problemas, mirándolos con perspectiva, pero me siguieron pesando lo mismo. Volví a centrar la atención en la comida.

—¿Y qué tal tu día, cariño? —le preguntó a mi madre.

—¡Genial! —dijo animada—. Por fin hemos recaudado dinero suficiente para la nueva sección de literatura infantil de la biblioteca. Además, creo que vamos a poder ofertar un montón de talleres. Y vamos a tener una sala solo para los Legos y los ordenadores con programas de arquitectura virtual. Es importantísimo que los críos aprendan a construir cosas.

Mi padre me miró.

—¿Y quién mejor para supervisar esa sala que tu madre? —preguntó con orgullo.

—¿Por qué? ¿Porque estudiaste Arquitectura? —le pregunté a ella.

«Y nunca trabajó de eso.» Por disfuncional, hostil, misógina y desequilibrada que hubiera sido mi corta experiencia hasta la fecha en una multinacional de mi país, yo seguía viendo con malos ojos el camino que mi madre había escogido: renunciar a su carrera para ser ama de casa.

Mi madre se me quedó mirando y fue mi padre el que intervino:

—¡Porque es arquitecta! Y sigue colegiada como tal.

—Para eso no necesito ningún título. Es solo que me encanta la idea de que los niños construyan cosas tangibles.

Se metió un bocado de salmón en la boca y lo masticó con calma, aunque yo sabía que estaba poniendo a prueba su paciencia.

—El salmón te ha salido hoy especialmente rico, mamá —dije, señalando la fuente.

Me sonrió con ternura, aceptando mis disculpas.

A las once, una hora después de que mis padres se hubieran acostado, iba por la mitad de *La fuerza del cariño* y había vaciado ya dos tercios de la caja de Kleenex. Estaba tendida en el mismo sofá donde había dado mi primer beso y donde el receptor de ese beso había roto conmigo más tarde, demostrándome que el músculo del tamaño de un puño que tenía en el pecho podía llegar a romperse. El relleno bajo el cuero color teja seguía amoldándose perfectamente a mí, y la mantita imitación piel pesaba lo justo para sentirme cómodamente atrapada. Cuando oí un ruido en la cocina, paré el DVD y me envolví en la manta para ir a ver qué pasaba. El cuerpo de mi padre estaba iluminado solo por la luz de la nevera mientras contemplaba allí parado el contenido de los táperes apilados en el estante más bajo al tiempo que engullía un cruasán.

—Te pillé —dije riendo.

Pegó un brinco y se llevó la mano al corazón, tapando de paso el logo de K&F, con el cruasán todavía en la boca.

—¡Qué susto me has dado!

—¿Tienes hambre? —Le dediqué una sonrisa de medio lado.

Puso cara de hastío.

—Intento comer solo un poco de cada fiambrera para que tu madre no se dé cuenta de que falta algo. Pero se me olvidaba que este finde puedo echarte la culpa a ti de la comida que falte. Siéntate un ratito conmigo, princesa.

Todavía envuelta en la piel de imitación de la manta, me senté a la mesa de la cocina mientras mi padre cogía una pila de cuatro fiambreras entre las manos y se acercaba con ellas.

—Tu madre cocina que da gloria —dijo mientras se servía en el plato una rodaja de pavo asado y echaba al lado un chorrito de kétchup—. ¿Sabes que cuando nos casamos no sabía ni hervir agua? —Yo asentí, permitiendo que aquella anécdota conocida me serenara—. La primera comida que me hizo fue cordero asado —prosiguió—. Te juro que me tiré diez minutos mascando el primer bocado, y ni por esas pude deshacerlo en la boca.

Solté una risita y se adelantó en el sitio para escrutarme la cara.

—¿Has llorado? —preguntó guiñando los ojos en la penumbra.

Me restregué las mejillas.

—*La fuerza del cariño* —expliqué señalando hacia la salita.

—Ay, te encantan los dramones. Igual que a tu madre.

—No es verdad —susurré.

—Sí —dijo, en lo que más que a réplica sonó a corrección.

Una oleada de tristeza se me coló bajo la manta. Mi padre me observó pacientemente durante un minuto antes de alargar la mano para coger la mía, y entonces rompí a llorar.

Las palabras me rodaron de los labios antes de que pudiera detenerlas:

—Sam y yo lo hemos dejado. Se ha ido de casa. Y el trabajo es un lío ahora mismo. Es demasiado.

—Ay, princesa. A tu madre y a mí nos daba esa impresión, que habíais roto. Lo siento mucho.

Acercó su silla a la mía y me pasó un brazo por el hombro. Le eché los brazos al cuello y él me acarició la espada por encima de la manta mientras yo me dejaba consolar por su abrazo.

—¿Lo sabíais? —le pregunté separándome—. ¿Por qué no me habéis dicho nada?

—No lo sabíamos seguro, simplemente nos lo preguntábamos. A veces cada cual tiene que contar sus cosas a su debido tiempo.

Sollocé con más fuerza.

—Seguro que a mamá no le hace ninguna gracia. Adora a Sam —conseguí decir.

Mi padre se me quedó mirando.

—Tu madre te adora a ti, Alex. Deberías hablarlo con ella.

—No puedo. ¡Ella no entiende nada de mi vida! —Sollocé—. Ella dejó el trabajo cuando me tuvo a mí. Yo he cortado con mi novio más que nada porque trabajo demasiado y no tengo tiempo para él. Y el estrés que tengo es todo… por el trabajo. Ella no lo entendería. —Estaba ya restregándome las lágrimas con las palmas de las manos.

—Ya está bien, Alexandra. Ya basta. —Su tono era severo, y lo miré, asombrada de oírlo tan enfadado, algo muy poco habitual en él—. ¿Te acuerdas de alguna de tus niñeras? —prosiguió, y yo sorbí por la nariz y asentí para complacerlo, a pesar de que no tenía ni idea de adónde quería ir a parar—. ¿Qué me dices de Ada? ¿Te acuerdas de ella? —insistió.

—Claro. —Me vino el recuerdo de un pecho abundante y el olor a sus *pierogis*, y sonreí a mi pesar.

—¿Te acuerdas de por qué se fue?

Entorné los ojos para intentar visualizar la escena. Había tormenta. Yo estaba montada en un árbol con un paraguas, intentando volar. Luego tenía un hueso blanco sobresaliendo de la pierna derecha y estaba tirada en el suelo llorando. Seguía sin entender a qué venía eso de recordarme una trastada de cuando era pequeña.

—¿Era muy mala?

Mi padre negó con la cabeza, rotundo.

—Fuiste una niña increíble. Todo el mundo te adoraba. Todas tus niñeras. Te querían tanto que no podían soportarlo.

—¿Soportar el qué? —De pronto me entró calor y me aparté la manta de los hombros.

—Que tuvieras que hacer justo lo que querías hacer cuando querías hacerlo. No te ha venido nada mal. Ganaste títulos de natación, entraste en las mejores facultades y ahora estás en el mejor bufete. Tú simplemente... haces que tu vida ocurra, esa es la impresión que da. Pero Ada se fue después de que saltaras de un árbol y te partieras la pierna. Farrah se fue después de acompañarnos a esquiar y que tú te tiraras por una pista Diamante Negro sin avisarnos. Cynthia se fue cuando te pusiste en huelga de hambre para intentar obligarnos a comprarte un perro. Todas te querían tanto que no soportaban cuidarte cuando no seguías las normas.

—También comía a escondidas cuando vosotros dormíais —murmuré; me bajé las mangas por encima de las manos, cortada, y me froté el antebrazo derecho—. ¿Adónde quieres ir a parar? ¿A que espantaba a todo el que se me acercaba? —Sentí que la voz se me agudizaba.

—No no no, cielo —dijo, y volvió a acariciarme la espalda—. El tema es... Bueno, son dos cosas. Por un lado, tú siempre has creado tu propio camino, tus propias normas, y estoy seguro de que sabrás hacer lo mismo en Klasko. Pero, por otro lado, ¿por qué crees que tuvimos tantas niñeras si tu madre estaba en casa cuidando de ti?

Entorné los ojos para ver algo que saltaba a la vista.

—¿Mamá trabajaba cuando yo era pequeña?

—Tu madre estuvo trabajando en Dunns & Simons hasta que cumpliste los seis. —Fruncí el ceño mientras proseguía—. Dejó de ser una arquitecta a jornada completa para ser una madre a jornada completa. Lo hizo porque quiso, pero también porque la preocupaba que una sola persona no fuera capaz de manejarse en casa contigo. Y ella era la única a la que realmente le hacías caso. Quiso ser una madre mejor, y a cambio tuvo que dejar su carrera. Era una mujer trabajadora, como la que más. Pero su trabajo nunca significó tanto para ella como su hija.

Se me desencajó ligeramente la mandíbula. Las lágrimas habían parado, pero vinieron a sustituirlas la congoja y el temor de llevar toda la vida juzgando equivocadamente a las personas que me habían criado.

—¿Estaba preocupada por mí? —Sabía que había sido así, claro, pero, por raro que suene, me reconfortó decirlo en voz alta y disipó la sensación que había tenido de ser un excedente de fábrica, barato y prescindible, en este mundo.

—La preocupabas ¡porque le recordabas a ella! Pero así son las madres, y así somos los padres, nos pasamos la vida preocupándonos por nuestros hijos todo el tiempo, ahora y siempre. Que si el metro será seguro, que si duermes lo suficiente, que si comes. —Me acercó un táper con fideos chinos, y tuve que reírme y sorbí por la nariz—. Que si eres feliz... —dijo en voz baja.

Apoyé la cabeza en su hombro y me quedé mirando la mancha de agua del techo; un recuerdo dejado por la gotera que había salido cuando yo estaba en octavo. Sandy Cranswell se había quedado a dormir, en el auge de nuestra etapa como «mejores amigas», y en vez de comer tortitas y ver la tele en una mañana perezosa de domingo, nos dedicamos a subir cubos desde el sótano para recoger el agua y tirarlos por la puerta de atrás antes de que se desbordaran.

—No puedo creerme que mamá dejara de trabajar por mi culpa. Y además podríais haber tenido otro sueldo... Podríais haberos jubilado ya —dije sorbiendo por la nariz y todavía con la vista en el techo.

Lo oí suspirar.

—Alexandra, nos ha ido muy bien. Hemos tenido de sobra. A mí me encanta mi trabajo. Somos felices. —Le busqué la mirada a mi padre y por fin asentí; él, satisfecho ya, soltó el aire—. Y ahora me vuelvo a la cama, que mañana tengo la ronda a las siete.

—Buenas noches, papá.

Vi cómo tapaba con mucho cuidado los táperes y los devolvía a la nevera tal y como los había encontrado, con la luz del interior iluminándole la camiseta de Klasko & Fitch que con tanto orgullo llevaba.

—Tú eres una de mis dos personas favoritas de este mundo —dijo mientras cerraba la puerta—. Deberías conocer a la otra. Seguramente tenga más idea de por lo que estás pasando de lo que tú te crees.

Me sonrió acercándose de nuevo y me dio un beso en la coronilla antes de desaparecer escaleras arriba.

Estaba justo amaneciendo cuando oí que mi padre arrancaba el coche en la entrada. Miré por entre las cortinas y luego atravesé el pasillo hasta el dormitorio de mis padres.

Unas voces bajas salían del televisor al pasillo. Abrí la puerta despacio y vi que los estores estaban todavía echados. Sentí la moqueta beis igual de mullida que siempre bajo los pies, y el diván azul claro en que solía tenderme mientras la veía maquillarse me pareció igual de atrayente.

Mi madre, que estaba incorporada sobre los almohadones en la cama, cogió el mando y apagó el televisor.

—¡Buenos días, bichito! ¿Te he despertado con la tele?

Negué con la cabeza.

—Qué va, estaba ya levantada.

Le dio una palmada al colchón, y una honda sensación de alivio se apoderó de mí en cuanto salté a la cama y me acomodé en la impronta todavía caliente de mi padre.

—Sam y yo lo hemos dejado. —Me temblaron los labios cuando apoyé la cabeza en la almohada de mi padre y me volví para mirarla—. Bueno, más bien él me ha dejado a mí.

Asintió.

—¿Estás bien?

—¿Te lo ha dicho papá?

—¿Estás bien? —volvió a preguntarme.

—Quería habértelo contado… —La voz me flaqueaba.

Mi madre alargó la mano y me acarició la mejilla.

—Hay cosas que no contamos en voz alta porque no queremos que sean verdad. —Me escrutó con la mirada—. Lo superarás.

—Estoy muy triste —reconocí, más para mí misma que otra cosa, y sequé el goteo de lágrimas que me caía de los ojos.

—Las rupturas son siempre tristes. —Sus palabras, aunque evidentes, me resultaron extrañamente reconfortantes.

—¿Estás enfadada conmigo por no haber sabido salvar la relación? Sé que adoras a Sam.

Mi madre se me quedó mirando un buen rato.

—Yo te adoro a ti, bichito. Y a quien quiera que te haga feliz, pero solo porque te hace feliz y solo mientras te haga feliz.

—Tú querías que me casara con él. Me dijiste que era solo mieditis.

Sacudió la cabeza.

—Un día, si tú quieres, tendrás también una hija, y entonces entenderás que su salud y su felicidad son lo más importante para ti. Tú siempre has sido tan… inquieta…, siempre te has resistido a la idea de acomodarte demasiado, de ser demasiado normal. ¿Qué querías que te dijera, Alex? ¡Sí, huye! ¡Déjalo! No. —Volvió a negar con la cabeza—. No, mi papel consistía en darte un referente desde la serenidad. Porque además tú siempre has hecho lo que has querido, ni más ni menos.

Recordé lo que me había respondido cuando comimos juntas, y que, en su momento, me había parecido fuera de lugar; comprendí entonces, sin embargo, que lo había meditado bien. Por fin asentí, mirándola a los ojos, y una corriente de energía tangible que no había sentido en años pasó entre nosotras.

—No creo que consiga sobrevivir en Klasko —solté de pronto—. Es como... Está pudiendo conmigo.

—Chisss, no digas tonterías. Mi niña bonita y valiente... —Me acarició el pelo mientras yo lloraba—. Eres mucho más fuerte de lo que te crees. A lo mejor el problema es que Klasko no es donde tienes que estar, quizá no sea más que una piedra de toque en el camino para tu próxima aventura. Pero contigo no puede nadie, solo necesitas tiempo. ¡Piensa que acabas de llegar!

Me hablaba con los labios pegados a la frente y podía sentir la vibración de sus palabras.

Cerré los ojos y dejé que me resonaran por dentro.

25

El lunes siguiente por la mañana, una farsa de temperatura estival me engañó momentáneamente y me hizo pensar que había estado hibernando los restos de la pesadilla que habían sido mis primeros siete meses en Klasko. En realidad, todavía tenían que asignarme a un área de práctica, y se esperaba que las temperaturas volvieran a bajar al día siguiente. Pero el fin de semana en casa de mis padres había sofocado la angustia que llevaba ardiendo en mi interior desde la gala. Atravesé el vestíbulo de mármol con más seguridad que cuando el viernes había salido del edificio con paso tambaleante.

Cuando llegué a la planta 41, me encontré a Kevin apoyado en la pared fuera de mi puerta, mirando su móvil.

—Buenas. Perdona... ¿Estabas esperándome?

—Buenas —me dijo y se le iluminó la cara—. Sí. No quería entrar antes de que llegaras.

—La próxima vez entra tranquilamente. —Le hice señas de que pasara al despacho, y luego dejé el bolso y la gabardina en el perchero mientras él cerraba la puerta y tomaba asiento—. Bueno, ¿y qué te cuentas?

—Nada, es solo que... En fin, quería pasarme a saludarte y ver cómo estabas —dijo, y luego se quedó mirando detrás de mí, por la ventana.

—Bien, estoy bien. ¿Y tú? —pregunté forzando el entusiasmo en la voz.

—No, te lo estoy preguntando de verdad. —Me buscó la mirada—. La otra noche en el bar con Jordan parecías... regular.

—Fue solo un mal día —lo tranquilicé—. Son unos meses difíciles antes de que nos asignen a un departamento. Pero, bueno, ya estamos en la recta final. Para finales de abril ya sabremos dónde encajamos.

—No tendría por qué ser tan estresante. Este sitio te hace creer que hace falta...

—No te ofendas, pero F&A no es como el resto de los departamentos —le dije mientras iba encendiendo el ordenador—. No espero que lo entiendas, pero créeme, en F&A el estrés es mucho más intenso.

—No estoy de acuerdo —afirmó sin más, y me volví para mirarlo mientras proseguía—: Yo también estoy con F&A, casi en exclusiva. Esa noche que te vi, Jordan me había sacado a tomar unas copas para celebrar una operación muy complicada que acabábamos de cerrar.

Me quedé mirándolo, sintiéndome traicionada.

—¿Por qué nunca me lo has dicho? —«¿Ni Jordan ni Matt...?»

—Tampoco es que me lo haya callado... O a lo mejor, sí, no sé. —Se remetió el pelo tras las orejas, cada vez más parecido a Jordan en todos sus movimientos—. Me caes bien y quiero que seamos amigos. Veía cómo os tratabais Carmen y tú y no quería entrar al trapo.

Me sonrojé.

—Pero si Carmen es mi mejor amiga en nuestra promoción...

—¿En serio? Pues cuando te invitaron a Miami se dedicó a decirles a todos que lo habías conseguido porque te estabas acostando con Jaskel. Con amigos así...

Me quedé pasmada unos instantes antes de forzar una risa breve. Parte de mí siempre había sabido que ella era el origen de aquel rumor, pero otra parte de mí se quedó destrozada. Me pregunté cuántas más lecciones sobre la vileza del ser humano iba a tener que soportar.

—Alex, tú ya sabes la cantidad de trabajo que tiene el departamento. Tienen sitio para al menos cinco asociados nuevos todos los años. Y quieren asociados con los que poder salir de fiesta, sí, pero también asociados que sean buenos abogados.

Me quedé mirándolo, recordando las innumerables veces que Didier, Matt y Jordan me habían dicho que lo más importante era mi trabajo.

—Deberías haberme dicho que tenías tus miras puestas en F&A —protesté; tenía que cabrearme con algo o alguien que no fuera mi propio comportamiento.

—Puede que tengas razón, pero, bueno, los dos vamos a entrar en el departamento, así que ¿qué más da? —Tosió y luego cambió de tema—. Pero dime: ¿cómo estás tú, que es más importante?

—Estoy bien, de verdad. Es solo que he pasado por unas cuestiones personales, pero voy tirando.

Kevin asintió y pareció aceptar que le quitara importancia al tema.

—Bueno, vale, eso está bien. Todos sentimos la presión. Mírame a mí: me tomé la cuota gratis del gimnasio como una insinuación no muy sutil y he ganado trece kilos de masa muscular. He cambiado de corte de pelo. Y la ropa…

Me sonó el teléfono y en la pantalla parpadeó un PETER DUNN.

—Tengo que cogerlo —le dije disculpándome, y Kevin se levantó para irse—. Por si te sirve de algo, tienes muy buen aspecto —le dije.

—Hola, Peter —respondí con una sensación nueva de calma y control después de la conversación con Kevin y el fin de semana con mis padres.

Me pregunté si Carmen lo habría denunciado ante la dirección. Quizá yo también debía ir. Y empezar a marcar mis propios límites, a poner yo mis propias normas.

—Hola. Estoy hasta arriba, pero ¿podrías mandarle un par de NDA a Gary? Acabo de actualizar los contratos para este año y he hecho unos cuantos cambios. Están ya en el sistema. ¿Y puedes llamar a un Quality para una recogida en el Starlight?

Por su voz me pareció que no había novedades en el frente. Supuse que Carmen o bien no se lo había contado a nadie todavía, o bien había desistido. En las últimas dos semanas yo había realizado todas las tareas de asociada de las operaciones de Stag River sin cometer un error. Pero sabía que acabaría teniendo que decir «esta boca es mía» si me pedían que trabajara directamente con Gary. Cerré los ojos y me preparé para el discurso que había ensayado en el tren de vuelta de casa de mis padres: «Preferiría no seguir trabajando directamente con Gary Kaplan bajo ningún concepto. No obstante, me gustaría seguir colaborando en asuntos de Stag River que no lo involucren a él directamente. Si eso significa que no podré seguir trabajando en las operaciones de Stag River en general, que así sea. Encontraré trabajo para reemplazar todos los asuntos que tenga en activo con ellos. Yo…».

—Sí —dije vacilante, pues seguía dándole vueltas a una idea que había empezado a colárseme en la cabeza.

—Bien. Gracias.

Colgó, y me quedé mirando el teléfono por un momento hasta que decidí que no iba a llamar a Quality. Me levanté, en cambio, y cogí la gabardina.

—¡Anna! —la llamé, y enseguida asomó la cabeza—. Tengo varias citas en el centro hoy. Estaré pendiente del correo.

Paré un taxi mientras me ponía la gabardina fina y subía al asiento de atrás.

—A la Setenta y Dos entre Park y Madison Avenue, por favor —le indiqué al taxista.

Me recosté en el asiento, pero se me clavaron en la espalda los bordes de la cinta americana que cubría los desgarrones del cuero. La angustia me corroía, y la parte racional de mi cerebro insistía en que me encontraría a Gary Kaplan esperando a las puertas de su edificio, mientras que, por su parte, todos mis instintos me decían que iba a encontrarme otra cosa.

El toldo del Starlight Diner tenía una lona azul marino muy deslucida, con el fondo salpicado de estrellas doradas igualmente desvaídas. En cuanto entré al pequeño restaurante, vi una vitrina giratoria con una tarta de zanahoria recubierta de nueces y coronada con la zanahoria de rigor hecha con *frosting,* unas bolitas de merengue por encima de una capa de gelatina amarillo limón y un surtido de bombones de chocolates. Me recibió un hombre robusto con una gran cadena dorada al cuello y un poblado bigote moreno.

—He quedado con alguien —le dije. «Lo único es que no sé con quién.»

Sonreí con educación mientras escrutaba el restaurante. Algunos de los reservados de cuero rojo estaban ocupados: una pareja de señores mayores enfrascados en sus cuencos de sopa; dos madres jóvenes, con sendos niños pequeños, intentando mantener una conversación; una mujer joven y guapa, con una melena sedosa de pelo ondulado y cobrizo, y tres adolescentes volcados sobre un móvil, riendo. Pero no había ni rastro de Gary Kaplan.

Volví a mirar a la joven, que estaba envuelta en una *pashmina* azul claro muy amplia y tenía la vista clavada en la ventana. Aunque parecía serena, estaba hurgándose con los dedos de la mano derecha en una cutícula de la izquierda. La observé con más detenimiento y me fijé entonces en que su postura era un horror —encorvada sobre la mesa, a pesar de que a alguien que vestía ropas tan caras debían de haberle enseñado que eso no se hacía— y parecía estar combatiendo las lágrimas. Vi que cogía el vaso de agua y le temblaba la mano una barbaridad antes de volver a dejarlo en el sitio sin beber.

Le hice una seña al camarero y me encaminé hacia la chica, y luego me senté al lado de su reservado mientras ella se me quedaba mirando expectante. Era muy hermosa, con unos rasgos delicados y los ojos azules más claros que había visto en mi vida.

—¿Tú estás esperando un coche de Quality? —le pregunté en voz baja.

Recé para que no tuviera ni idea de qué le hablaba, pero vi un terror mudo tras su mirada antes de que adoptara una expresión estudiadamente neutral. «Joder.» Era ella. No sabía ni quién era ni a qué se dedicaba, pero era a ella a quien buscaba. Para establecer contacto visual, y con suerte poder tranquilizarla, me quité la gabardina y me senté en el reservado enfrente de ella.

Cuando me acoplé, se quedó mirándome la cintura en vez de la cara y estiró el cuello para mirar más allá, su cara un dechado de terror, mientras los ojos le iban de un lado a otro, como locos.

—No pasa nada —le dije, y levanté en alto las manos; nunca había provocado tanto miedo en otro ser humano—. No quiero hacerte nada malo, te lo prometo.

—No iba a decir nada. Solo estoy esperando un coche. —Miró hacia lo lejos, con las piernas todavía en el asiento.

—Yo solo... ¿Decir algo sobre qué?

—Tú trabajas en Klasko —me dijo, como acusándome.

Pronto comprendí lo que le había asustado de mí y me quité el pase de seguridad de Klasko que tenía en la cinturilla de la falda y me lo guardé en el bolso.

—No —dije en voz baja—. No, yo no... Ahora mismo no. Estoy aquí para... Quiero ayudarte.

Soltó una risita sarcástica.

—Ya, claro —bufó y se levantó del asiento—. ¡Klasko! El nombre que aparece en todos los NDA que firmo.

Me deslicé sobre el asiento y di un paso hacia ella, pero cuando le puse una mano en el hombro vi que contraía la cara y la retiré al instante. Se abrió rápidamente la *pashmina* para volver a ponérsela bien y vi que por la parte de arriba de la blusa le asomaba un inflamado cardenal rojo con los bordes morados. Era una marca tan fea que me hizo tragar saliva y me cortó la respiración: de esas que en una semana están negras, verdes a la siguiente y amarillas la de después.

Vio que me fijaba en ella y se resguardó aún más en la lujosa cachemira azul antes de volver a su asiento. Me senté a su lado, con movimientos lentos.

—Me llamo Alex —dije, sin saber por dónde empezar.

—Yo solo estoy esperando un coche —insistió, y sacudí brevemente la cabeza para darle a entender que no iba a venir ningún coche.

Redondeó la espalda aún más.

—¿Qué es lo que te ha hecho él? —susurré.

Se apartó un par de mechones cobrizos de la frente sudada y por unos segundos me fulminó con una mirada elocuente.

—No puedo —me susurró por fin, y sacó del bolso el NDA personal de Gary R. Kaplan que tan familiar me era, con el membrete rojo del bufete gritando desde el encabezado de la hoja.

—Un NDA no impide que alguien denuncie un delito —le aseguré—. Son nulos en ese caso.

Enderezó ligeramente la espalda.

—No tengo claro que sea un delito. Yo voy por voluntad propia, me pagan por ello.

—Bueno, pero puedes contármelo a mí. Es secreto profesional, abogado-cliente —le dije.

«Por favor, que no se dé cuenta de que en este caso mi cliente es en realidad Gary.»

Volvió a doblarse en dos con una nueva punzada de dolor y puse la mano encima de la suya. Le dio la vuelta a la palma y me apretó la mía con fuerza hasta que se le pasó.

—Creo que me tiene que ver un médico —dijo en voz baja.

Enfocó los ojos y se le volvieron a desenfocar, y, antes de que me diera cuenta, estábamos en un taxi camino del hospital Lenox Hill.

Era la primera vez que iba con alguien a urgencias, y aunque intenté rellenar los formularios como pude, la chica estaba delirando de tal manera por el dolor que no me fiaba de la mayor parte de sus respuestas. Según su carné de conducir de Miami, se llamaba Kristen Molloy, y, según me dijo, era alérgica a todos los analgésicos. «Salvo a la morfina», añadió riendo. Preferí andarme por lo seguro y puse: «Podría ser alérgica a los analgésicos». Tenía la sensación de estar viéndome desde el espacio exterior mientras discutía con la enfermera de triaje, y más tarde con el auxiliar, que le echó un vistazo y nos condujo hasta una sala tras prometernos que volvería con un médico lo antes posible. Ayudé a Kristen a incorporarse, le quité con cuidado el pañuelo azul de los hombros y empecé a desabrocharle la blusa blanca para que se pusiera la bata que nos había dado el auxiliar. Cuando se le abrió la camisa, vi que la piel de alabastro se le oscurecía por el torso con sombras inflamadas de rojo y negro. Sentí que me rodaban lágrimas por las mejillas pese a mi intento de mantener la compostura.

En cuanto se quitó la parte de arriba, se volvió, y yo tuve que cerrar los ojos por un momento: su espalda era un mosaico de violencia. No quería ni imaginar qué instrumentos podían haber hecho la mayoría de las marcas, pero debía de haber algún cinturón o látigo de por medio. Me fijé en los arañazos, ensangrentados y en carne viva, y en las dentelladas del hombro. Abrí en alto la bata para que pasara los brazos por las mangas y luego me dio la espalda para atarse las dos partes de la bata por delante.

—No tengo seguro —dijo.

—No te preocupes, yo te cubro —respondí, articulando apenas las palabras, llorando como estaba.

El auxiliar regresó con un médico alto y calvo, ambos con expresión seria.

—¿Es usted de la familia? —me preguntó el médico.

Sacudí la cabeza y entonces me pidieron que fuera tan amable de esperar fuera; aun así pude escuchar casi todo lo que decían desde el otro lado de la fina cortina que formaba su «habitación» de urgencias. Se negó en redondo a que recogieran muestras para probar una posible agresión sexual. Tenía uno de los implantes del pecho del revés.

—Le pegó una patada —no paraba de repetir ella.

Hubo cierto movimiento, y por lo que pude discernir por los susurros, Kristen había intentado ponerse en pie, pero se había caído. Oí que les gritaba diciéndoles que le quitaran las manos de encima, y asumí que estarían intentando ayudarla. Siguió un silencio. Y llanto. Me taponé los oídos con los dedos y me dejé resbalar por la pared para sentarme en el suelo.

En cuanto salió el médico, volví a entrar y vi que Kristen estaba vistiéndose.

—¿Ya has terminado? —pregunté, aunque sabía que no podía ser.

—Muchas gracias —me dijo rehuyéndome la mirada.

—¿Adónde vas ahora? —le pregunté.

—A casa —dijo encogiéndose de hombros—. Acabo de escribirle a su ayudante para decirle que quiero que me preparen el avión. Y supongo que te pidieron a ti que llamaras al coche, pero se ve que no has querido. Así que iré en taxi hasta LaGuardia. —Parecía enfadada conmigo en vez de con el hombre que le dejaba el cuerpo en tecnicolor a base de palos.

—¿No es la primera vez que lo haces? —le pregunté mirándola sin dar crédito.

La mirada que me lanzó acabó con toda idea que pudiera haberme hecho de ser su heroína.

—A mí no me mires como si fuera una víctima. Nos paga veinticinco de los grandes para molernos a palos, solo que esta vez se le ha ido de las manos. No sé la de veces que grité la palabra de seguridad que teníamos, pero él siguió pegándome y pegándome... —La voz se le apagó, como si su cerebro se hubiera ido a un lugar sombrío, y reculó entonces—: Son cosas que pasan. Te devolveré lo que te cobren del hospital, solo necesito un poco de tiempo.

Sacudí la cabeza.

—¿Nos?

—Nos trae desde Miami. Supongo que porque así no conocemos a nadie aquí.

—Pero... ¿cómo? Me refiero a que... ¿dónde? ¿Dónde está su mujer mientras pasa todo eso?

—No lo sé, supongo que... ¿en otra parte? Tampoco es que vayamos a su piso ni nada. Tiene una entrada distinta solo para nosotras. Un espacio aparte. Solo cuatro paredes, unas camas y... artilugios. —Se estremeció al ver de pronto en su cabeza algo que la aterraba—. Mira, tengo un crío y soy demasiado mayor para seguir haciendo de modelo. Hago lo que tengo que hacer, como todas.

—Entonces, ¿piensas dejar que te haga eso sin más? ¿Vas a dejar que se vaya de rositas? —No podía creerme que estuviera chillándole a una mujer que acababa de sufrir la paliza de su vida, pero las palabras me salieron por la boca antes incluso de darme cuenta.

Dio unos cuantos pasos cautelosos hacia mí y dobló ligeramente las piernas, de una longitud imposible, para poner la cara a la altura de la mía.

—Tú no lo entiendes. Ese hombre es un monstruo —bufó con voz amenazante antes de dar un paso atrás—. Esto no es nada comparado con lo que podría hacerme, a mí y a mi familia.

Las palabras eran un eco de lo que había dicho Gary la noche del Incidente. «No va a hablar.» Todo me volvió entonces con toda su fuerza. Oí las risas de ellos y los gritos míos. Recuerdo que creí a pies juntillas aquellas palabras, el poder que tenía él para arruinarme la vida. Asentí despacio, en solidaridad.

Me hice a un lado para dejarla rellenar la hoja del alta. ¿Qué otra opción tenía?

Todavía en el hospital, saqué el móvil y llamé al fijo del despacho de Carmen. Lo cogió al momento:

—Hola.

—Buenas. ¿Fuiste a la dirección?

—Sí —respondió en un tono que no supe interpretar.

—¿Y?

—Y... creo que me voy a pasar una temporada apartada de Klasko. Y de los grandes bufetes en general, ya puesta —dijo en voz baja.

«Le han ofrecido dinero a cambio de que firme un NDA», pensé. Menudos cabrones. Y Peter iba a seguir haciendo de las suyas y permitiendo la violencia monstruosa de Gary Kaplan.

—¿Has firmado ya algo?

—Alex…, no puedo hablar del tema.

—¡Carmen! ¿Has firmado o no? No digas nada si no has firmado todavía. —Dejé pasar hasta cinco segundos—. Bien. No firmes nada, tengo un plan.

Atravesé de nuevo el vestíbulo justo cuando mis compañeros estaban volviendo de sus almuerzos de varias horas en el Wolfgang's y The Grill. En cuanto me senté a la mesa, les escribí un correo a Matt y a Jordan pidiéndoles que vinieran a mi despacho. Me quedé sentada en la silla mirando hacia la puerta abierta y mordiéndome el callo del pulgar mientras los mensajes sin leer se amontonaban en la bandeja de entrada. Cuando los dos aparecieron en el umbral, les hice señas de que pasaran y cerraran la puerta.

—Tengo una situación «cadáver» —les dije nada más sentarse, y cogí un pañuelo para envolverme el pulgar, ahora con sangre después de haberme mordido la cutícula—. Creo que necesito ayuda. —No supe a ciencia cierta si había pronunciado esa frase alguna vez en mi vida.

—¿En qué lío te has metido, Pippy? —Matt me lo preguntó con un tono sereno y moderado que me hizo comprender al instante por qué la gente quería que la representara como abogado.

Dejé de combatir las lágrimas, que me rodaron mejilla abajo.

—A las mujeres de este bufete les pasa una lista interminable de mierdas muy retorcidas. Peter Dunn, quien ni siquiera es la peor parte, se ha acostado tanto con Carmen como conmigo —dije escupiendo las palabras como si fueran veneno. Intenté ignorar sus expresiones faciales, que parecieron congeladas por la conmoción para luego fundirse en decepción, pero me obligué a continuar—: El acto más atroz, y posiblemente criminal, en que está incriminado el bufete es armar con NDA blindados a Gary Kaplan para facilitar así que dé impunemente palizas casi de muerte a mujeres. Después llamamos a coches de nuestro propio servicio de vehículos con chófer para que lleven al aeropuerto a esas mujeres amoratadas y molidas a palos. Acabo de conocer a una de esas mujeres. Estaba hecha un cristo.

Hice una pausa y vi que estaban mirándome sin saber si hablaba en serio o no. Por fin Jordan se aclaró la garganta y forzó una media sonrisa.

—Y yo que había apostado a que te habías enganchado a la coca más de la cuenta.

Matt ignoró el comentario mientras seguía con los ojos entornados, como intentando verle el sentido a todo aquello.

—Doy por hecho que puedes probar eso que dices de Gary.

Me encogí de hombros.

—Bueno, yo diría que el tema de los coches se puede probar de sobra. Y no hablo de probarlo delante de un tribunal de justicia. Lo único que quiero es que el bufete lo pare. Tengo pruebas suficientes para demostrarle a Mike Baccard lo que está pasando.

—¿Y Carmen? ¿Está dispuesta a hablar?

—Ya ha hablado.

Matt se arrellanó en la silla y entrelazó las manos tras la cabeza, preparado para analizar todos los ángulos de la situación, hasta que dejó caer las manos y se enderezó la corbata, listo para la batalla.

—Vale, Pip. ¿Qué necesitas de mí?

—¿Que me acompañes a reunirme con Mike Baccard?

Asintió.

—Por supuesto. Y sé que no sirve de mucho, pero lo siento muchísimo... Ojalá te hubiera protegido de todo esto.

—Sí, Pip, tú eres nuestra chica. Siento mucho que te haya pasado todo esto, que no te hayamos protegido —añadió Jordan.

Asentí agradecida mientras luchaba contra el impulso de corregirlos. Yo no necesitaba su protección, ya no: podía protegerme yo solita.

Cambié el peso sobre la silla mientras me obligaba a relatarle de nuevo a Mike Baccard los errores que había cometido con Peter y lo que había descubierto sobre Gary Kaplan. Mis propias palabras me resonaban en los oídos, pero tenía la mente centrada en las cerdas erizadas de la piel de la que estuvieran hechas las sillas de diseño de Mike, que estaban clavándoseme con saña por detrás de los muslos. Hasta que terminé de hablar no fui consciente de cómo me latía el corazón. Al instante me arrepentí de todo lo dicho. ¿En qué estaba pensando contándole al director del bufete que había tenido una aventura con un socio veterano? Era la cosa más tonta que podía haber hecho. Mi carrera tenía las horas contadas. Respiré hondo y solté lentamente el aire, serenando la angustia de mis resuellos, y luego me volví para mirar a Matt. Con un sencillo gesto, me dio su aprobación y su apoyo antes de que ambos buscáramos la mirada de Mike, quien asintió con parsimonia y luego apoyó la cabeza en el lujoso sillón de cuero de su despacho kilométrico.

—Siento muchísimo que hayas tenido que vivir todo esto en tu breve temporada en Klasko hasta la fecha. Estoy tremendamente compungido —dijo, pasando de abogado a político: su cara no dejaba entrever asomo alguno de lo que le pasaba por la cabeza, y mi intento por dilucidar si sabía ya algo de lo que le había contado no valió para nada—. Y no puedo comentar la situación con Carmen Greyson, pero estaríamos encantados de poder compensarte por lo vivido.

Lo miré de hito en hito.

—Yo no quiero dinero, quiero que las cosas cambien. ¿Piensa hacer algo con respecto a la situación con Stag River y Gary Kaplan?

—Mike, esto es algo que no podemos ignorar sin más —intervino Matt desde la silla de al lado.

—No me cabe duda de que tu información es cierta, pero no tenemos pruebas —dijo con su labia habitual.

—Tengo pruebas de que Gary Kaplan es un depredador sexual —dije, y en el acto ambos fijaron la atención en mí como un resorte.

—¿A qué te refieres, querida? —me preguntó Mike.

«¿Acaba de llamarme "querida"?»

—Tengo una grabación en la que Gary intenta agredirme sexualmente. Dejé un mensaje en mi contestador mientras ocurría. No se oye muy bien, pero es lo suficientemente claro para que reconozcáis que es su voz, y es posible que a un jurado también se lo parezca.

Yo sabía que probablemente el mensaje no era más que un runrún indiscernible, pero en ese momento me pareció la única carta que tenía para presionarlo.

—¿Gary Kaplan te agredió sexualmente a ti? —Mike se adelantó en el sitio.

—Así es —dije con toda la calma que pude.

Ambos se me quedaron mirando con la mandíbula desencajada. Matt me puso una mano en el hombro y luego la apartó, como si le pareciera de pronto inapropiado.

—Si no quieres dinero, ¿qué quieres? —preguntó Mike en tono comedido.

—Dinero sí quiero, pero no para mí. Perdón si no he sido del todo clara. Quiero un presupuesto anual, un presupuesto de dos millones de dólares para una fundación de mujeres. Es la cifra que se embolsa al año el bufete por una o dos de las operaciones de Stag River, y calculo que debemos de hacer unas treinta al año.

—¿Dos millones? ¿Al año? —quiso aclarar Matt.

Asentí.

—No podrías gastar todo eso en un año —protestó Mike.

—Sí que podríamos. Estoy pensando a escala mundial. Quiero poner en marcha una fundación de mujeres de bufetes de élite, con actos durante todo el año y una gran reunión anual en Nueva York o Londres con ponentes invitadas, sesiones de grupo, talleres de empoderamiento y autodefensa..., todo lo que haga falta. Sería gratuito para mujeres en bufetes de élite. Klasko tendrá la amabilidad de financiarlo. Al menos los primeros años. Imagino que otros bufetes se prestarán a patrocinarlo en años venideros. —Bajé la vista un momento antes de proseguir—. La única manera de poder volver a sentirme normal después de lo ocurrido es utilizarlo para cambiar las cosas.

Matt vació los pulmones de golpe.

—Tenemos que asegurarnos de que algo así no vuelva a ocurrir.

—Volverá a ocurrir —repliqué, y me reprimí justo a tiempo para no responder de mala manera—. Muchas veces, no me cabe duda. Mi objetivo es enseñar a la gente a lidiar con cosas así y crear un sistema de responsabilidades, repercusiones y apoyo.

Matt y Mike intercambiaron una mirada, y la expresión de este último se ensombreció cuando hizo amago de hablar. En la mente se me proyectó un montaje visual de las innumerables veces que había visto a Matt y a Peter negociar las condiciones a su favor. Vi ante mí varias posibilidades: ¿hablar o escuchar? ¿Ser rotunda o amistosa? ¿Tirar por lo alto o por lo bajo?

Lo corté antes de empezar:

—Si no se me proporciona esta financiación, les mandaré un mensaje con la grabación a todos los contactos que tengo. Los de *Golpes Bajos* seguro que se frotarían las manos. Acabaré con Stag River. ¿De verdad puede sobrevivir el bufete si lo pierde como cliente? —Entorné los ojos—. Supongo que debemos dar las gracias por el contestador de voz digital, ¿no?

Mike se me quedó mirando, como a la defensiva.

—Acabarías con Gary Kaplan, no con Stag River.

Arqueé una ceja.

—¿Tan claro lo tiene? —lo presioné en respuesta, y vi que Matt intentaba no sonreír al reconocer en mí sus mañas.

—Jovencita, sé que te gustaría unirte a las filas del Departamento de F&A, y no sé si destruir al cliente más importante es la mejor manera de...

Estuve a punto de saltar la mesa al oír el diminutivo, pero Matt se dio cuenta de que mi aura de energía había cambiado e intervino antes de que lo hiciera yo.

—Dale la financiación, Mike —lo cortó—. En realidad no te queda otra.

El director del bufete se quedó mirándolo un rato mientras yo me retorcía de los nervios en la silla hasta que cedió y perdió el pulso.

—Tendré que convencer a la ejecutiva. Ese dinero saldría del presupuesto global.

Solté el aire y dejé que los hombros se me relajaran hasta la altura de los lóbulos. Aquello era, a todas luces, un sí.

Cuando salíamos juntos del despacho de Mike Baccard, Matt tenía los ojos vidriosos. Le sonreí y sacudí la cabeza, como para decirle: «No sientas pena por mí».

—Estoy orgulloso de ti, Pippy. Y, si te soy sincero, empiezas a darme miedo —reconoció, y soltó una risita mientras recorríamos el pasillo.

Había mandado a Carmen y a Nancy un correo un tanto críptico para pedirles que se pasaran por mi despacho, y estaba relatándoles una vez más la historia de la agresión, la escena del Starlight y el presupuesto que había conseguido para la fundación de mujeres sin apenas pararme a coger aire.

—¿Y bien? —les pregunté por fin—. ¿Qué me decís? —Ambas se me habían quedado mirando de hito en hito, algo con lo que no había contado: había imaginado emoción, gratitud incluso, después de todo por lo que habíamos pasado las tres—. Decid algo —dije, casi suplicando.

—Qué horror —fue todo lo que pudo decir Carmen.

Nancy asintió.

—No puedo creer que te pasara eso a ti.

—¡No! Estoy hablando de ser vicepresidenta y secretaria general de la fundación de mujeres. —Estaban centrándose justo en la parte de mi historia que menos importancia tenía—. Os necesito, chicas.

Nancy puso cara de estar procesándolo y luego empezó a asentir.

—Yo me apunto. Lo que haga falta. Creo que podemos hacerlo muy bien. Podríamos...

—Yo no puedo —declaró Carmen, y Nancy y yo la miramos conteniendo la respiración, deseando que cambiara de parecer—. Necesito salir de aquí, cortar por lo sano. —Cruzó las manos y las separó mucho, como un árbitro de béisbol dando por salvado a un jugador.

«Prefiere aceptar el dinero.» Estaba a punto de criticarla, pero me detuve. Por decepcionada que me sintiera, no podía culparla por querer coger ese dinero para empezar una vida nueva. Casi dudé de si yo no habría hecho lo mismo si me hubieran enseñado lo que estaban dispuestos a pagarme en negro sobre blanco, un cheque listo para depositar en mi cuenta.

Unos días más tarde, me levanté al amanecer y me fui andando al trabajo para terminar algunas tareas burocráticas pendientes antes de mi comida con Mike Baccard y el presidente global de la firma. Habían firmado los papeles que garantizaban el patrocinio del seminario anual de aquí a la posteridad por una cantidad que no podía exceder los dos millones de dólares al año, y un mínimo del uno por ciento de la facturación de Stag River se donaría al presupuesto de la fundación de mujeres de Klasko. Aquella reunión era para hablar de mi experiencia y de mis objetivos con la fundación. Me pregunté si querrían que les firmara un NDA. No pensaba hacerlo, desde luego. Podían o bien darme lo que les pedía y esperar que no hablara, o bien no darme lo que quería y tener por seguro que iría a la prensa. Daba por hecho que tendrían la inteligencia suficiente para decantarse por la primera opción.

Cuando me acercaba a mi despacho, Anna se levantó de la silla para recibirme.

—Vivienne White está esperándote dentro —me anunció nerviosa.

Empujé la puerta y Vivienne levantó la vista y me dedicó una sonrisa tensa desde la silla de invitados. Su Moreau gris estaba tirado en el suelo a su lado de cualquier manera. Contuve la respiración mientras rodeaba la mesa para sentarme en mi escritorio.

Me dedicó una mirada prolongada. «Se ha enterado del Incidente y quiere hablar del tema.» Las piernas me daban botes por debajo de la mesa, y cuando las junté por las rodillas con la mano, empezó a rebotarme también la palma sobre ellas.

—Me he enterado de lo que estás haciendo, de la fundación de mujeres.

La miré, esperando no tener que contarle qué la había precipitado. Además, no me vendría mal su ayuda. La aceptaría gentilmente, reconocería la importancia de su mentoría en el trabajo que había hecho, pensaría en darle un papel más importante, puede que incluso el de vicepresidenta.

Se aclaró la garganta.

—Entiendo la motivación, pero de entrada te digo que este sitio no va a cambiar. Esta industria no va a cambiar. Y, por otro lado, debes tener cuidado para no deshacer el duro trabajo que hicimos las mujeres de mi generación para que las cosas estén donde te las has encontrado.

Enderecé la columna contra el respaldo de la silla y levanté el mentón.

—Te agradezco el consejo —conseguí decir.

A Vivienne se le achicaron los ojos. Descruzó las piernas y volvió a cruzarlas para luego entrelazar los dedos sobre el regazo. Nos quedamos mirándonos, mientras la rabia bullía bajo nuestra perfecta compostura y nuestras blusas de marca.

Para mi deleite, ella estalló primero, en un tono bajo y airado:

—Yo di todo lo que tenía para que este sitio invirtiera en asociadas mujeres. Me tragué mi orgullo y les llevé el café a mis compañeros para que a vosotras os invitaran a las reuniones de junta y a los bailes benéficos. Dejé que los clientes me manosearan y babearan encima de mí para que tú puedas estar aquí hoy e ir al despacho de Mike Baccard a pedirle que destine fondos a la mejora de la situación de las mujeres en el entorno de trabajo y que no se ría en tu puta cara y te eche a patadas. —Se recostó en el asiento y se remetió la blusa de seda beige por la falda de tablas azul marino, y luego se reajustó el colgante de diamante del collar para que volviera a quedarle en el centro del pecho.

«No tiene ni idea de por qué Mike no se rio de mí y me echó del despacho», pensé. No había sido porque ella hubiera dado pasos de gigante por las mujeres, sino porque un cliente había estado a punto de violarme. Intenté ver su reacción desde una perspectiva más racional. Obviamente, tenía razón: estaba en deuda con ella y con su generación por hacer que el bufete les prestara atención a las estadísticas de la diversidad y al porcentaje de socios y socias. Pero las operaciones de altos vuelos, los negocios gordos, se habían descarriado en algún punto del camino y habían errado el tiro catastróficamente.

—Soy muy consciente de lo que has hecho y te estoy agradecida, pero tú debes saber también que aquí las cosas no andan bien. Están mejor… en gran medida gracias a ti. Pero no están bien. —La observé con prudencia antes de añadir—: Y las mujeres como tú y como yo nunca nos conformaremos con un suficiente raspado.

Arqueó los labios mientras se encogía de hombros y se plantaba una sonrisita en la cara antes de coger el Moreau y levantarse.

—Te deseo suerte, Alexandra, de verdad.

—Ay, por cierto, siempre se me olvida decírtelo… Me encanta tu bolso —dije levantándome para acompañarla a la puerta. «Espero que todo lo que hicieras para poder permitírtelo mereciera la pena.»

Arqueé la espalda, me crucé de brazos y me volví para mirar por la ventana a toda la gente que correteaba abajo en la calle como hormiguitas. Oí que llamaban a la puerta suavemente.

—¡Pasa!

Anna asomó la cabeza y se adelantó en el umbral.

—Si necesitas algo más hoy, dímelo —dijo balbuceando—. No es mi intención entrometerme, pero ¿estás bien?

—Sí, estoy bien —le dije con una sonrisa leve, valorando que se preocupara por mí.

Empujó un poco más la puerta hacia el marco sin llegar a cerrarla del todo.

—He visto a miles de asociados empezar aquí en el bufete. Todos se cansan. Todos empiezan a vestir mejor. Algunos engordan. Algunos se quedan en los huesos. Pero tú… tú hoy tienes un almuerzo con Mike Baccard en la agenda. —Hizo una pausa—. Nunca había visto a nadie que recibiera en el despacho a tantos socios importantes en el primer año. —No supe qué decir, no me sonó del todo a cumplido, ni tampoco a pregunta—. Algo debes de estar haciendo bien.

—¡O muy mal! —Miré al techo y reí.

Anna asintió y, una vez que pareció haber dicho lo que había venido a decir, volvió a irse por el pasillo.

Miré de nuevo por la ventana e intenté visualizar cómo serían las vistas desde la planta 56. Me imaginé en un hipotético despacho y reorienté mi imagen mental. Sería muy distinto. Tendría vistas a la parte alta de la ciudad.

Epílogo

P: ¿Representa actualmente a Stag River o a Gary Kaplan en calidad alguna?

R: Lo representaba mi bufete hasta hace poco. Yo no he vuelto a trabajar en ningún asunto de Stag River ni para Gary Kaplan desde mi primer año como asociada.

P: Gracias, señorita Vogel. Con eso concluyen nuestras preguntas sobre su experiencia en Klasko & Fitch. Le agradecemos su franqueza. Una última cuestión, para que conste en acta: ¿conoce o tiene alguna relación con la demandante, Sheila Platt?

R: No. Bueno, tengo entendido que es ayudante desde hace tiempo de Gary Kaplan, de modo que es posible que incluso llegara a hablar con ella cuando participaba en las operaciones de Stag River. Pero no, que yo sepa no he tenido ninguna relación con ella.

P: Gracias, señorita Vogel. Con esto termina su testimonio preliminar. La taquígrafa pasará hoy mismo a limpio la transcripción de estas preguntas y respuestas. Tiene derecho a leer la declaración y revisar las respuestas antes de validar su veracidad con su firma.

R: Gracias.

P: El inicio del juicio está programado para el primero de octubre. La informaremos, llegado el momento, de la fecha de su testimonio como testigo. Queda a discreción del juez decidir si se le permite asistir a la totalidad del juicio. ¿Tiene ahora mismo más preguntas?

R: No, gracias.

No oí nada, salvo un mínimo pitido, cuando la jueza golpeó la maza. Movía con decisión los labios por encima del cuello de la toga, pero al detenerlos me pareció detectar decepción en el arqueo hacia abajo. Respiré hondo y miré a Gary, deseando no oír nada de nada, mientras abrazaba con fuerza a su abogado antes de fundirse en un abrazo lloroso con su mujer, que tenía cara de gravedad, como si hubiera envejecido veinte años desde que la viera en el Metropolitano. Su hija, que era ya una adulta, con el pelo largo y moreno y un cuello largo y elegante, se había quedado unos pasos atrás, como si estuviera luchando mentalmente con algo antes de acercarse para abrazar a su padre. Deseé con toda mi alma que estuvieran despidiéndose, pero sin duda aquellas lágrimas eran de felicidad, y estaban celebrándolo.

De pronto me rodeó de golpe la disonancia de la sala: desde el estruendo alegre de algunos sectores del público hasta el padecimiento tácito de angustia en otros. Me di cuenta entonces de que había estado clavándome el banquillo de madera y me dolía la espalda, que tenía menos mullida después de una semana con un nudo en el estómago y vómitos intermitentes.

—Perdone —me dijo una pareja a mi derecha que intentaba llegar al pasillo.

Parecían contentos. La mujer era la versión femenina de Gary. «Serán su hermana y su cuñado.» Me rozó las piernas con su abrigo de visón, que le llegaba por las pantorrillas, e invadió con su perfume el aire a mi alrededor, viciándolo aún más y asfixiándome.

Me obligué a levantarme e ir hacia las grandes puertas de madera oscura y el pasillo de suelo de mármol, con la vista clavada al frente mientras la gente pasaba a mi lado. Obligaba a mis pies a seguir adelante y al ritmo de la muchedumbre.

Había sido en vano. Todo. Mi relato público de aquella noche y de las noches que llevaron a ella, así como de las secuelas, no había servido de nada. No había final feliz a cambio de revivir en voz alta aquella pesadilla amarga ante una sala llena de desconocidos impasibles y grabadoras sin sentimientos. La pobre secretaria de Gary Kaplan, que lo había acusado de violarla, que había confiado en mí para que aportara una declaración como testigo de confianza, tendría que vivir su vida sabiendo que simplemente él iba a librarse de todo. Era inocente a los ojos de la ley. Y en mi mundo, la ley era lo único que importaba. Tenía la sensación de que, de un modo u otro, el sistema me había fallado, e intenté aplacar el runrún de esos pensamientos con la idea balsámica de la fundación de mujeres, que celebraba para entonces su tercer aniversario, aunque no fue de gran ayuda.

Seguí bajando las escaleras de mármol, rehuyendo las miradas de reojo y los susurros de la gente que me había visto testificar, y salí por las puertas entre el gentío, permitiendo así que el aire invernal me arrancara del trance. Me escoré hacia un lateral de las escaleras del juzgado, con los ojos guiñados por el sol, y de pronto lo sentí, lo vi y lo oí todo mientras empezaba a procesar lo que acababa de ocurrir en la sala del tribunal. Tuve la sensación de tener bajo los pies un agujero negro sin fondo que se abría, de estar en caída libre. Me doblé en dos y me puse las palmas de las manos contra las rodillas flexionadas para no perder el equilibrio. Oía que el corazón me aporreaba con fuerza el pecho.

«Me está dando un ataque al corazón. Me muero. Se acabó.»

Al ver que la muerte no llegaba, removí los dedos para confirmar que seguía en el mundo de los vivos y luego enderecé la columna. Al hacerlo crucé la mirada con una mujer que estaba unos escalones por debajo, con unas ondas rojas claras sobresaliendo bajo una gorra azul pastel mientras me observaba con expresión seria. Me dio un vuelco el corazón al recordar su espalda amoratada y azotada. Siguió mirándome, hasta que de pronto hundió la cabeza ligeramente desde la punta de su cuello largo, en un gesto de gratitud casi imperceptible, antes de volverse y seguir bajando las escaleras.

Me quedé helada en el sitio mientras se me ralentizaba la respiración, y luego estiré el cuello hacia el cielo y dejé que el sol me calentara la cara un rato antes de alcanzar las escaleras, meterme por la boca del metro y volver a mi despacho en la planta 56. Me agarré a la barra metálica del techo para no caerme mientras la línea número 4 se tambaleaba camino del centro y yo escrutaba las caras de los demás pasajeros del vagón y me preguntaba cuántas de las mujeres que me rodeaban habían sido víctimas de insinuaciones indeseadas, tocamientos indebidos y, directamente, agresiones sexuales.

Salí a toda prisa del ascensor y me metí en el despacho, deseosa de enfrascarme en el trabajo para apartar de la cabeza el juicio. Yo no había faltado a la verdad, me recordé, pero Gary Kaplan no iba a ir a la cárcel y siempre podría afirmar sin mentir que era un hombre inocente a los ojos de la ley. Así y todo, Klasko había despedido como clientes a Stag River y Gary en cuanto admitieron a trámite la denuncia y salió a la luz el alcance de sus supuestos abusos, pues el bufete no quería en modo alguno que lo asociaran públicamente con semejante escándalo. Peter, por su parte, bien fuera por su propio pie o porque la sociatura lo presionó sin muchos miramientos, abandonó el bufete antes de que empezara al juicio. Ya se había unido a las filas de Pennybaker & Neff, otro bufete entre los diez grandes, y yo sabía que tendría a un nuevo plantel de asociadas trabajando para él que no estarían al tanto de su pasado. Y sabía igualmente que era posible que en Klasko lo sustituyeran otros acosadores. Pero tuve que animarme diciéndome que decir la verdad ya era en parte una victoria. Aunque lo que más quería en este mundo era ver a Gary entre rejas por mucho tiempo, tenía que hallar cierta paz en la justicia inherente al proceso más que en el veredicto en sí.

Al pasar a toda prisa por delante de Anna, sonó el teléfono.

—Despacho de Alex Vogel... Lo siento, ahora mismo no puede ponerse. —Me paré a escuchar—. Le daré el recado. —Anna colgó y se me quedó mirando sin decir nada.

«Periodistas.» Empujé la puerta de cristal del despacho y me quité el abrigo. Todavía no me había sentado cuando llamaron al marco de la puerta, a pesar de que estaba abierta.

—¡Buenas! —Me acomodé en la silla al tiempo que levantaba la vista y veía a Nancy.

Me tomó las medidas por un momento y supe por su forma de ladear la cabeza que se había enterado del veredicto.

—He tenido días mejores... —reconocí con un suspiro antes de que tuviera que preguntármelo.

Nancy me dedicó una sonrisita.

—Lo siento mucho, Alex. ¿Puedo hacer algo por ti?

Asentí porque sí que lo había.

—Vamos a ponernos manos a la obra. Nos queda mucho trabajo por delante.

Agradecimientos

Gracias a Michael, Risa, Mindy y Greg por atenuar los bajos y encumbrar los altos de los altibajos del proceso de edición de este libro. Gracias a Jude y Liv por darme el suplemento de abrazos y besos que necesité durante la revisión. Un día, cuando seáis mayores, os enseñaré esta página de agradecimientos y os dejaré leer el libro. Y a Liv en particular, y a todas las niñas en general, os deseo que el mundo laboral sea más igualitario para vuestra generación de lo que lo es para la mía.

A Allison Hunter: no sé dónde estaría sin tu fe, tu amistad y tus consejos. Este libro no habría existido sin ti. Y en el remoto caso de que hubiera existido, desde luego no llevaría el título que lleva.

A Emily Griffin, gracias por hacer de mi libro el mejor libro posible, por tu atención meticulosa al detalle, por tu paciencia y tus ánimos.

A Debbee Klein, Sally Willcox y Valarie Phillips, gracias por ver la película en la que podría convertirse este libro antes incluso de que fuera una novela.

A Carey y Courtney, por gritar un «¡Hazlo! ¡Empieza hoy mismo!» que se me quedó grabado en el cerebro cuando les comenté que estaba pensando escribir un libro.

A mis amigos queridos, por preguntarme siempre cómo iba el libro, por no hacerme sentir nunca una idiota por intentar escribir una novela en el poco tiempo libre que tenía, por saber cuándo necesitaba ánimos y cuándo, simplemente, vuestra compañía... y un poco de vino.

A Jennifer y Brendan, por la mirada amable y entusiasta con la que leéis.

A Peter Gethers, gracias por decirme que «siguiera adelante» y asegurarme que me quedaba poco cuando en realidad sabías que aún estaba muy lejos.

Al joven de la calle Veintitrés Oeste que, durante uno de mis paseos nocturnos para pensar sobre el libro, se me plantó delante y me pidió que sonriera, le digo ahora: «¡Aparta de mi camino!». No estaba pensando cosas bonitas: estaba pensando cosas importantes.

A todos los que vean reflejadas partes feas de sí mismos en estos personajes y se pregunten si estaré escribiendo sobre ellos, han de saber que no es así. (Y al mismo tiempo sí lo es...)